D1600756

LOS VERBOS ESPAÑOLES

BLANCA MARCOS GONZÁLEZ
COVADONGA LLORENTE VIGIL

LOS VERBOS ESPAÑOLES

EDICIONES DEL COLEGIO DE ESPAÑA
SALAMANCA
1992

EDICIONES DEL COLEGIO DE ESPAÑA
CENTRO INTERNACIONAL DE ESTUDIOS DEL ESPAÑOL
Fundado en 1973
C/. Compañía, 65
Teléfs. (923) 21 47 88 - 21 13 05
Fax (23) 21 87 91
37008 Salamanca

1.ª edición 1992

ISBN: 84-86408-27-X
Depósito legal: S. 735-1992

Fotocomposición e Impresión:
    Imprenta CALATRAVA, S.Coop.
    Pol. El Montalvo, Calle D, Parcela 19 E
    Teléf. (923) 21 41 18
    37008 SALAMANCA (España)

a Pedro y Florida,
mis padres
Blanca

A mis padres Benjamín y Clara
Covadonga

1. EL VERBO

1. EL VERBO

a) Definición

El verbo es una de las partes fundamentales de la oración por su capacidad para expresar tiempo y designar:
- existencia: Cervantes vivió en el siglo XVII.
- estado: María está enferma.
- acción: Ellos comen a las tres.
- sucesos: Ayer nevó todo el día.

b) Tipos de verbos

La clasificación de los verbos es compleja y por ello admite diferentes criterios. En este libro se hace una clasificación fundamentalmente práctica con vistas a una mayor facilidad en el manejo del manual.

- **Verbos auxiliares** son los que se usan para formar los tiempos de otros verbos. Los más importantes son: *ser, estar, haber.*
- **Verbos regulares** son aquellos en los que la raíz permanece invariable y toman las terminaciones de los verbos modelo.
- **Verbos irregulares** son los que sufren variaciones en la raíz, en las terminaciones o en ambas a la vez.
- **Verbos copulativos** son los que expresan estado. Los más importantes son: *ser* y *estar.*
- **Verbos predicativos** son los que expresan acción y, a su vez, se pueden clasificar en:
  • *Transitivos* son aquellos en los cuales la acción realizada por el sujeto recae sobre un objeto o persona distinta del mismo (complemento directo):
    Juan come una manzana.
    María ha visto a Pedro.

- *Intransitivos* son aquellos en los que la acción realizada por el sujeto no recae sobre un objeto o persona:
  Yo paseo todas las tardes.
  Los leones viven en la selva.

- *Reflexivos* son aquellos en los cuales la acción del sujeto recae sobre él mismo.En su conjugación hay que incluir el pronombre reflexivo:
  Yo me lavo.
  María se peina.

- *Recíprocos* son aquellos en los cuales la acción recae recíprocamente. En su conjugación hay que incluir el pronombre recíproco.
  María y Luis se aman (Luis ama a María y María ama a Luis)

- *Pronominales* son aquellos en los cuales el infinitivo termina en *se*. En su conjugación hay que incluir el pronombre reflexivo por estar muy cerca de los verbos reflexivos en su significado.
  El ladrón se fugó de la cárcel.

- *Impersonales* son aquellos que no tienen sujeto.
  Ayer llovió mucho.

- *Defectivos* son aquellos a los cuales les faltan algunas formas. El verbo *soler,* por ejemplo, no existe en indefinido entre otros tiempos.

c) **Tipos de conjugación**

Todos los verbos se pueden agrupar en tres tipos de conjugación dependiendo de su terminación:
  - 1ª conjugación: los terminados en **-ar**: cantar
  - 2ª conjugación: los terminados en **-er**: meter
  - 3ª conjugación: los terminados en **-ir**: subir

2. LOS MODOS, LOS TIEMPOS, LAS VOCES

a) LOS MODOS

Teniendo en cuenta criterios gramaticales y de significado se distinguen tres modos: *indicativo, subjuntivo* e *imperativo.*

Además existen tres formas llamadas no personales: *infinitivo, gerundio* y *participio* con sus formas compuestas.

b) LOS TIEMPOS

Indican cuando se realiza la acción del verbo. Los tiempos pueden ser simples o compuestos y son:

TIEMPOS DEL INDICATIVO

Presente.................................	Pretérito Perfecto
Pretérito Imperfecto	Pretérito Pluscuamperfecto
Pretérito Indefinido..................	Pretérito Anterior (1)
Futuro Simple..........................	Futuro Compuesto
Condicional Simple	Condicional Compuesto

TIEMPOS DEL SUBJUNTIVO

Presente.................................	Pretérito Perfecto
Pretérito Imperfecto	Pretérito Pluscuamperfecto
Futuro Simple (1).....................	Futuro Compuesto (1)

(1) Estos tiempos actualmente no se usan. Podemos encontrar algunos restos en refranes, frases hechas, etc.

La denominación de los tiempos es discutible, en este libro se ha elegido la que ha parecido más oportuna.

c) LAS VOCES

Sirven para indicar si el sujeto realiza o padece la acción del verbo. Podemos distinguir dos voces:
- **La voz activa,** en la cual, el sujeto gramatical realiza la acción del verbo:
  La policía detuvo al ladrón.

- **La voz pasiva,** en la cual, el sujeto gramatical padece la acción del verbo:
El ladrón fue detenido por la policía.

La voz pasiva se construye con el tiempo correspondiente del verbo *ser* y el participio (que concuerda con el sujeto) del verbo conjugado:
María ha sido becada por la Universidad.

3. USO DE LOS TIEMPOS

I. El Indicativo

- **PRESENTE** es una de las formas más abierta y flexible por el número de situaciones en que puede emplearse. Puede tener estos valores:
  - *Presente durativo:* expresa una acción que se realiza antes, durante y después del momento en el que se habla.
  Vivo en Salamanca.

  - *Presente habitual:* expresa una acción que no se realiza concretamente en el momento en el que se habla, sino que ocurre habitualmente.
  Me levanto a las ocho.

  - *Presente atemporal:* es el que suele usarse en refranes, proverbios, moralejas, aforismos, definiciones, etc.
  Por la boca muere el pez.

  - *Presente histórico:* expresa una acción pasada.
  Ayer casi me caigo al río.

  - *Presente por futuro:* se usa para expresar una acción futura.
  Esta tarde voy al cine.

  - *Presente de mandato:* se usa para dar órdenes.
  ¡Ahora mismo lo haces!

- **PRETÉRITO PERFECTO** expresa una acción realizada en un periodo de tiempo que todavía no ha terminado para el hablante. Esta mañana me he levantado a las ocho. (El día aún no ha terminado)

Por otro lado se usa este tiempo siempre que en la frase se sobreentienda (se diga o no) «hasta este momento».
He visto esa película tres veces.

También expresa una acción realizada inmediatamente antes del presente. En este caso es sustituido frecuentemente por la perífrasis *acabar de + Infinitivo*.
He visto a María hace cinco minutos.
Acabo de ver a María.

- **PRETÉRITO IMPERFECTO** expresa una acción pasada que se estaba realizando en el momento del que se habla.
Ayer a las siete estaba en la Plaza Mayor.

Consecuencia de ello son los siguientes usos:
- *Costumbre en el pasado:* este uso no se debe confundir con una acción que se realiza muchas veces porque en este caso se utiliza el Pretérito Indefinido.
El año pasado los jueves *iba* al cine (Tenía la costumbre de ir al cine)
El año pasado *fui* varios jueves al cine.

- *Descripción en el pasado.*
Era un día de marzo, hacía sol, había mucha gente en la calle...

- *Imperfecto de cortesía:* se usa en lugar del presente para pedir algo con cortesía.
¿Podía decirme la hora?

- *Imperfecto de conato:* expresa la intención de realizar una acción que por cualquier razón ya no es posible en el momento en el que se habla.
Tienes suerte de encontrarme porque ya me iba (Tenía la intención de irme pero ya no lo voy a hacer porque has llegado tú).

- *Futuro en el pasado:* se usa a veces en lugar del condicional simple para expresar una acción futura en relación a un momento del pasado.
  Me preguntó si podía ir al cine al día siguiente.

- *Imperfecto de contrariedad:* no se refiere exclusivamente al pasado, pues expresa acciones que continuan ahora.
  Hoy que me sabía la lección, no me la han preguntado.

– **PRETÉRITO INDEFINIDO** expresa una acción, la cual, observada desde el presente se ve terminada, frente al Pretérito Imperfecto que expresa una acción en pleno desarrollo. Con relación al Pretérito Perfecto supone un tiempo más lejano del momento en el que se habla.
  Ayer *estuve* en la Plaza hasta las siete.
  Ayer a las siete *estaba* en la Plaza.
  Esta tarde *he estado* en la Plaza hasta las siete.

– **PRETÉRITO PLUSCUAMPERFECTO** expresa una acción pasada anterior al momento del pasado del que se habla.
  Cuando llegué, él ya se había ido.

– **FUTURO SIMPLE** expresa una acción que se realizará después del momento en el que se habla.
  Mañana te llamaré a las cinco.

También tiene otros usos:
- *Futuro de sorpresa*
  ¡Será posible que siempre llegues tarde!

- *Probabilidad en el presente:* sustituye a un presente para indicar falta de seguridad.
  Chona tendrá treinta años.(No estoy seguro de cuántos años tiene Chona).

- *Respuestas polémicas:* sustituye a un presente para manifestar desacuerdo con lo afirmado por otra persona.
  –Miguel es muy guapo.
  –Será muy guapo, pero no liga nada.

- *Preguntas retóricas:* son preguntas que el hablante se hace a sí mismo o a otra persona sin buscar una respuesta. En realidad son exclamaciones con forma de preguntas.
    ¿Qué estará haciendo Teresa en el servicio?
- *Futuro de mandato:* sustituye al imperativo en los mandatos.
    No desearás a la mujer del vecino.

- **FUTURO COMPUESTO** expresa una acción que en un momento del futuro ya se habrá realizado.
    El próximo junio María ya se habrá casado.

También tiene otros usos:
- *Probabilidad en el Pretérito Perfecto:* sustituye a un pretérito perfecto para indicar falta de seguridad.
    Habrá dormido mal porque tiene mala cara.

- *Respuestas polémicas:* sustituye a un pretérito perfecto para manifestar desacuerdo con lo afirmado por otra persona.
    –Ha estudiado español dos años.
    –Habrá estudiado dos años, pero habla muy mal.

- *Preguntas retóricas:* sustituye al pretérito perfecto en las preguntas en las que el hablante no busca una respuesta.
    ¿Qué le habrá dicho, que está tan enfadado?

- **CONDICIONAL SIMPLE** tiene distintos usos:
- *Hipótesis de presente/futuro:* expresa una acción de realización muy difícil o imposible.
    Mañana iría al cine, pero tengo que trabajar.

- *Futuro del pasado:* expresa una acción de realización posterior a un pasado.
    Me dijo que llegaría al día siguiente.

- *Probabilidad en el Imperfecto/Indefinido:* sustituye a un pretérito imperfecto o indefinido para indicar falta de seguridad.
    Estaría enfermo porque tenía mala cara.

2

- *Respuestas polémicas:* sustituye a un pretérito imperfecto o indefinido para manifestar desacuerdo con lo afirmado por otra persona.
    –La película fue muy interesante.
    –Sería muy interesante, pero yo me aburrí.

- *Preguntas retóricas:* sustituye a un pretérito imperfecto o indefinido en las preguntas en las que el hablante no busca una respuesta.
    ¿Por qué diría aquella tontería?

- *Condicional de cortesía:* se usa en lugar del presente para pedir algo con cortesía.
    ¿Podría decirme la hora, por favor?

– **CONDICIONAL COMPUESTO** tiene distintos usos:
    - *Hipótesis de pasado:* expresa una acción que podría haber sucedido pero que no sucedió.
        Le habría ayudado pero no me lo pidió.

    - *Futuro Compuesto del pasado:* la diferencia entre el condicional simple y el condicional compuesto en este uso, es la misma que existe entre el futuro simple y el futuro compuesto, pero en relación a un pasado.
        Me dijo que a las tres ya habría terminado.

    - *Probabilidad en el Pretérito Pluscuamperfecto:* sustituye a un pretérito pluscuamperfecto para indicar falta de seguridad.
        Estaba cansada porque habría dormido unas cinco horas.

    - *Respuestas polémicas:* sustituye a un pretérito pluscuamperfecto para manifestar desacuerdo con lo afirmado por otra persona.
        –Había estudiado muchísimo para aquel examen
        –Habría estudiado muchísimo, pero sacó un dos.

    - *Preguntas retóricas:* sustituye a un pretérito pluscuamperfecto en las preguntas en las que el hablante no busca una respuesta.
        ¿Cuánto habría bebido para tener aquella borrachera?

II. El Subjuntivo

En el Subjuntivo hay menos tiempos que en el Indicativo, además hay que tener en cuenta que los futuros han desaparecido de la lengua hablada, ello hace que cada tiempo de Subjuntivo tenga más valores temporales al tener que expresar lo mismo que el Indicativo. Estos valores son:

INDICATIVO   SUBJUNTIVO

Presente ⎤
              .... **Presente**
Futuro Simple ⎦

ej.: Creo que *está* enfermo/No creo que *esté* enfermo.
Creo que *vendrá*/No creo que *venga*.

INDICATIVO   SUBJUNTIVO

Pretérito Perfecto ⎤
              .... **Pretérito Perfecto**
Futuro Compuesto ⎦

ej.: Creo que *ha llegado*/No creo que *haya llegado*.
Creo que a las tres ya *habrá llegado*/No creo que a las tres *haya llegado* todavía.

INDICATIVO   SUBJUNTIVO

Pretérito Imperfecto ⎤
Pretérito Indefinido   ⎬ .... **Pretérito Imperfecto**
Condicional Simple   ⎦

ej.: Creía que *estaba* enfermo/No creía que *estuviera* enfermo.
Seguro que *fue* al cine/Tal vez *fuera* al cine.
Estaría enfermo/Tal vez *estuviera* enfermo.

INDICATIVO	SUBJUNTIVO

Pret. Pluscuamp. ⎤

Cond. Compuesto ⎦ .... **Pret. Pluscuamp.**

ej.: Creía que *habías ido*/No creía que *hubieras ido.*
Imaginé que te lo *habrían dicho*/No imaginé que te
lo *hubieran dicho.*

4. LA CONJUGACIÓN

Se llama conjugación al conjunto de todas las formas que el verbo puede tomar al variar sus accidentes gramáticales. Conjugar un verbo es enunciar todas sus formas. Como se ha dicho anteriormente en español hay tres tipos de conjugación en las que se agrupan todos los verbos. La conjugación puede ser regular o irregular.

a) La conjugación regular

La conjugación regular conserva intacta la raíz del verbo en todos los tiempos y personas y toma las terminaciones propias de los verbos modelo. Dichas terminaciones para las tres conjugaciones son:

INDICATIVO

Presente			Pretérito Imperfecto		
1ª	2ª	3ª	1ª	2ª	3ª
-o	-o	-o	-aba	-ía	-ía
-as	-es	-es	-abas	-ías	-ías
-a	-e	-e	-aba	-ía	-ía
-amos	-emos	-imos	-ábamos	-íamos	-íamos
-áis	-éis	-is	-abais	-íais	-íais
-an	-en	-en	-aban	-ían	-ían

Pretérito Indefinido

1ª	2ª	3ª
-é	-í	-í
-aste	-iste	-iste
-ó	-ió	-ió
-amos	-imos	-imos
-asteis	-isteis	-isteis
-aron	-ieroN	-ieron

Futuro Simple

1ª	2ª	3ª
-aré	-eré	-iré
-arás	-erás	-irás
-ará	-erá	-irá
-aremos	-eremos	-iremos
-aréis	-eréis	-iréis
-arán	-erán	-irán

Condicional Simple

1ª	2ª	3ª
-aría	-ería	-iría
-arías	-erías	-irías
-aría	-ería	-iría
-aríamos	-eríamos	-iríamos
-aríais	-eríais	-iríais
-arían	-erían	-irían

IMPERATIVO

1ª	2ª	3ª
-a	-e	-e (tú)
-e	-a	-a (usted)
-ad	-ed	-id (vosotros)
-en	-an	-an (ustedes)

SUBJUNTIVO

Presente

1ª	2ª	3ª
-e	-a	-a
-es	-as	-as
-e	-a	-a
-emos	-amos	-amos
-éis	-áis	-áis
-en	-an	-an

Futuro Simple

1ª	2ª	3ª
-are	-iere	-iere
-ares	-ieres	-ieres
-are	-iere	-iere
-áremos	-iéremos	-iéremos
-areis	-iereis	-iereis
-aren	-ieren	-ieren

Pretérito Imperfecto

1ª	2ª	3ª
-ara/ase	-iera/iese	-iera/iese
-aras/ases	-ieras/ieses	-iera/ieses
-ara/ase	-iera/iese	-iera/iese
-áramos/ásemos	-iéramos/iésemos	-iéramos/iésemos
-arais/aseis	-ierais/ieseis	-ierais/ieseis
-aran/asen	-ieran/iesen	-ieran/iesen

b) La conjugación irregular

Los verbos irregulares son los que al conjugarse cambian su raíz en alguna forma verbal, por ejemplo el verbo **pensar** en la primera persona del singular del presente es **pienso** y no *penso;* o varían su terminación, por ejemplo el verbo **traducir** en la primera persona del pretérito indefinido es **traduje** y no *traducí;* o hacen las dos cosas al mismo tiempo, por ejemplo el verbo **saber** en la primera persona del pretérito indefinido es **supe** y no *sabí.*

Hay tres tipos de irregularidad: *consonántica,* por ejemplo el verbo **hacer** en la primera persona del presente es **hago** y no *haco; vocálica,* por ejemplo el verbo **pensar** en la primera persona del presente es **pienso** y no *penso;* y *mixta,* por ejemplo el verbo **traer** en la primera persona del presente es **traigo** y no *trao.* Al margen de estas irregularidades propias existen *modificaciones ortográficas* para conservar la pronunciación, por ejemplo el verbo **buscar** en la primera persona del pretérito indefinido es **busqué** y no *busqué.*

Irregularidad consonántica

1. La **C** pasa a **G**: afecta a la primera persona del singular del presente de indicativo y a todas las personas del presente de subjuntivo:

    ha**c**er > yo ha**g**o; yo ha**g**a

   En estos verbos **AC** se convierte en **IC** en todas las personas del pretérito indefinido, que además pasa de una acentuación aguda a una grave en la primera y tercera persona del singular, y en el pretérito imperfecto y el futuro simple de subjuntivo:

    ha**c**er > yo h**ic**e; yo h**ic**iera; yo h**ic**iere

También son irregulares en todas las personas del futuro y condicional simples de indicativo, y en la segunda persona del singular del imperativo:

hacer > yo haré; yo haría; tú haz

2. La **B** pasa a **Y**: afecta a todas las personas del presente de subjuntivo:

haber > yo haya

En estos verbos la **AB** se convierte en **UB** en todas las personas del pretérito indefinido, que además pasa de una acentuación aguda a una grave en la primera y tercera persona del singular, y en el pretérito imperfecto y el futuro simple de subjuntivo:

haber > yo hube; yo hubiera; yo hubiere

También son irregulares en todas las personas del futuro y condicional simples de indicativo, y en la segunda persona del singular del imperativo:

haber > yo habré; yo habría; tú he

3. La **C** pasa a **ZC**: afecta a la primera persona del singular del presente de indicativo y a todas las personas del presente de subjuntivo:

parecer > yo parezco; yo parezca

4. La **C** pasa a **ZG**: afecta a la primera persona del singular del presente de indicativo y a todas las personas del presente de subjuntivo:

yacer > yo yazgo; yo yazga

5. La **S** pasa a **SG**: afecta a la primera persona del singular del presente de indicativo y a todas las personas del presente de subjuntivo:

asir > yo asgo; yo asga

6. La **N** pasa a **NG**: afecta a la primera persona del singular del presente de indicativo y a todas las personas del presente de subjuntivo:

poner > yo pongo; yo ponga

En estos verbos **ON** se convierte en **US** en todas las personas del pretérito indefinido, que además pasa de una acentuación aguda a una grave en la primera y tercera persona del singular, y en todas las personas del pretérito imperfecto y futuro simple de subjuntivo:

p**on**er > yo p**us**e; yo p**us**iera; yo p**us**iere

También son irregulares en todas las personas del futuro y condicional simples de indicativo y en la segunda persona del singular del imperativo:

p**on**er > yo pon**d**ré; yo pon**d**ría; tú p**on**

7. La **L** pasa a **LG:** afecta a la primera persona del singular del presente de indicativo y a todas las personas del presente de subjuntivo:

sa**l**ir > yo sa**lg**o; yo sa**lg**a

También son irregulares en todas las personas del futuro y condicional simples de indicativo y en la segunda persona del singular del imperativo:

sa**l**ir > yo sal**d**ré;yo sal**d**ría; tú s**al**

8. La **U** pasa a **UY:** afecta a todas las personas del singular y a la tercera persona del plural del presente de indicativo; a la tercera persona del singular y del plural del pretérito indefinido; y a todas las personas del presente, del pretérito imperfecto y del futuro simple de subjuntivo:

h**u**ir > yo h**uy**o; yo h**uy**a; él h**uy**ó; yo h**uy**era; yo h**uy**ere

Irregularidad vocálica

1. La **E** pasa a **IE:** afecta a todas las personas del singular y a la tercera persona del plural del presente de indicativo, y a todas las personas del presente de subjuntivo:

p**e**rder > yo p**ie**rdo; yo p**ie**rda

2. La **I** pasa a **IE:** afecta a todas las personas del singular y a la tercera persona del plural del presente de indicativo, y a todas las personas del presente de subjuntivo:
     adquirir > yo adqu**ie**ro; yo adqu**ie**ra

3. La **O** pasa a **UE/U:** la irregularidad **UE** afecta a todas las personas del singular y a la tercera persona del plural del presente de indicativo, y a todas las personas del presente de subjuntivo:
     morir > yo m**ue**ro; yo m**ue**ra

    La irregularidad **U** afecta a la tercera persona del singular y del plural del pretérito indefinido y a todas las personas del pretérito imperfecto y futuro simple de subjuntivo:
     morir > él m**u**rió; yo m**u**riera; yo m**u**riere

4. La **U** pasa a **UE:** afecta a todas las personas del singular y a la tercera persona del plural del presente de indicativo, y a todas las personas del presente de subjuntivo:
     jugar > yo j**ue**go; yo j**ue**gue

5. La **E** pasa a **IE/I:** la irregularidad **IE** afecta a todas las personas del singular y a la tercera persona del plural del presente de indicativo y a todas las personas del presente de subjuntivo:
     sentir yo s**ie**nto; yo s**ie**nta

    La irregularidad **I** afecta a la tercera persona del singular y del plural del pretérito indefinido; y a todos las personas y tiempos simples del subjuntivo, excepto el presente:
     sentir > él s**i**ntió; yo s**i**ntiera; yo s**i**ntiere

6. La **E** pasa a **I:** afecta a todas las personas del singular y a la tercera persona del plural del presente de indicativo; a la tercera persona del singular y del plural del pretérito indefinido; y a todos las personas y tiempos simples de subjuntivo:
     pedir > yo p**i**do; él p**i**dió; yo p**i**da; yo p**i**diera

Irregularidad mixta

1. **EC** pasa a **IG/IJ**: la irregularidad **IG** afecta a la primera persona del singular del presente de indicativo y a todas las personas del presente de subjuntivo:

    de**c**ir > yo di**g**o; yo di**g**a

    La irregularidad **IJ** afecta a todas las personas del pretérito indefinido, que además pasa de una acentuación aguda a una grave en la primera y tercera persona del singular, y al pretérito imperfecto y futuro simple de subjuntivo:

    de**c**ir > yo di**j**e; yo di**j**era; yo di**j**ere

    Además estos verbos son irregulares en todas las personas del futuro y condicional simples de indicativo y en la segunda persona del singular del imperativo:

    de**c**ir > yo di**r**é; yo di**r**ía; tú di

2. **AB** pasa a **EP/UP**: la irregularidad **EP** afecta a la primera persona del singular del presente de indicativo y a todas las personas del presente de subjuntivo:

    ca**b**er > yo qu**ep**o; yo qu**ep**a

    La irregularidad **UP** afecta a todas las personas del pretérito indefinido, que además pasa de una acentuación aguda a una grave en la primera y tercera persona del singular, y al pretérito imperfecto y futuro simple de subjuntivo:

    ca**b**er > yo **cup**e; yo **cup**iera; yo **cup**iere

    Además estos verbos son irregulares en todas las personas del futuro y condicional simples de indicativo:

    ca**b**er > yo ca**br**é; yo ca**br**ía

3. **A** pasa a **AIG**: afecta a la primera persona del singular del presente de indicativo y a todas las personas del presente de subjuntivo:

    c**a**er > yo c**aig**o; yo c**aig**a

A. **Modificaciones ortográficas para conservar la pronunciación:**

1. La **C** pasa a **QU** delante de E en los verbos terminados en **CAR:**
   buscar > yo bus**qu**é

2. La **G** pasa a **GU** delante de E en los verbos terminados en **GAR:**
   pagar > yo pa**gu**é

3. La **GU** pasa a **GÜ** delante de E en los verbos terminados en **GUAR:**
   averi**gu**ar > yo averi**gü**é

4. La **Z** pasa a **C** delante de E en los verbos terminados en **ZAR:**
   ca**z**ar > yo ca**c**é

5. La **C** pasa a **Z** delante de A y O en los verbos terminados en **CER** y **CIR:**
   me**c**er > yo me**z**o

6. La **G** pasa a **J** delante de A y O en los verbos terminados en **GER** y **GIR:**
   co**g**er > yo co**j**o

7. La **GU** pasa a **G** delante de A y O en los verbos terminados en **GUIR:**
   distin**gu**ir > yo distin**g**o

8. La **QU** pasa a **C** delante de A y O en los verbos terminados en **QUIR:**
   delin**qu**ir > yo delin**c**o

B. **Modificaciones ortográficas del acento:**

Se acentúan ortográficamente la I y la U de la raíz cuando estas vocales son tónicas (excepto en la primera y segunda persona del plural):
   enviar > yo env**í**o

Algunos verbos terminados en IAR y todos los terminados en CUAR y GUAR, conservan el diptongo en todas las personas y nunca llevan acento:

    acariciar > yo acaricio

2. LISTA DE VERBOS CONJUGADOS

VERBOS AUXILIARES

1. ser
2. estar
3. haber
4. tener

VERBOS REGULARES

5. cantar   (primera conjugación)
6. meter   (segunda conjugación)
7. subir   (tercera conjugación)

VERBOS IRREGULARES

8. abolir	38. conducir	68. encontrar	98. mentir
9. abstraer	39. conocer	69. enfriar	99. merecer
10. acertar	40. constituir	70. entender	100. merendar
11. acordar	41. construir	71. enviar	101. morder
12. acostar	42. contar	72. erguir	102. morir
13. actuar	43. contribuir	73. errar	103. mostrar
14. adelgazar	44. convenir	74. esparcir	104. mover
15. adquirir	45. convertir	75. excluir	105. nacer
16. advertir	46. costar	76. exigir	106. negar
17. almorzar	47. crecer	77. fregar	107. obtener
18. ampliar	48. creer	78. freír	108. ofrecer
19. andar	49. cruzar	79. gemir	109. oír
20. argüir	50. dar	80. gobernar	110. oler
21. asir	51. decir	81. hacer	111. pagar
22. avergonzar	52. deducir	82. henchir	112. parecer
23. averiguar	53. delinquir	83. herir	113. pedir
24. buscar	54. despertar	84. hervir	114. pensar
25. caber	55. destituir	85. huir	115. perder
26. caer	56. destruir	86. imponer	116. placer
27. calentar	57. detener	87. influir	117. poder
28. cazar	58. digerir	88. introducir	118. poner
29. cerner	59. dirigir	89. intuir	119. preferir
30. cerrar	60. disminuir	90. ir	120. prevenir
31. cocer	61. distinguir	91. jugar	121. probar
32. coger	62. divertir	92. juzgar	122. producir
33. colgar	63. doler	93. leer	123. prohibir
34. colocar	64. dormir	94. lucir	124. proponer
35. complacer	65. elegir	95. manifestar	125. pudrir
36. concebir	66. empezar	96. mantener	126. querer
37. concluir	67. encender	97. mecer	127. raer

128.	recordar	139.	satisfacer	150.	suponer	161.	ver
129.	reír	140.	seguir	151.	tañer	162.	verter
130.	reñir	141.	sembrar	152.	temblar	163.	vestir
131.	repetir	142.	sentar	153.	tocar	164.	volar
132.	resolver	143.	sentir	154.	torcer	165.	volcar
133.	reunir	144.	servir	155.	traer	166.	volver
134.	roer	145.	soler	156.	trocar	167.	yacer
135.	rogar	146.	soltar	157.	vaciar	168.	zurcir
136.	saber	147.	sonar	158.	valer		
137.	sacar	148.	sostener	159.	vencer		
138.	salir	149.	sugerir	160.	venir		

3. CONJUGACIÓN DE LOS VERBOS MODELO

1. ser

	INDICATIVO			SUBJUNTIVO	
Presente	**Pret. Perfecto**		**Presente**	**Pret. Perfecto**	
soy	he	sido	sea	haya	sido
eres	has	sido	seas	hayas	sido
es	ha	sido	sea	haya	sido
somos	hemos	sido	seamos	hayamos	sido
sois	habéis	sido	seáis	hayáis	sido
son	han	sido	sean	hayan	sido
Pret. Imperfecto	**Pret. Pluscuamp.**		**Pret. Imperfecto**	**Pret. Pluscuamp.**	
era	había	sido	fuera	hubiera	sido
eras	habías	sido	fueras	hubieras	sido
era	había	sido	fuera	hubiera	sido
éramos	habíamos	sido	fuéramos	hubiéramos	sido
erais	habíais	sido	fuerais	hubierais	sido
eran	habían	sido	fueran	hubieran	sido
Pret. Indefinido	**Pret. Anterior**		fuese	hubiese	sido
			fueses	hubieses	sido
fui	hube	sido	fuese	hubiese	sido
fuiste	hubiste	sido	fuésemos	hubiésemos	sido
fue	hubo	sido	fueseis	hubieseis	sido
fuimos	hubimos	sido	fuesen	hubiesen	sido
fuisteis	hubisteis	sido			
fueron	hubieron	sido	**Futuro Simple**	**Futuro Compuesto**	
Futuro Simple	**Futuro Compuesto**		fuere	hubiere	sido
			fueres	hubieres	sido
ser-é	habré	sido	fuere	hubiere	sido
ser-ás	habrás	sido	fuéremos	hubiéremos	sido
ser-á	habrá	sido	fuereis	hubiereis	sido
ser-emos	habremos	sido	fueren	hubieren	sido
ser-éis	habréis	sido			
ser-án	habrán	sido			

	IMPERATIVO	
sé(tú)	sed(vosotros)	
sea(usted)	sean(ustedes)	

Cond. Simple	**Cond. Compuesto**	
ser-ía	habría	sido
ser-ías	habrías	sido
ser-ía	habría	sido
ser-íamos	habríamos	sido
ser-íais	habríais	sido
ser-ían	habrían	sido

FORMAS NO PERSONALES

Infinitivo: ser
Gerundio: siendo
Participio: sido
Infinitivo Comp.: haber sido
Gerundio Comp.: habiendo sido

2. estar

<table>
<tr><td colspan="4" align="center">INDICATIVO</td><td colspan="4" align="center">SUBJUNTIVO</td></tr>
<tr><td>Presente</td><td colspan="2">Pret. Perfecto</td><td></td><td>Presente</td><td colspan="2">Pret. Perfecto</td><td></td></tr>
<tr><td>estoy</td><td>he</td><td>estado</td><td></td><td>est-é</td><td>haya</td><td>estado</td><td></td></tr>
<tr><td>est-ás</td><td>has</td><td>estado</td><td></td><td>est-és</td><td>hayas</td><td>estado</td><td></td></tr>
<tr><td>est-á</td><td>ha</td><td>estado</td><td></td><td>est-é</td><td>haya</td><td>estado</td><td></td></tr>
<tr><td>est-amos</td><td>hemos</td><td>estado</td><td></td><td>est-emos</td><td>hayamos</td><td>estado</td><td></td></tr>
<tr><td>est-áis</td><td>habéis</td><td>estado</td><td></td><td>est-éis</td><td>hayáis</td><td>estado</td><td></td></tr>
<tr><td>est-án</td><td>han</td><td>estado</td><td></td><td>est-én</td><td>hayan</td><td>estado</td><td></td></tr>
<tr><td>Pret. Imperfecto</td><td colspan="2">Pret. Pluscuamp.</td><td></td><td>Pret. Imperfecto</td><td colspan="2">Pret. Pluscuamp.</td><td></td></tr>
<tr><td>est-aba</td><td>había</td><td>estado</td><td></td><td>estuviera</td><td>hubiera</td><td>estado</td><td></td></tr>
<tr><td>est-abas</td><td>habías</td><td>estado</td><td></td><td>estuvieras</td><td>hubieras</td><td>estado</td><td></td></tr>
<tr><td>est-aba</td><td>había</td><td>estado</td><td></td><td>estuviera</td><td>hubiera</td><td>estado</td><td></td></tr>
<tr><td>est-ábamos</td><td>habíamos</td><td>estado</td><td></td><td>estuviéramos</td><td>hubiéramos</td><td>estado</td><td></td></tr>
<tr><td>est-abais</td><td>habíais</td><td>estado</td><td></td><td>estuvierais</td><td>hubierais</td><td>estado</td><td></td></tr>
<tr><td>est-aban</td><td>habían</td><td>estado</td><td></td><td>estuvieran</td><td>hubieran</td><td>estado</td><td></td></tr>
<tr><td>Pret. Indefinido</td><td colspan="2">Pret. Anterior</td><td></td><td>estuviese</td><td>hubiese</td><td>estado</td><td></td></tr>
<tr><td></td><td></td><td></td><td></td><td>estuvieses</td><td>hubieses</td><td>estado</td><td></td></tr>
<tr><td>estuve</td><td>hube</td><td>estado</td><td></td><td>estuviese</td><td>hubiese</td><td>estado</td><td></td></tr>
<tr><td>estuviste</td><td>hubiste</td><td>estado</td><td></td><td>estuviésemos</td><td>hubiésemos</td><td>estado</td><td></td></tr>
<tr><td>estuvo</td><td>hubo</td><td>estado</td><td></td><td>estuvieseis</td><td>hubieseis</td><td>estado</td><td></td></tr>
<tr><td>estuvimos</td><td>hubimos</td><td>estado</td><td></td><td>estuviesen</td><td>hubiesen</td><td>estado</td><td></td></tr>
<tr><td>estuvisteis</td><td>hubisteis</td><td>estado</td><td></td><td colspan="2">Futuro Simple</td><td colspan="2">Futuro Compuesto</td></tr>
<tr><td>estuvieron</td><td>hubieron</td><td>estado</td><td></td><td></td><td></td><td></td><td></td></tr>
<tr><td>Futuro Simple</td><td colspan="2">Futuro Compuesto</td><td></td><td>estuviere</td><td>hubiere</td><td>estado</td><td></td></tr>
<tr><td></td><td></td><td></td><td></td><td>estuvieres</td><td>hubieres</td><td>estado</td><td></td></tr>
<tr><td>estar-é</td><td>habré</td><td>estado</td><td></td><td>estuviere</td><td>hubiere</td><td>estado</td><td></td></tr>
<tr><td>estar-ás</td><td>habrás</td><td>estado</td><td></td><td>estuviéremos</td><td>hubiéremos</td><td>estado</td><td></td></tr>
<tr><td>estar-á</td><td>habrá</td><td>estado</td><td></td><td>estuviereis</td><td>hubiereis</td><td>estado</td><td></td></tr>
<tr><td>estar-emos</td><td>habremos</td><td>estado</td><td></td><td>estuvieren</td><td>hubieren</td><td>estado</td><td></td></tr>
<tr><td>estar-éis</td><td>habréis</td><td>estado</td><td></td><td></td><td></td><td></td><td></td></tr>
<tr><td>estar-án</td><td>habrán</td><td>estado</td><td></td><td colspan="4" align="center">IMPERATIVO</td></tr>
<tr><td>Cond. Simple</td><td colspan="2">Cond. Compuesto</td><td></td><td colspan="2">est-á(tú)</td><td colspan="2">est-ad(vosotros)</td></tr>
<tr><td></td><td></td><td></td><td></td><td colspan="2">est-é(usted)</td><td colspan="2">est-én(ustedes)</td></tr>
<tr><td>estar-ía</td><td>habría</td><td>estado</td><td></td><td colspan="4" align="center">FORMAS NO PERSONALES</td></tr>
<tr><td>estar-ías</td><td>habrías</td><td>estado</td><td></td><td></td><td></td><td></td><td></td></tr>
<tr><td>estar-ía</td><td>habría</td><td>estado</td><td></td><td colspan="2">Infinitivo:</td><td colspan="2">estar</td></tr>
<tr><td>estar-íamos</td><td>habríamos</td><td>estado</td><td></td><td colspan="2">Gerundio:</td><td colspan="2">est-ando</td></tr>
<tr><td>estar-íais</td><td>habríais</td><td>estado</td><td></td><td colspan="2">Participio:</td><td colspan="2">est-ado</td></tr>
<tr><td>estar-ían</td><td>habrían</td><td>estado</td><td></td><td colspan="2">Infinitivo Comp.:</td><td colspan="2">haber estado</td></tr>
<tr><td></td><td></td><td></td><td></td><td colspan="2">Gerundio Comp.:</td><td colspan="2">habiendo estado</td></tr>
</table>

3. haber

INDICATIVO			SUBJUNTIVO		
Presente	**Pret. Perfecto**		**Presente**	**Pret. Perfecto**	
he	he	habido	haya	haya	habido
has	has	habido	hayas	hayas	habido
ha o hay*	ha	habido	haya	haya	habido
hemos	hemos	habido	hayamos	hayamos	habido
habéis	habéis	habido	hayáis	hayáis	habido
han	han	habido	hayan	hayan	habido
Pret. Imperfecto	**Pret. Pluscuamp.**		**Pret. Imperfecto**	**Pret. Pluscuamp**	
hab-ía	había	habido	hubiera	hubiera	habido
hab-ías	habías	habido	hubieras	hubieras	habido
hab-ía	había	habido	hubiera	hubiera	habido
hab-íamos	habíamos	habido	hubiéramos	hubiéramos	habido
hab-íais	habíais	habido	hubierais	hubierais	habido
hab-ían	habían	habido	hubieran	hubieran	habido
Pret. Indefinido	**Pret. Anterior**		hubiese	hubiese	habido
			hubieses	hubieses	habido
hube	hube	habido	hubiese	hubiese	habido
hubiste	hubiste	habido	hubiésemos	hubiésemos	habido
hubo	hubo	habido	hubieseis	hubieseis	habido
hubimos	hubimos	habido	hubiesen	hubiesen	habido
hubisteis	hubisteis	habido			
hubieron	hubieron	habido	**Futuro Simple**	**Futuro Compuesto**	
Futuro Simple	**Futuro Compuesto**		hubiere	hubiere	habido
			hubieres	hubieres	habido
habré	habré	habido	hubiere	hubiere	habido
habrás	habrás	habido	hubiéremos	hubiéremos	habido
habrá	habrá	habido	hubiereis	hubiereis	habido
habremos	habremos	habido	hubieren	hubieren	habido
habréis	habréis	habido			
habrán	habrán	habido			

IMPERATIVO

he(tú) hab-ed(vosotros)
haya(usted) hayan(ustedes)

Cond. Simple	Cond. Compuesto	
habría	habría	habido
habrías	habrías	habido
habría	habría	habido
habríamos	habríamos	habido
habríais	habríais	habido
habrían	habrían	habido

FORMAS NO PERSONALES

Infinitivo: haber
Gerundio: hab-iendo
Participio: hab-ido
Infinitivo Comp.: haber habido
Gerundio Comp.: habiendo habido

*Para la forma impersonal

4. tener - to have

INDICATIVO			SUBJUNTIVO		

Presente	**Pret. Perfecto** (have)		**Presente**	**Pret. Perfecto**	
teng-o	he	tenido	teng-a	haya	tenido
tien-es	has	tenido	teng-as	hayas	tenido
tien-e	ha	tenido	teng-a	haya	tenido
ten-emos	hemos	tenido	teng-amos	hayamos	tenido
ten-éis	habéis	tenido	teng-áis	hayáis	tenido
tien-en	han	tenido	teng-an	hayan	tenido

Pret. Imperfecto	**Pret. Pluscuamp.**		**Pret. Imperfecto**	**Pret. Pluscuamp.**	
ten-ía	había	tenido	tuv-iera	hubiera	tenido
ten-ías	habías	tenido	tuv-ieras	hubieras	tenido
ten-ía	había	tenido	tuv-iera	hubiera	tenido
ten-íamos	habíamos	tenido	tuv-iéramos	hubiéramos	tenido
ten-íais	habíais	tenido	tuv-ierais	hubierais	tenido
ten-ían	habían	tenido	tuv-ieran	hubieran	tenido

Pret. Indefinido -ed	**Pret. Anterior**				
tuve	hube	tenido	tuv-iese	hubiese	tenido
tuviste	hubiste	tenido	tuv-ieses	hubieses	tenido
tuvo	hubo	tenido	tuv-iese	hubiese	tenido
tuvimos	hubimos	tenido	tuv-iésemos	hubiésemos	tenido
tuvisteis	hubisteis	tenido	tuv-ieseis	hubieseis	tenido
tuvieron	hubieron	tenido	tuv-iesen	hubiesen	tenido

Futuro Simple will	**Futuro Compuesto** will have		**Futuro Simple**	**Futuro Compuesto**	
tendr-é	habré	tenido	tuv-iere	hubiere	tenido
tendr-ás	habrás	tenido	tuv-ieres	hubieres	tenido
tendr-á	habrá	tenido	tuv-iere	hubiere	tenido
tendr-emos	habremos	tenido	tuv-iéremos	hubiéremos	tenido
tendr-éis	habréis	tenido	tuv-iereis	hubiereis	tenido
tendr-án	habrán	tenido	tuv-ieren	hubieren	tenido

Cond. Simple would	**Cond. Compuesto** would have	
tendr-ía	habría	tenido
tendr-ías	habrías	tenido
tendr-ía	habría	tenido
tendr-íamos	habríamos	tenido
tendr-íais	habríais	tenido
tendr-ían	habrían	tenido

IMPERATIVO

ten(tú)	ten-ed(vosotros)
teng-a(usted)	teng-an(ustedes)

FORMAS NO PERSONALES

Infinitivo: tener
Gerundio: ten-iendo
Participio: ten-ido
Infinitivo Comp.: haber tenido
Gerundio Comp.: habiendo tenido

5. cantar

INDICATIVO — SUBJUNTIVO

Presente	Pret. Perfecto		Presente	Pret. Perfecto	
cant-o	he	cantado	cant-e	haya	cantado
cant-as	has	cantado	cant-es	hayas	cantado
cant-a	ha	cantado	cant-e	haya	cantado
cant-amos	hemos	cantado	cant-emos	hayamos	cantado
cant-áis	habéis	cantado	cant-éis	hayáis	cantado
cant-an	han	cantado	cant-en	hayan	cantado

Pret. Imperfecto	Pret. Pluscuamp.		Pret. Imperfecto	Pret. Pluscuamp.	
cant-aba	había	cantado	cant-ara	hubiera	cantado
cant-abas	habías	cantado	cant-aras	hubieras	cantado
cant-aba	había	cantado	cant-ara	hubiera	cantado
cant-ábamos	habíamos	cantado	cant-áramos	hubiéramos	cantado
cant-abais	habíais	cantado	cant-arais	hubierais	cantado
cant-aban	habían	cantado	cant-aran	hubieran	cantado

Pret. Indefinido	Pret. Anterior				
			cant-ase	hubiese	cantado
			cant-ases	hubieses	cantado
cant-é	hube	cantado	cant-ase	hubiese	cantado
cant-aste	hubiste	cantado	cant-ásemos	hubiésemos	cantado
cant-ó	hubo	cantado	cant-aseis	hubieseis	cantado
cant-amos	hubimos	cantado	cant-asen	hubiesen	cantado
cant-asteis	hubisteis	cantado			
cant-aron	hubieron	cantado			

Futuro Simple	Futuro Compuesto		Futuro Simple	Futuro Compuesto	
			cant-are	hubiere	cantado
			cant-ares	hubieres	cantado
cantar-é	habré	cantado	cant-are	hubiere	cantado
cantar-ás	habrás	cantado	cant-áremos	hubiéremos	cantado
cantar-á	habrá	cantado	cant-areis	hubiereis	cantado
cantar-emos	habremos	cantado	cant-aren	hubieren	cantado
cantar-éis	habréis	cantado			
cantar-án	habrán	cantado			

IMPERATIVO

cant-a(tú)	cant-ad(vosotros)
cant-e(usted)	cant-en(ustedes)

Cond. Simple	Cond. Compuesto	
cantar-ía	habría	cantado
cantar-ías	habrías	cantado
cantar-ía	habría	cantado
cantar-íamos	habríamos	cantado
cantar-íais	habríais	cantado
cantar-ían	habrían	cantado

FORMAS NO PERSONALES

Infinitivo: cantar
Gerundio: cant-ando
Participio: cant-ado
Infinitivo Comp.: haber cantado
Gerundio Comp.: habiendo cantado

6. meter

INDICATIVO			SUBJUNTIVO		
Presente	**Pret. Perfecto**		**Presente**	**Pret. Perfecto**	
met-o	he	metido	met-a	haya	metido
met-es	has	metido	met-as	hayas	metido
met-e	ha	metido	met-a	haya	metido
met-emos	hemos	metido	met-amos	hayamos	metido
met-éis	habéis	metido	met-áis	hayáis	metido
met-en	han	metido	met-an	hayan	metido
Pret. Imperfecto	**Pret. Pluscuamp.**		**Pret. Imperfecto**	**Pret. Pluscuamp.**	
met-ía	había	metido	met-iera	hubiera	metido
met-ías	habías	metido	met-ieras	hubieras	metido
met-ía	había	metido	met-iera	hubiera	metido
met-íamos	habíamos	metido	met-iéramos	hubiéramos	metido
met-íais	habíais	metido	met-ierais	hubierais	metido
met-ían	habían	metido	met-ieran	hubieran	metido
Pret. Indefinido	**Pret. Anterior**		met-iese	hubiese	metido
			met-ieses	hubieses	metido
met-í	hube	metido	met-iese	hubiese	metido
met-iste	hubiste	metido	met-iésemos	hubiésemos	metido
met-ió	hubo	metido	met-ieseis	hubieseis	metido
met-imos	hubimos	metido	met-iesen	hubiesen	metido
met-isteis	hubisteis	metido			
met-ieron	hubieron	metido	**Futuro Simple**	**Futuro Compuesto**	
Futuro Simple	**Futuro Compuesto**		met-iere	hubiere	metido
			met-ieres	hubieres	metido
meter-é	habré	metido	met-iere	hubiere	metido
meter-ás	habrás	metido	met-iéremos	hubiéremos	metido
meter-á	habrá	metido	met-iereis	hubiereis	metido
meter-emos	habremos	metido	met-ieren	hubieren	metido
meter-éis	habréis	metido			
meter-án	habrán	metido			

Cond. Simple   **Cond. Compuesto**

meter-ía	habría	metido
meter-ías	habrías	metido
meter-ía	habría	metido
meter-íamos	habríamos	metido
meter-íais	habríais	metido
meter-ían	habrían	metido

IMPERATIVO

met-e(tú)   met-ed(vosotros)
met-a(usted)   met-an(ustedes)

FORMAS NO PERSONALES

Infinitivo: meter
Gerundio: met-iendo
Participio: met-ido
Infinitivo Comp.:   haber metido
Gerundio Comp.:   habiendo metido

7. subir

	INDICATIVO				SUBJUNTIVO		
Presente	**Pret. Perfecto**	*have - ed*		**Presente**	**Pret. Perfecto**		
sub-o	he	subido		sub-a	haya	subido	
sub-es	has	subido		sub-as	hayas	subido	
sub-e	ha	subido		sub-a	haya	subido	
sub-imos	hemos	subido		sub-amos	hayamos	subido	
sub-ís	habéis	subido		sub-áis	hayáis	subido	
sub-en	han	subido		sub-an	hayan	subido	

Prét. Imperfecto	**Pret. Pluscuamp.**		**Pret. Imperfecto**	**Pret. Pluscuamp.**	
sub-ía	había	subido	sub-iera	hubiera	subido
sub-ías	habías	subido	sub-ieras	hubieras	subido
sub-ía	había	subido	sub-iera	hubiera	subido
sub-íamos	habíamos	subido	sub-iéramos	hubiéramos	subido
sub-íais	habíais	subido	sub-ierais	hubierais	subido
sub-ían	habían	subido	sub-ieran	hubieran	subido

Pret. Indefinido	~~**Pret. Anterior**~~		sub-iese	hubiese	subido
			sub-ieses	hubieses	subido
sub-í	hube	subido	sub-iese	hubiese	subido
sub-iste	hubiste	subido	sub-iésemos	hubiésemos	subido
sub-ió	hubo	subido	sub-ieseis	hubieseis	subido
sub-imos	hubimos	subido	sub-iesen	hubiesen	subido
sub-isteis	hubisteis	subido			
sub-ieron	hubieron	subido	~~**Futuro Simple**~~	~~**Futuro Compuesto**~~	

Futuro Simple	**Futuro Compuesto**		sub-iere	hubiere	subido
			sub-ieres	hubieres	subido
subir-é	habré	subido	sub-iere	hubiere	subido
subir-ás	habrás	subido	sub-iéremos	hubiéremos	subido
subir-á	habrá	subido	sub-iereis	hubiereis	subido
subir-emos	habremos	subido	sub-ieren	hubieren	subido
subir-éis	habréis	subido			
subir-án	habrán	subido			

IMPERATIVO

Cond. Simple	**Cond. Compuesto**		sub-e(tú)	sub-id(vosotros)
			sub-a(usted)	sub-an(ustedes)

FORMAS NO PERSONALES

subir-ía	habría	subido		
subir-ías	habrías	subido	**Infinitivo:**	subir
subir-ía	habría	subido	**Gerundio:**	sub-iendo
subir-íamos	habríamos	subido	**Participio:**	sub-ido
subir-íais	habríais	subido	**Infinitivo Comp.:**	haber subido
subir-ían	habrían	subido	**Gerundio Comp.:**	habiendo subido

8. abolir*

	INDICATIVO			SUBJUNTIVO	
Presente	**Pret. Perfecto**		**Presente**	**Pret. Perfecto**	
–	he	abolido	–	haya	abolido
–	has	abolido	–	hayas	abolido
–	ha	abolido	–	haya	abolido
abol-imos	hemos	abolido	–	hayamos	abolido
abol-ís	habéis	abolido	–	hayáis	abolido
–	han	abolido	–	hayan	abolido
Pret. Imperfecto	**Pret. Pluscuamp.**		**Pret. Imperfecto**	**Pret. Pluscuamp.**	
abol-ía	había	abolido	abol-iera	hubiera	abolido
abol-ías	habías	abolido	abol-ieras	hubieras	abolido
abol-ía	había	abolido	abol-iera	hubiera	abolido
abol-íamos	habíamos	abolido	abol-iéramos	hubiéramos	abolido
abol-íais	habíais	abolido	abol-ierais	hubierais	abolido
abol-ían	habían	abolido	abol-ieran	hubieran	abolido
Pret. Indefinido	**Pret. Anterior**		abol-iese	hubiese	abolido
			abol-ieses	hubieses	abolido
abol-í	hube	abolido	abol-iese	hubiese	abolido
abol-iste	hubiste	abolido	abol-iésemos	hubiésemos	abolido
abol-ió	hubo	abolido	abol-ieseis	hubieseis	abolido
abol-imos	hubimos	abolido	abol-iesen	hubiesen	abolido
abol-isteis	hubisteis	abolido			
abol-ieron	hubieron	abolido	**Futuro Simple**	**Futuro Compuesto**	
Futuro Simple	**Futuro Compuesto**		abol-iere	hubiere	abolido
			abol-ieres	hubieres	abolido
abolir-é	habré	abolido	abol-iere	hubiere	abolido
abolir-ás	habrás	abolido	abol-iéremos	hubiéremos	abolido
abolir-á	habrá	abolido	abol-iereis	hubiereis	abolido
abolir-emos	habremos	abolido	abol-ieren	hubieren	abolido
abolir-éis	habréis	abolido			
abolir-án	habrán	abolido			

Cond. Simple	**Cond. Compuesto**	
abolir-ía	habría	abolido
abolir-ías	habrías	abolido
abolir-ía	habría	abolido
abolir-íamos	habríamos	abolido
abolir-íais	habríais	abolido
abolir-ían	habrían	abolido

IMPERATIVO

-(tú)	abol-id(vosotros)
-(usted)	-(ustedes)

FORMAS NO PERSONALES

Infinitivo: abolir
Gerundio: abol-iendo
Participio: abol-ido
Infinitivo Comp.: haber abolido
Gerundio Comp.: habiendo abolido

* Verbo defectivo

9. abstraer

INDICATIVO

Presente	Pret. Perfecto	
abstraig-o	he	abstraído
abstra-es	has	abstraído
abstra-e	ha	abstraído
abstra-emos	hemos	abstraído
abstra-éis	habéis	abstraído
abstra-en	han	abstraído

Pret. Imperfecto	Pret. Pluscuamp.	
abstra-ía	había	abstraído
abstra-ías	habías	abstraído
abstra-ía	había	abstraído
abstra-íamos	habíamos	abstraído
abstra-íais	habíais	abstraído
abstra-ían	habían	abstraído

Pret. Indefinido	Pret. Anterior	
abstraj-e	hube	abstraído
abstraj-iste	hubiste	abstraído
abstraj-o	hubo	abstraído
abstraj-imos	hubimos	abstraído
abstraj-isteis	hubisteis	abstraído
abstraj-eron	hubieron	abstraído

Futuro Simple	Futuro Compuesto	
abstraer-é	habré	abstraído
abstraer-ás	habrás	abstraído
abstraer-á	habrá	abstraído
abstraer-emos	habremos	abstraído
abstraer-éis	habréis	abstraído
abstraer-án	habrán	abstraído

Cond. Simple	Cond. Compuesto	
abstraer-ía	habría	abstraído
abstraer-ías	habrías	abstraído
abstraer-ía	habría	abstraído
abstraer-íamos	habríamos	abstraído
abstraer-íais	habríais	abstraído
abstraer-ían	habrían	abstraído

SUBJUNTIVO

Presente	Pret. Perfecto	
abstraig-a	haya	abstraído
abstraig-as	hayas	abstraído
abstraig-a	haya	abstraído
abstraig-amos	hayamos	abstraído
abstraig-áis	hayáis	abstraído
abstraig-an	hayan	abstraído

Pret. Imperfecto	Pret. Pluscuamp.	
abstraj-era	hubiera	abstraído
abstraj-eras	hubieras	abstraído
abstraj-era	hubiera	abstraído
abstraj-éramos	hubiéramos	abstraído
abstraj-erais	hubierais	abstraído
abstraj-eran	hubieran	abstraído
abstraj-ese	hubiese	abstraído
abstraj-eses	hubieses	abstraído
abstraj-ese	hubiese	abstraído
abstraj-ésemos	hubiésemos	abstraído
abstraj-eseis	hubieseis	abstraído
abstraj-esen	hubiesen	abstraído

Futuro Simple	Futuro Compuesto	
abstraj-ere	hubiere	abstraído
abstraj-eres	hubieres	abstraído
abstraj-ere	hubiere	abstraído
abstraj-éremos	hubiéremos	abstraído
abstraj-ereis	hubiereis	abstraído
abstraj-eren	hubieren	abstraído

IMPERATIVO

abstra-e(tú)	abstra-ed(vosotros)
abstraig-a(usted)	abstraig-an(ustedes)

FORMAS NO PERSONALES

Infinitivo: abstraer
Gerundio: abstra-yendo
Participio: abstra-ído
Infinitivo Comp.: haber abstraído
Gerundio Comp.: habiendo abstraído

10. acertar

Presente	Pret. Perfecto		Presente	Pret. Perfecto	
aciert-o	he	acertado	aciert-e	haya	acertado
aciert-as	has	acertado	aciert-es	hayas	acertado
aciert-a	ha	acertado	aciert-e	haya	acertado
acert-amos	hemos	acertado	acert-emos	hayamos	acertado
acert-áis	habéis	acertado	acert-éis	hayáis	acertado
aciert-an	han	acertado	aciert-en	hayan	acertado

Pret. Imperfecto	Pret. Pluscuamp.		Pret. Imperfecto	Pret. Pluscuamp.	
acert-aba	había	acertado	acert-ara	hubiera	acertado
acert-abas	habías	acertado	acert-aras	hubieras	acertado
acert-aba	había	acertado	acert-ara	hubiera	acertado
acert-ábamos	habíamos	acertado	acert-áramos	hubiéramos	acertado
acert-abais	habíais	acertado	acert-arais	hubierais	acertado
acert-aban	habían	acertado	acert-aran	hubieran	acertado

Pret. Indefinido	Pret. Anterior				
			acert-ase	hubiese	acertado
			acert-ases	hubieses	acertado
acert-é	hube	acertado	acert-ase	hubiese	acertado
acert-aste	hubiste	acertado	acert-ásemos	hubiésemos	acertado
acert-ó	hubo	acertado	acert-aseis	hubieseis	acertado
acert-amos	hubimos	acertado	acert-asen	hubiesen	acertado
acert-asteis	hubisteis	acertado			
acert-aron	hubieron	acertado	**Futuro Simple**	**Futuro Compuesto**	

Futuro Simple	Futuro Compuesto				
			acert-are	hubiere	acertado
			acert-ares	hubieres	acertado
acertar-é	habré	acertado	acert-are	hubiere	acertado
acertar-ás	habrás	acertado	acert-áremos	hubiéremos	acertado
acertar-á	habrá	acertado	acert-areis	hubiereis	acertado
acertar-emos	habremos	acertado	acert-aren	hubieren	acertado
acertar-éis	habréis	acertado			
acertar-án	habrán	acertado			

IMPERATIVO

aciert-a(tú)   acert-ad(vosotros)
aciert-e(usted)   aciert-en(ustedes)

Cond. Simple	Cond. Compuesto	
acertar-ía	habría	acertado
acertar-ías	habrías	acertado
acertar-ía	habría	acertado
acertar-íamos	habríamos	acertado
acertar-íais	habríais	acertado
acertar-ían	habrían	acertado

FORMAS NO PERSONALES

Infinitivo: acertar
Gerundio: acert-ando
Participio: acert-ado
Infinitivo Comp.: haber acertado
Gerundio Comp.: habiendo acertado

11. acordar

INDICATIVO			SUBJUNTIVO		
Presente	**Pret. Perfecto**		**Presente**	**Pret. Perfecto**	
acuerd-o	he	acordado	acuerd-e	haya	acordado
acuerd-as	has	acordado	acuerd-es	hayas	acordado
acuerd-a	ha	acordado	acuerd-e	haya	acordado
acord-amos	hemos	acordado	acord-emos	hayamos	acordado
acord-áis	habéis	acordado	acord-éis	hayáis	acordado
acuerd-an	han	acordado	acuerd-en	hayan	acordado
Pret. Imperfecto	**Pret. Pluscuamp.**		**Pret. Imperfecto**	**Pret. Pluscuamp.**	
acord-aba	había	acordado	acord-ara	hubiera	acordado
acord-abas	habías	acordado	acord-aras	hubieras	acordado
acord-aba	había	acordado	acord-ara	hubiera	acordado
acord-ábamos	habíamos	acordado	acord-áramos	hubiéramos	acordado
acord-abais	habíais	acordado	acord-arais	hubierais	acordado
acord-aban	habían	acordado	acord-aran	hubieran	acordado
Pret. Indefinido	**Pret. Anterior**		acord-ase	hubiese	acordado
			acord-ases	hubieses	acordado
acord-é	hube	acordado	acord-ase	hubiese	acordado
acord-aste	hubiste	acordado	acord-ásemos	hubiésemos	acordado
acord-ó	hubo	acordado	acord-aseis	hubieseis	acordado
acord-amos	hubimos	acordado	acord-asen	hubiesen	acordado
acord-asteis	hubisteis	acordado			
acord-aron	hubieron	acordado	**Futuro Simple**	**Futuro Compuesto**	
Futuro Simple	**Futuro Compuesto**		acord-are	hubiere	acordado
			acord-ares	hubieres	acordado
acordar-é	habré	acordado	acord-are	hubiere	acordado
acordar-ás	habrás	acordado	acord-áremos	hubiéremos	acordado
acordar-á	habrá	acordado	acord-areis	hubiereis	acordado
acordar-emos	habremos	acordado	acord-aren	hubieren	acordado
acordar-éis	habréis	acordado			
acordar-án	habrán	acordado			

IMPERATIVO	
acuerd-a(tú)	acord-ad(vosotros)
acuerd-e(usted)	acuerd-en(ustedes)

Cond. Simple   **Cond. Compuesto**

acordar-ía	habría	acordado
acordar-ías	habrías	acordado
acordar-ía	habría	acordado
acordar-íamos	habríamos	acordado
acordar-íais	habríais	acordado
acordar-ían	habrían	acordado

FORMAS NO PERSONALES

Infinitivo:	acordar
Gerundio:	acord-ando
Participio:	acord-ado
Infinitivo Comp.:	haber acordado
Gerundio Comp.:	habiendo acordado

12. acostar

<table>
<tr><td colspan="4" align="center">INDICATIVO</td><td colspan="4" align="center">SUBJUNTIVO</td></tr>
<tr><td colspan="2">Presente</td><td colspan="2">Pret. Perfecto</td><td colspan="2">Presente</td><td colspan="2">Pret. Perfecto</td></tr>
<tr><td>acuest-o</td><td></td><td>he</td><td>acostado</td><td>acuest-e</td><td></td><td>haya</td><td>acostado</td></tr>
<tr><td>acuest-as</td><td></td><td>has</td><td>acostado</td><td>acuest-es</td><td></td><td>hayas</td><td>acostado</td></tr>
<tr><td>acuest-a</td><td></td><td>ha</td><td>acostado</td><td>acuest-e</td><td></td><td>haya</td><td>acostado</td></tr>
<tr><td>acost-amos</td><td></td><td>hemos</td><td>acostado</td><td>acost-emos</td><td></td><td>hayamos</td><td>acostado</td></tr>
<tr><td>acost-áis</td><td></td><td>habéis</td><td>acostado</td><td>acost-éis</td><td></td><td>hayáis</td><td>acostado</td></tr>
<tr><td>acuest-an</td><td></td><td>han</td><td>acostado</td><td>acuest-en</td><td></td><td>hayan</td><td>acostado</td></tr>
<tr><td colspan="2">Pret. Imperfecto</td><td colspan="2">Pret. Pluscuamp.</td><td colspan="2">Pret. Imperfecto</td><td colspan="2">Pret. Pluscuamp.</td></tr>
<tr><td>acost-aba</td><td></td><td>había</td><td>acostado</td><td>acost-ara</td><td></td><td>hubiera</td><td>acostado</td></tr>
<tr><td>acost-abas</td><td></td><td>habías</td><td>acostado</td><td>acost-aras</td><td></td><td>hubieras</td><td>acostado</td></tr>
<tr><td>acost-aba</td><td></td><td>había</td><td>acostado</td><td>acost-ara</td><td></td><td>hubiera</td><td>acostado</td></tr>
<tr><td>acost-ábamos</td><td></td><td>habíamos</td><td>acostado</td><td>acost-áramos</td><td></td><td>hubiéramos</td><td>acostado</td></tr>
<tr><td>acost-abais</td><td></td><td>habíais</td><td>acostado</td><td>acost-arais</td><td></td><td>hubierais</td><td>acostado</td></tr>
<tr><td>acost-aban</td><td></td><td>habían</td><td>acostado</td><td>acost-aran</td><td></td><td>hubieran</td><td>acostado</td></tr>
<tr><td colspan="2">Pret. Indefinido</td><td colspan="2">Pret. Anterior</td><td>acost-ase</td><td></td><td>hubiese</td><td>acostado</td></tr>
<tr><td colspan="4"></td><td>acost-ases</td><td></td><td>hubieses</td><td>acostado</td></tr>
<tr><td>acost-é</td><td></td><td>hube</td><td>acostado</td><td>acost-ase</td><td></td><td>hubiese</td><td>acostado</td></tr>
<tr><td>acost-aste</td><td></td><td>hubiste</td><td>acostado</td><td>acost-ásemos</td><td></td><td>hubiésemos</td><td>acostado</td></tr>
<tr><td>acost-ó</td><td></td><td>hubo</td><td>acostado</td><td>acost-aseis</td><td></td><td>hubieseis</td><td>acostado</td></tr>
<tr><td>acost-amos</td><td></td><td>hubimos</td><td>acostado</td><td>acost-asen</td><td></td><td>hubiesen</td><td>acostado</td></tr>
<tr><td>acost-asteis</td><td></td><td>hubisteis</td><td>acostado</td><td colspan="4"></td></tr>
<tr><td>acost-aron</td><td></td><td>hubieron</td><td>acostado</td><td colspan="2">Futuro Simple</td><td colspan="2">Futuro Compuesto</td></tr>
<tr><td colspan="4"></td><td>acost-are</td><td></td><td>hubiere</td><td>acostado</td></tr>
<tr><td colspan="2">Futuro Simple</td><td colspan="2">Futuro Compuesto</td><td>acost-ares</td><td></td><td>hubieres</td><td>acostado</td></tr>
<tr><td colspan="4"></td><td>acost-are</td><td></td><td>hubiere</td><td>acostado</td></tr>
<tr><td>acostar-é</td><td></td><td>habré</td><td>acostado</td><td>acost-áremos</td><td></td><td>hubiéremos</td><td>acostado</td></tr>
<tr><td>acostar-ás</td><td></td><td>habrás</td><td>acostado</td><td>acost-areis</td><td></td><td>hubiereis</td><td>acostado</td></tr>
<tr><td>acostar-á</td><td></td><td>habrá</td><td>acostado</td><td>acost-aren</td><td></td><td>hubieren</td><td>acostado</td></tr>
<tr><td>acostar-emos</td><td></td><td>habremos</td><td>acostado</td><td colspan="4"></td></tr>
<tr><td>acostar-éis</td><td></td><td>habréis</td><td>acostado</td><td colspan="4"></td></tr>
<tr><td>acostar-án</td><td></td><td>habrán</td><td>acostado</td><td colspan="4" align="center">IMPERATIVO</td></tr>
<tr><td colspan="4"></td><td colspan="2">acuest-a(tú)</td><td colspan="2">acost-ad(vosotros)</td></tr>
<tr><td colspan="2">Cond. Simple</td><td colspan="2">Cond. Compuesto</td><td colspan="2">acuest-e(usted)</td><td colspan="2">acuest-en(ustedes)</td></tr>
<tr><td colspan="4"></td><td colspan="4" align="center">FORMAS NO PERSONALES</td></tr>
<tr><td>acostar-ía</td><td></td><td>habría</td><td>acostado</td><td colspan="4"></td></tr>
<tr><td>acostar-ías</td><td></td><td>habrías</td><td>acostado</td><td colspan="2">Infinitivo:</td><td colspan="2">acostar</td></tr>
<tr><td>acostar-ía</td><td></td><td>habría</td><td>acostado</td><td colspan="2">Gerundio:</td><td colspan="2">acost-ando</td></tr>
<tr><td>acostar-íamos</td><td></td><td>habríamos</td><td>acostado</td><td colspan="2">Participio:</td><td colspan="2">acost-ado</td></tr>
<tr><td>acostar-íais</td><td></td><td>habríais</td><td>acostado</td><td colspan="2">Infinitivo Comp.:</td><td colspan="2">haber acostado</td></tr>
<tr><td>acostar-ían</td><td></td><td>habrían</td><td>acostado</td><td colspan="2">Gerundio Comp.:</td><td colspan="2">habiendo acostado</td></tr>
</table>

13. actuar

	INDICATIVO			SUBJUNTIVO	
Presente	**Pret. Perfecto**		**Presente**	**Pret. Perfecto**	
actú-o	he	actuado	actú-e	haya	actuado
actú-as	has	actuado	actú-es	hayas	actuado
actú-a	ha	actuado	actú-e	haya	actuado
actu-amos	hemos	actuado	actu-emos	hayamos	actuado
actu-áis	habéis	actuado	actu-éis	hayáis	actuado
actú-an	han	actuado	actú-en	hayan	actuado
Pret. Imperfecto	**Pret. Pluscuamp.**		**Pret. Imperfecto**	**Pret. Pluscuamp.**	
actu-aba	había	actuado	actu-ara	hubiera	actuado
actu-abas	habías	actuado	actu-aras	hubieras	actuado
actu-aba	había	actuado	actu-ara	hubiera	actuado
actu-ábamos	habíamos	actuado	actu-áramos	hubiéramos	actuado
actu-abais	habíais	actuado	actu-arais	hubierais	actuado
actu-aban	habían	actuado	actu-aran	hubieran	actuado
Pret. Indefinido	**Pret. Anterior**		actu-ase	hubiese	actuado
			actu-ases	hubieses	actuado
actu-é	hube	actuado	actu-ase	hubiese	actuado
actu-aste	hubiste	actuado	actu-ásemos	hubiésemos	actuado
actu-ó	hubo	actuado	actu-aseis	hubieseis	actuado
actu-amos	hubimos	actuado	actu-asen	hubiesen	actuado
actu-asteis	hubisteis	actuado			
actu-aron	hubieron	actuado	**Futuro Simple**	**Futuro Compuesto**	
Futuro Simple	**Futuro Compuesto**		actu-are	hubiere	actuado
			actu-ares	hubieres	actuado
actuar-é	habré	actuado	actu-are	hubiere	actuado
actuar-ás	habrás	actuado	actu-áremos	hubiéremos	actuado
actuar-á	habrá	actuado	actu-areis	hubiereis	actuado
actuar-emos	habremos	actuado	actu-aren	hubieren	actuado
actuar-éis	habréis	actuado			
actuar-án	habrán	actuado			

Cond. Simple | **Cond. Compuesto**

actuar-ía	habría	actuado
actuar-ías	habrías	actuado
actuar-ía	habría	actuado
actuar-íamos	habríamos	actuado
actuar-íais	habríais	actuado
actuar-ían	habrían	actuado

IMPERATIVO

actú-a(tú)	actu-ad(vosotros)
actú-e(usted)	actú-en(ustedes)

FORMAS NO PERSONALES

Infinitivo: actuar
Gerundio: actu-ando
Participio: actu-ado
Infinitivo Comp.: haber actuado
Gerundio Comp.: habiendo actuado

14. adelgazar

INDICATIVO		SUBJUNTIVO	
Presente	**Pret. Perfecto**	**Presente**	**Pret. Perfecto**
delgaz-o	he adelgazado	adelgac-e	haya adelgazado
adelgaz-as	has adelgazado	adelgac-es	hayas adelgazado
adelgaz-a	ha adelgazado	adelgac-e	haya adelgazado
adelgaz-amos	hemos adelgazado	adelgac-emos	hayamos adelgazado
adelgaz-áis	habéis adelgazado	adelgac-éis	hayáis adelgazado
adelgaz-an	han adelgazado	adelgac-en	hayan adelgazado
Pret. Imperfecto	**Pret. Pluscuamp.**	**Pret. Imperfecto**	**Pret. Pluscuamp.**
adelgaz-aba	había adelgazado	adelgaz-ara	hubiera adelgazado
adelgaz-abas	habías adelgazado	adelgaz-aras	hubieras adelgazado
adelgaz-aba	había adelgazado	adelgaz-ara	hubiera adelgazado
adelgaz-ábamos	habíamos adelgazado	adelgaz-áramos	hubiéramos adelgazado
adelgaz-abais	habíais adelgazado	adelgaz-arais	hubierais adelgazado
adelgaz-aban	habían adelgazado	adelgaz-aran	hubieran adelgazado
Pret. Indefinido	**Pret. Anterior**	adelgaz-ase	hubiese adelgazado
		adelgaz-ases	hubieses adelgazado
adelgac-é	hube adelgazado	adelgaz-ase	hubiese adelgazado
adelgaz-aste	hubiste adelgazado	adelgaz-ásemos	hubiésemos adelgazado
adelgaz-ó	hubo adelgazado	adelgaz-aseis	hubieseis adelgazado
adelgaz-amos	hubimos adelgazado	adelgaz-asen	hubiesen adelgazado
adelgaz-asteis	hubisteis adelgazado		
adelgaz-aron	hubieron adelgazado	**Futuro Simple**	**Futuro Compuesto**
Futuro Simple	**Futuro Compuesto**	adelgaz-are	hubiere adelgazado
		adelgaz-ares	hubieres adelgazado
adelgazar-é	habré adelgazado	adelgaz-are	hubiere adelgazado
adelgazar-ás	habrás adelgazado	adelgaz-áremos	hubiéremos adelgazado
adelgazar-á	habrá adelgazado	adelgaz-areis	hubiereis adelgazado
adelgazar-emos	habremos adelgazado	adelgaz-aren	hubieren adelgazado
adelgazar-éis	habréis adelgazado		
adelgazar-án	habrán adelgazado		

IMPERATIVO

adelgaz-a(tú)   adelgaz-ad(vosotros)
adelgace(usted)   adelgac-en(ustedes)

Cond. Simple	**Cond. Compuesto**
adelgazar-ía	habría adelgazado
adelgazar-ías	habrías adelgazado
adelgazar-ía	habría adelgazado
adelgazar-íamos	habríamos adelgazado
adelgazar-íais	habríais adelgazado
adelgazar-ían	habrían adelgazado

FORMAS NO PERSONALES

Infinitivo: adelgazar
Gerundio: adelgaz-ando
Participio: adelgaz-ado
Infinitivo Comp.: haber adelgazado
Gerundio Comp.: habiendo adelgazado

15. adquirir

INDICATIVO

Presente	Pret. Perfecto	
adquier-o	he	adquirido
adquier-es	has	adquirido
adquier-e	ha	adquirido
adquir-imos	hemos	adquirido
adquir-ís	habéis	adquirido
adquier-en	han	adquirido

Pret. Imperfecto	Pret. Pluscuamp.	
adquir-ía	había	adquirido
adquir-ías	habías	adquirido
adquir-ía	había	adquirido
adquir-íamos	habíamos	adquirido
adquir-íais	habíais	adquirido
adquir-ían	habían	adquirido

Pret. Indefinido	Pret. Anterior	
adquir-í	hube	adquirido
adquir-iste	hubiste	adquirido
adquir-ió	hubo	adquirido
adquir-imos	hubimos	adquirido
adquir-isteis	hubisteis	adquirido
adquir-ieron	hubieron	adquirido

Futuro Simple	Futuro Compuesto	
adquirir-é	habré	adquirido
adquirir-ás	habrás	adquirido
adquirir-á	habrá	adquirido
adquirir-emos	habremos	adquirido
adquirir-éis	habréis	adquirido
adquirir-án	habrán	adquirido

Cond. Simple	Cond. Compuesto	
adquirir-ía	habría	adquirido
adquirir-ías	habrías	adquirido
adquirir-ía	habría	adquirido
adquirir-íamos	habríamos	adquirido
adquirir-íais	habríais	adquirido
adquirir-ían	habrían	adquirido

SUBJUNTIVO

Presente	Pret. Perfecto	
adquier-a	haya	adquirido
adquier-as	hayas	adquirido
adquier-a	haya	adquirido
adquir-amos	hayamos	adquirido
adquir-áis	hayáis	adquirido
adquier-an	hayan	adquirido

Pret. Imperfecto	Pret. Pluscuamp.	
adquir-iera	hubiera	adquirido
adquir-ieras	hubieras	adquirido
adquir-iera	hubiera	adquirido
adquir-iéramos	hubiéramos	adquirido
adquir-ierais	hubierais	adquirido
adquir-ieran	hubieran	adquirido
adquir-iese	hubiese	adquirido
adquir-ieses	hubieses	adquirido
adquir-iese	hubiese	adquirido
adquir-iésemos	hubiésemos	adquirido
adquir-ieseis	hubieseis	adquirido
adquir-iesen	hubiesen	adquirido

Futuro Simple	Futuro Compuesto	
adquir-iere	hubiere	adquirido
adquir-ieres	hubieres	adquirido
adquir-iere	hubiere	adquirido
adquir-iéremos	hubiéremos	adquirido
adquir-iereis	hubiereis	adquirido
adquir-ieren	hubieren	adquirido

IMPERATIVO

adquier-e(tú)	adquir-id(vosotros)
adquier-a(usted)	adquier-an(ustedes)

FORMAS NO PERSONALES

Infinitivo:	adquirir
Gerundio:	adquir-iendo
Participio:	adquir-ido
Infinitivo Comp.:	haber adquirido
Gerundio Comp.:	habiendo adquirido

16. advertir

INDICATIVO		SUBJUNTIVO	

Presente	Pret. Perfecto	Presente	Pret. Perfecto
adviert-o	he advertido	adviert-a	haya advertido
adviert-es	has advertido	adviert-as	hayas advertido
adviert-e	ha advertido	adviert-a	haya advertido
advert-imos	hemos advertido	advirt-amos	hayamos advertido
advert-ís	habéis advertido	advirt-áis	hayáis advertido
adviert-en	han advertido	adviert-an	hayan advertido

Pret. Imperfecto	Pret. Pluscuamp.	Pret. Imperfecto	Pret. Pluscuamp.
advert-ía	había advertido	advirt-iera	hubiera advertido
advert-ías	habías advertido	advirt-ieras	hubieras advertido
advert-ía	había advertido	advirt-iera	hubiera advertido
advert-íamos	habíamos advertido	advirt-iéramos	hubiéramos advertido
advert-íais	habíais advertido	advirt-ierais	hubierais advertido
advert-ían	habían advertido	advirt-ieran	hubieran advertido

Pret. Indefinido	Pret. Anterior		
advert-í	hube advertido	advirt-iese	hubiese advertido
advert-iste	hubiste advertido	advirt-ieses	hubieses advertido
advirt-ió	hubo advertido	advirt-iese	hubiese advertido
advert-imos	hubimos advertido	advirt-iésemos	hubiésemos advertido
advert-isteis	hubisteis advertido	advirt-ieseis	hubieseis advertido
advirt-ieron	hubieron advertido	advirt-iesen	hubiesen advertido

Futuro Simple	Futuro Compuesto	Futuro Simple	Futuro Compuesto
advertir-é	habré advertido	advirt-iere	hubiere advertido
advertir-ás	habrás advertido	advirt-ieres	hubieres advertido
advertir-á	habrá advertido	advirt-iere	hubiere advertido
advertir-emos	habremos advertido	advirt-iéremos	hubiéremos advertido
advertir-éis	habréis advertido	advirt-iereis	hubiereis advertido
advertir-án	habrán advertido	advirt-ieren	hubieren advertido

Cond. Simple	Cond. Compuesto
advertir-ía	habría advertido
advertir-ías	habrías advertido
advertir-ía	habría advertido
advertir-íamos	habríamos advertido
advertir-íais	habríais advertido
advertir-ían	habrían advertido

IMPERATIVO

adviert-e(tú)   advert-id(vosotros)
adviert-a(usted)   adviert-an(ustedes)

FORMAS NO PERSONALES

Infinitivo: advertir
Gerundio: advirt-iendo
Participio: advert-ido
Infinitivo Comp.: haber advertido
Gerundio Comp.: habiendo advertido

17. almorzar

	INDICATIVO			SUBJUNTIVO	
Presente	**Pret. Perfecto**		**Presente**	**Pret. Perfecto**	
almuerz-o	he	almorzado	almuerc-e	haya	almorzado
almuerz-as	has	almorzado	almuerc-es	hayas	almorzado
almuerz-a	ha	almorzado	almuerc-e	haya	almorzado
almorz-amos	hemos	almorzado	almorc-emos	hayamos	almorzado
almorz-áis	habéis	almorzado	almorc-éis	hayáis	almorzado
almuerz-an	han	almorzado	almuerc-en	hayan	almorzado
Pret. Imperfecto	**Pret. Pluscuamp.**		**Pret. Imperfecto**	**Pret. Pluscuamp.**	
almorz-aba	había	almorzado	almorz-ara	hubiera	almorzado
almorz-abas	habías	almorzado	almorz-aras	hubieras	almorzado
almorz-aba	había	almorzado	almorz-ara	hubiera	almorzado
almorz-ábamos	habíamos	almorzado	almorz-áramos	hubiéramos	almorzado
almorz-abais	habíais	almorzado	almorz-arais	hubierais	almorzado
almorz-aban	habían	almorzado	almorz-aran	hubieran	almorzado
Pret. Indefinido	**Pret. Anterior**		almorz-ase	hubiese	almorzado
			almorz-ases	hubieses	almorzado
almorc-é	hube	almorzado	almorz-ase	hubiese	almorzado
almorz-aste	hubiste	almorzado	almorz-ásemos	hubiésemos	almorzado
almorz-ó	hubo	almorzado	almorz-aseis	hubieseis	almorzado
almorz-amos	hubimos	almorzado	almorz-asen	hubiesen	almorzado
almorz-asteis	hubisteis	almorzado			
almorz-aron	hubieron	almorzado	**Futuro Simple**	**Futuro Compuesto**	
Futuro Simple	**Futuro Compuesto**		almorz-are	hubiere	almorzado
			almorz-ares	hubieres	almorzado
almorzar-é	habré	almorzado	almorz-are	hubiere	almorzado
almorzar-ás	habrás	almorzado	almorz-áremos	hubiéremos	almorzado
almorzar-á	habrá	almorzado	almorz-areis	hubiereis	almorzado
almorzar-emos	habremos	almorzado	almorz-aren	hubieren	almorzado
almorzar-éis	habréis	almorzado			
almorzar-án	habrán	almorzado			

IMPERATIVO

Cond. Simple	**Cond. Compuesto**		almuerz-a(tú)	almorz-ad(vosotros)
			almuerc-e(usted)	almuerc-en(ustedes)

FORMAS NO PERSONALES

almorzar-ía	habría	almorzado
almorzar-ías	habrías	almorzado
almorzar-ía	habría	almorzado
almorzar-íamos	habríamos	almorzado
almorzar-íais	habríais	almorzado
almorzar-ían	habrían	almorzado

Infinitivo: almorzar
Gerundio: almorz-ando
Participio: almorz-ado
Infinitivo Comp.: haber almorzado
Gerundio Comp.: habiendo almorzado

18. ampliar

INDICATIVO			SUBJUNTIVO		

INDICATIVO

Presente	Pret. Perfecto	
amplí-o	he	ampliado
amplí-as	has	ampliado
amplí-a	ha	ampliado
ampli-amos	hemos	ampliado
ampli-áis	habéis	ampliado
amplí-an	han	ampliado

Pret. Imperfecto	Pret. Pluscuamp.	
ampli-aba	había	ampliado
ampli-abas	habías	ampliado
ampli-aba	había	ampliado
ampli-ábamos	habíamos	ampliado
ampli-abais	habíais	ampliado
ampli-aban	habían	ampliado

Pret. Indefinido	Pret. Anterior	
ampli-é	hube	ampliado
ampli-aste	hubiste	ampliado
ampli-ó	hubo	ampliado
ampli-amos	hubimos	ampliado
ampli-asteis	hubisteis	ampliado
ampli-aron	hubieron	ampliado

Futuro Simple	Futuro Compueto	
ampliar-é	habré	ampliado
ampliar-ás	habrás	ampliado
ampliar-á	habrá	ampliado
ampliar-emos	habremos	ampliado
ampliar-éis	habréis	ampliado
ampliar-án	habrán	ampliado

Cond. Simple	Cond. Compuesto	
ampliar-ía	habría	ampliado
ampliar-ías	habrías	ampliado
ampliar-ía	habría	ampliado
ampliar-íamos	habríamos	ampliado
ampliar-íais	habríais	ampliado
ampliar-ían	habrían	ampliado

SUBJUNTIVO

Presente	Pret. Perfecto	
amplí-e	haya	ampliado
amplí-es	hayas	ampliado
amplí-e	haya	ampliado
ampli-emos	hayamos	ampliado
ampli-éis	hayáis	ampliado
amplí-en	hayan	ampliado

Pret. Imperfecto	Pret. Pluscuamp.	
ampli-ara	hubiera	ampliado
ampli-aras	hubieras	ampliado
ampli-ara	hubiera	ampliado
ampli-áramos	hubiéramos	ampliado
ampli-arais	hubierais	ampliado
ampli-aran	hubieran	ampliado
ampli-ase	hubiese	ampliado
ampli-ases	hubieses	ampliado
ampli-ase	hubiese	ampliado
ampli-ásemos	hubiésemos	ampliado
ampli-aseis	hubieseis	ampliado
ampli-asen	hubiesen	ampliado

Futuro Simple	Futuro Compuesto	
ampli-are	hubiere	ampliado
ampli-ares	hubieres	ampliado
ampli-are	hubiere	ampliado
ampli-áremos	hubiéremos	ampliado
ampli-areis	hubiereis	ampliado
ampli-aren	hubieren	ampliado

IMPERATIVO

amplí-a(tú)	ampli-ad(vosotros)
amplí-e(usted)	amplí-en(ustedes)

FORMAS NO PERSONALES

Infinitivo:	ampliar
Gerundio:	ampli-ando
Participio:	ampli-ado
Infinitivo Comp.:	haber ampliado
Gerundio Comp.:	habiendo ampliado

19. andar

Presente	Pret. Perfecto		Presente	Pret. Perfecto	
and-o	he	andado	and-e	haya	andado
and-as	has	andado	and-es	hayas	andado
and-a	ha	andado	and-e	haya	andado
and-amos	hemos	andado	and-emos	hayamos	andado
and-áis	habéis	andado	and-éis	hayáis	andado
and-an	han	andado	and-en	hayan	andado

Pret. Imperfecto	Pret. Pluscuamp.		Pret. Imperfecto	Pret. Pluscuamp.	
and-aba	había	andado	anduviera	hubiera	andado
and-abas	habías	andado	anduvieras	hubieras	andado
and-aba	había	andado	anduviera	hubiera	andado
and-ábamos	habíamos	andado	anduviéramos	hubiéramos	andado
and-abais	habíais	andado	anduvierais	hubierais	andado
and-aban	habían	andado	anduvieran	hubieran	andado

Pret. Indefinido	Pret. Anterior				
			anduviese	hubiese	andado
			anduvieses	hubieses	andado
anduve	hube	andado	anduviese	hubiese	andado
anduviste	hubiste	andado	anduviésemos	hubiésemos	andado
anduvo	hubo	andado	anduvieseis	hubieseis	andado
anduvimos	hubimos	andado	anduviesen	hubiesen	andado
anduvisteis	hubisteis	andado			
anduvieron	hubieron	andado	**Futuro Simple**	**Futuro Compuesto**	

Futuro Simple	Futuro Compuesto				
			anduviere	hubiere	andado
			anduvieres	hubieres	andado
andar-é	habré	andado	anduviere	hubiere	andado
andar-ás	habrás	andado	anduviéremos	hubiéremos	andado
andar-á	habrá	andado	anduviereis	hubiereis	andado
andar-emos	habremos	andado	anduvieren	hubieren	andado
andar-éis	habréis	andado			
andar-án	habrán	andado			

Cond. Simple	Cond. Compuesto	

———— IMPERATIVO ————
and-a(tú)   and-ad(vosotros)
and-e(usted)   and-en(ustedes)

andar-ía	habría	andado
andar-ías	habrías	andado
andar-ía	habría	andado
andar-íamos	habríamos	andado
andar-íais	habríais	andado
andar-ían	habrían	andado

———— FORMAS NO PERSONALES ————

Infinitivo: andar
Gerundio: and-ando
Participio: and-ado
Infinitivo Comp.: haber andado
Gerundio Comp.: habiendo andado

20. argüir

INDICATIVO			SUBJUNTIVO		
Presente	**Pret. Perfecto**		**Presente**	**Pret. Perfecto**	
arguy-o	he	argüido	arguy-a	haya	argüido
arguy-es	has	argüido	arguy-as	hayas	argüido
arguy-e	ha	argüido	arguy-a	haya	argüido
argü-imos	hemos	argüido	arguy-amos	hayamos	argüido
argü-ís	habéis	argüido	arguy-áis	hayáis	argüido
arguy-en	han	argüido	arguy-an	hayan	argüido
Pret. Imperfecto	**Pret. Pluscuamp.**		**Pret. Imperfecto**	**Pret. Pluscuamp.**	
argü-ía	había	argüido	arguy-era	hubiera	argüido
argü-ías	habías	argüido	arguy-eras	hubieras	argüido
argü-ía	había	argüido	arguy-era	hubiera	argüido
argü-íamos	habíamos	argüido	arguy-éramos	hubiéramos	argüido
argü-íais	habíais	argüido	arguy-erais	hubierais	argüido
argü-ían	habían	argüido	arguy-eran	hubieran	argüido
Pret. Indefinido	**Pret. Anterior**		arguy-ese	hubiese	argüido
			arguy-eses	hubieses	argüido
argü-í	hube	argüido	arguy-ese	hubiese	argüido
argü-iste	hubiste	argüido	arguy-ésemos	hubiésemos	argüido
arguy-ó	hubo	argüido	arguy-eseis	hubieseis	argüido
argü-imos	hubimos	argüido	arguy-esen	hubiesen	argüido
argü-isteis	hubisteis	argüido			
arguy-eron	hubieron	argüido	**Futuro Simple**	**Futuro Compuesto**	
Futuro Simple	**Futuro Compuesto**		arguy-ere	hubiere	argüido
			arguy-eres	hubieres	argüido
argüir-é	habré	argüido	arguy-ere	hubiere	argüido
argüir-ás	habrás	argüido	arguy-éremos	hubiéremos	argüido
argüir-á	habrá	argüido	arguy-ereis	hubiereis	argüido
argüir-emos	habremos	argüido	arguy-eren	hubieren	argüido
argüir-éis	habréis	argüido			
argüir-án	habrán	argüido			

IMPERATIVO

arguy-e(tú)	argü-id(vosotros)
arguy-a(usted)	arguy-an(ustedes)

INDICATIVO (cont.)		
Cond. Simple	**Cond. Compuesto**	
argüir-ía	habría	argüido
argüir-ías	habrías	argüido
argüir-ía	habría	argüido
argüir-íamos	habríamos	argüido
argüir-íais	habríais	argüido
argüir-ían	habrían	argüido

FORMAS NO PERSONALES

Infinitivo:	argüir
Gerundio:	arguy-endo
Participio:	argü-ido
Infinitivo Comp.:	haber argüido
Gerundio Comp.:	habiendo argüido

21. asir

<table>
<tr><td colspan="3" align="center">INDICATIVO</td><td colspan="3" align="center">SUBJUNTIVO</td></tr>
<tr><td>Presente</td><td colspan="2">Pret. Perfecto</td><td>Presente</td><td colspan="2">Pret. Perfecto</td></tr>
<tr><td>asg-o</td><td>he</td><td>asido</td><td>asg-a</td><td>haya</td><td>asido</td></tr>
<tr><td>as-es</td><td>has</td><td>asido</td><td>asg-as</td><td>hayas</td><td>asido</td></tr>
<tr><td>as-e</td><td>ha</td><td>asido</td><td>asg-a</td><td>haya</td><td>asido</td></tr>
<tr><td>as-imos</td><td>hemos</td><td>asido</td><td>asg-amos</td><td>hayamos</td><td>asido</td></tr>
<tr><td>as-ís</td><td>habéis</td><td>asido</td><td>asg-áis</td><td>hayáis</td><td>asido</td></tr>
<tr><td>as-en</td><td>han</td><td>asido</td><td>asg-an</td><td>hayan</td><td>asido</td></tr>
<tr><td>Pret. Imperfecto</td><td colspan="2">Pret. Pluscuamp.</td><td>Pret. Imperfecto</td><td colspan="2">Pret. Pluscuamp.</td></tr>
<tr><td>as-ía</td><td>había</td><td>asido</td><td>as-iera</td><td>hubiera</td><td>asido</td></tr>
<tr><td>as-ías</td><td>habías</td><td>asido</td><td>as-ieras</td><td>hubieras</td><td>asido</td></tr>
<tr><td>as-ía</td><td>había</td><td>asido</td><td>as-iera</td><td>hubiera</td><td>asido</td></tr>
<tr><td>as-íamos</td><td>habíamos</td><td>asido</td><td>as-iéramos</td><td>hubiéramos</td><td>asido</td></tr>
<tr><td>as-íais</td><td>habíais</td><td>asido</td><td>as-ierais</td><td>hubierais</td><td>asido</td></tr>
<tr><td>as-ían</td><td>habían</td><td>asido</td><td>as-ieran</td><td>hubieran</td><td>asido</td></tr>
<tr><td>Pret. Indefinido</td><td colspan="2">Pret. Anterior</td><td>as-iese</td><td>hubiese</td><td>asido</td></tr>
<tr><td></td><td></td><td></td><td>as-ieses</td><td>hubieses</td><td>asido</td></tr>
<tr><td>as-í</td><td>hube</td><td>asido</td><td>as-iese</td><td>hubiese</td><td>asido</td></tr>
<tr><td>as-iste</td><td>hubiste</td><td>asido</td><td>as-iésemos</td><td>hubiésemos</td><td>asido</td></tr>
<tr><td>as-ió</td><td>hubo</td><td>asido</td><td>as-ieseis</td><td>hubieseis</td><td>asido</td></tr>
<tr><td>as-imos</td><td>hubimos</td><td>asido</td><td>as-iesen</td><td>hubiesen</td><td>asido</td></tr>
<tr><td>as-isteis</td><td>hubisteis</td><td>asido</td><td colspan="3"></td></tr>
<tr><td>as-ieron</td><td>hubieron</td><td>asido</td><td>Futuro Simple</td><td colspan="2">Futuro Compuesto</td></tr>
<tr><td>Futuro Simple</td><td colspan="2">Futuro Compuesto</td><td>as-iere</td><td>hubiere</td><td>asido</td></tr>
<tr><td></td><td></td><td></td><td>as-ieres</td><td>hubieres</td><td>asido</td></tr>
<tr><td>asir-é</td><td>habré</td><td>asido</td><td>as-iere</td><td>hubiere</td><td>asido</td></tr>
<tr><td>asir-ás</td><td>habrás</td><td>asido</td><td>as-iéremos</td><td>hubiéremos</td><td>asido</td></tr>
<tr><td>asir-á</td><td>habrá</td><td>asido</td><td>as-iereis</td><td>hubiereis</td><td>asido</td></tr>
<tr><td>asir-emos</td><td>habremos</td><td>asido</td><td>as-ieren</td><td>hubieren</td><td>asido</td></tr>
<tr><td>asir-éis</td><td>habréis</td><td>asido</td><td colspan="3"></td></tr>
<tr><td>asir-án</td><td>habrán</td><td>asido</td><td colspan="3" align="center">IMPERATIVO</td></tr>
<tr><td>Cond. Simple</td><td colspan="2">Cond. Compuesto</td><td colspan="3">as-e(tú)   as-id(vosotros)
asg-a(usted)   asg-an(ustedes)</td></tr>
<tr><td>asir-ía</td><td>habría</td><td>asido</td><td colspan="3" align="center">FORMAS NO PERSONALES</td></tr>
<tr><td>asir-ías</td><td>habrías</td><td>asido</td><td colspan="3"></td></tr>
<tr><td>asir-ía</td><td>habría</td><td>asido</td><td colspan="3">Infinitivo: asir</td></tr>
<tr><td>asir-íamos</td><td>habríamos</td><td>asido</td><td colspan="3">Gerundio: as-iendo</td></tr>
<tr><td>asir-íais</td><td>habríais</td><td>asido</td><td colspan="3">Participio: as-ido</td></tr>
<tr><td>asir-ían</td><td>habrían</td><td>asido</td><td colspan="3">Infinitivo Comp.: haber asido</td></tr>
<tr><td colspan="3"></td><td colspan="3">Gerundio Comp.: habiendo asido</td></tr>
</table>

22. avergonzar

INDICATIVO			SUBJUNTIVO		
Presente	**Pret. Perfecto**		**Presente**	**Pret. Perfecto**	
avergüenz-o	he	avergonzado	avergüenc-e	haya	avergonzado
avergüenz-as	has	avergonzado	avergüenc-es	hayas	avergonzado
avergüenz-a	ha	avergonzado	avergüenc-e	haya	avergonzado
avergonz-amos	hemos	avergonzado	avergonc-emos	hayamos	avergonzado
avergonz-áis	habéis	avergonzado	avergonc-éis	hayáis	avergonzado
avergüenz-an	han	avergonzado	avergüenc-en	hayan	avergonzado
Pret. Imperfecto	**Pret. Pluscuamp.**		**Pret. Imperfecto**	**Pret. Pluscuamp.**	
avergonz-aba	había	avergonzado	avergonz-ara	hubiera	avergonzado
avergonz-abas	habías	avergonzado	avergonz-aras	hubieras	avergonzado
avergonz-aba	había	avergonzado	avergonz-ara	hubiera	avergonzado
avergonz-ábamos	habíamos	avergonzado	avergonz-áramos	hubiéramos	avergonzado
avergonz-abais	habíais	avergonzado	avergonz-arais	hubierais	avergonzado
avergonz-aban	habían	avergonzado	avergonz-aran	hubieran	avergonzado
Pret. Indefinido	**Pret. Anterior**		avergonz-ase	hubiese	avergonzado
			avergonz-ases	hubieses	avergonzado
avergonc-é	hube	avergonzado	avergonz-ase	hubiese	avergonzado
avergonz-aste	hubiste	avergonzado	avergonz-ásemos	hubiésemos	avergonzado
avergonz-ó	hubo	avergonzado	avergonz-aseis	hubieseis	avergonzado
avergonz-amos	hubimos	avergonzado	avergonz-asen	hubiesen	avergonzado
avergonz-asteis	hubisteis	avergonzado			
avergonz-aron	hubieron	avergonzado	**Futuro Simple**	**Futuro Compuesto**	
Futuro Simple	**Futuro Compuesto**		avergonz-are	hubiere	avergonzado
			avergonz-ares	hubieres	avergonzado
avergonzar-é	habré	avergonzado	avergonz-are	hubiere	avergonzado
avergonzar-ás	habrás	avergonzado	avergonz-áremos	hubiéremos	avergonzado
avergonzar-á	habrá	avergonzado	avergonz-areis	hubiereis	avergonzado
avergonzar-emos	habremos	avergonzado	avergonz-aren	hubieren	avergonzado
avergonzar-éis	habréis	avergonzado			
avergonzar-án	habrán	avergonzado			

IMPERATIVO

avergüenz-a(tú)   avergonz-ad(vosotros)
avergüenc-e(usted)   avergüenc-en(ustedes)

Cond. Simple	**Cond. Compuesto**	
avergonzar-ía	habría	avergonzado
avergonzar-ías	habrías	avergonzado
avergonzar-ía	habría	avergonzado
avergonzar-íamos	habríamos	avergonzado
avergonzar-íais	habríais	avergonzado
avergonzar-ían	habrían	avergonzado

FORMAS NO PERSONALES

Infinitivo: avergonzar
Gerundio: avergonz-ando
Participio: avergonz-ado
Infinitivo Comp.: haber avergonzado
Gerundio Comp.: habiendo avergonzad

23. averiguar

INDICATIVO

Presente	Pret. Perfecto	
averigu-o	he	averiguado
averigu-as	has	averiguado
averigu-a	ha	averiguado
averigu-amos	hemos	averiguado
averigu-áis	habéis	averiguado
averigu-an	han	averiguado

Pret. Imperfecto	Pret. Pluscuamp.	
averigu-aba	había	averiguado
averigu-abas	habías	averiguado
averigu-aba	había	averiguado
averigu-ábamos	habíamos	averiguado
averigu-abais	habíais	averiguado
averigu-aban	habían	averiguado

Pret. Indefinido	Pret. Anterior	
averigü-é	hube	averiguado
averigu-aste	hubiste	averiguado
averigu-ó	hubo	averiguado
averigu-amos	hubimos	averiguado
averigu-asteis	hubisteis	averiguado
averigu-aron	hubieron	averiguado

Futuro Simple	Futuro Compuesto	
averiguar-é	habré	averiguado
averiguar-ás	habrás	averiguado
averiguar-á	habrá	averiguado
averiguar-emos	habremos	averiguado
averiguar-éis	habréis	averiguado
averiguar-án	habrán	averiguado

Cond. Simple	Cond. Compuesto	
averiguar-ía	habría	averiguado
averiguar-ías	habrías	averiguado
averiguar-ía	habría	averiguado
averiguar-íamos	habríamos	averiguado
averiguar-íais	habríais	averiguado
averiguar-ían	habrían	averiguado

SUBJUNTIVO

Presente	Pret. Perfecto	
averigü-e	haya	averiguado
averigü-es	hayas	averiguado
averigü-e	haya	averiguado
averigü-emos	hayamos	averiguado
averigü-éis	hayáis	averiguado
averigü-en	hayan	averiguado

Pret. Imperfecto	Pret. Pluscuamp.	
averigu-ara	hubiera	averiguado
averigu-aras	hubieras	averiguado
averigu-ara	hubiera	averiguado
averigu-áramos	hubiéramos	averiguado
averigu-arais	hubierais	averiguado
averigu-aran	hubieran	averiguado
averigu-ase	hubiese	averiguado
averigu-ases	hubieses	averiguado
averigu-ase	hubiese	averiguado
averigu-ásemos	hubiésemos	averiguado
averigu-aseis	hubieseis	averiguado
averigu-asen	hubiesen	averiguado

Futuro Simple	Futuro Compuesto	
averigu-are	hubiere	averiguado
averigu-ares	hubieres	averiguado
averigu-are	hubiere	averiguado
averigu-áremos	hubiéremos	averiguado
averigu-areis	hubiereis	averiguado
averigu-aren	hubieren	averiguado

IMPERATIVO

averigu-a(tú)   averigu-ad(vosotros)
averigü-e(usted)   averigü-en(ustedes)

FORMAS NO PERSONALES

Infinitivo: averiguar
Gerundio: averigu-ando
Participio: averigu-ado
Infinitivo Comp.:   haber averiguado
Gerundio Comp.:   habiendo averiguado

24. buscar

INDICATIVO			SUBJUNTIVO		

INDICATIVO

Presente	Pret. Perfecto		Presente	Pret. Perfecto	
busc-o	he	buscado	busqu-e	haya	buscado
busc-as	has	buscado	busqu-es	hayas	buscado
busc-a	ha	buscado	busqu-e	haya	buscado
busc-amos	hemos	buscado	busqu-emos	hayamos	buscado
busc-áis	habéis	buscado	busqu-éis	hayáis	buscado
busc-an	han	buscado	busqu-en	hayan	buscado

Pret. Imperfecto	Pret. Pluscuamp.		Pret. Imperfecto	Pret. Pluscuamp.	
busc-aba	había	buscado	busc-ara	hubiera	buscado
busc-abas	habías	buscado	busc-aras	hubieras	buscado
busc-aba	había	buscado	busc-ara	hubiera	buscado
busc-ábamos	habíamos	buscado	busc-áramos	hubiéramos	buscado
busc-abais	habíais	buscado	busc-arais	hubierais	buscado
busc-aban	habían	buscado	busc-aran	hubieran	buscado

Pret. Indefinido	Pret. Anterior		busc-ase	hubiese	buscado
			busc-ases	hubieses	buscado
busqu-é	hube	buscado	busc-ase	hubiese	buscado
busc-aste	hubiste	buscado	busc-ásemos	hubiésemos	buscado
busc-ó	hubo	buscado	busc-aseis	hubieseis	buscado
busc-amos	hubimos	buscado	busc-asen	hubiesen	buscado
busc-asteis	hubisteis	buscado			
busc-aron	hubieron	buscado	Futuro Simple	Futuro Compuesto	

Futuro Simple	Futuro Compuesto		busc-are	hubiere	buscado
			busc-ares	hubieres	buscado
buscar-é	habré	buscado	busc-are	hubiere	buscado
buscar-ás	habrás	buscado	busc-áremos	hubiéremos	buscado
buscar-á	habrá	buscado	busc-areis	hubiereis	buscado
buscar-emos	habremos	buscado	busc-aren	hubieren	buscado
buscar-éis	habréis	buscado			
buscar-án	habrán	buscado			

IMPERATIVO

busc-a(tú)   busc-ad(vosotros)
busqu-e(usted)   busqu-en(ustedes)

Cond. Simple	Cond. Compuesto	
buscar-ía	habría	buscado
buscar-ías	habrías	buscado
buscar-ía	habría	buscado
buscar-íamos	habríamos	buscado
buscar-íais	habríais	buscado
buscar-ían	habrían	buscado

FORMAS NO PERSONALES

Infinitivo: buscar
Gerundio: busc-ando
Participio: busc-ado
Infinitivo Comp.: haber buscado
Gerundio Comp.: habiendo buscado

25. caber

INDICATIVO		SUBJUNTIVO	

Presente	Pret. Perfecto		Presente	Pret. Perfecto	
quep-o	he	cabido	quep-a	haya	cabido
cab-es	has	cabido	quep-as	hayas	cabido
cab-e	ha	cabido	quep-a	haya	cabido
cab-emos	hemos	cabido	quep-amos	hayamos	cabido
cab-éis	habéis	cabido	quep-áis	hayáis	cabido
cab-en	han	cabido	quep-an	hayan	cabido

Pret. Imperfecto	Pret. Pluscuamp.		Pret. Imperfecto	Pret. Pluscuamp.	
cab-ía	había	cabido	cup-iera	hubiera	cabido
cab-ías	habías	cabido	cup-ieras	hubieras	cabido
cab-ía	había	cabido	cup-iera	hubiera	cabido
cab-íamos	habíamos	cabido	cup-iéramos	hubiéramos	cabido
cab-íais	habíais	cabido	cup-ierais	hubierais	cabido
cab-ían	habían	cabido	cup-ieran	hubieran	cabido

Pret. Indefinido	Pret. Anterior		cup-iese	hubiese	cabido
			cup-ieses	hubieses	cabido
cup-e	hube	cabido	cup-iese	hubiese	cabido
cup-iste	hubiste	cabido	cup-iésemos	hubiésemos	cabido
cup-o	hubo	cabido	cup-ieseis	hubieseis	cabido
cup-imos	hubimos	cabido	cup-iesen	hubiesen	cabido
cup-isteis	hubisteis	cabido			
cup-ieron	hubieron	cabido	Futuro Simple	Futuro Compuesto	

Futuro Simple	Futuro Compuesto		cup-iere	hubiere	cabido
			cup-ieres	hubieres	cabido
cabr-é	habré	cabido	cup-iere	hubiere	cabido
cabr-ás	habrás	cabido	cup-iéremos	hubiéremos	cabido
cabr-á	habrá	cabido	cup-iereis	hubiereis	cabido
cabr-emos	habremos	cabido	cup-ieren	hubieren	cabido
cabr-éis	habréis	cabido			
cabr-án	habrán	cabido			

			IMPERATIVO	

Cond. Simple	Cond. Compuesto	

cab-e(tú) cab-ed(vosotros)
quep-a(usted) quep-an(ustedes)

cabr-ía	habría	cabido
cabr-ías	habrías	cabido
cabr-ía	habría	cabido
cabr-íamos	habríamos	cabido
cabr-íais	habríais	cabido
cabr-ían	habrían	cabido

FORMAS NO PERSONALES

Infinitivo: caber
Gerundio: cab-iendo
Participio: cab-ido
Infinitivo Comp.: haber cabido
Gerundio Comp.: habiendo cabido

26. caer

INDICATIVO			SUBJUNTIVO		
Presente	**Pret. Perfecto**		**Presente**	**Pret. Perfecto**	
caig-o	he	caído	caig-a	haya	caído
ca-es	has	caído	caig-as	hayas	caído
ca-e	ha	caído	caig-a	haya	caído
ca-emos	hemos	caído	caig-amos	hayamos	caído
ca-éis	habéis	caído	caig-áis	hayáis	caído
ca-en	han	caído	caig-an	hayan	caído
Pret. Imperfecto	**Pret. Pluscuamp.**		**Pret. Imperfecto**	**Pret. Pluscuamp.**	
ca-ía	había	caído	cay-era	hubiera	caído
ca-ías	habías	caído	cay-eras	hubieras	caído
ca-ía	había	caído	cay-era	hubiera	caído
ca-íamos	habíamos	caído	cay-éramos	hubiéramos	caído
ca-íais	habíais	caído	cay-erais	hubierais	caído
ca-ían	habían	caído	cay-eran	hubieran	caído
Pret. Indefinido	**Pret. Anterior**		cay-ese	hubiese	caído
			cay-eses	hubieses	caído
ca-í	hube	caído	cay-ese	hubiese	caído
ca-íste	hubiste	caído	cay-ésemos	hubiésemos	caído
cay-ó	hubo	caído	cay-eseis	hubieseis	caído
ca-ímos	hubimos	caído	cay-esen	hubiesen	caído
ca-ísteis	hubisteis	caído			
cay-eron	hubieron	caído	**Futuro Simple**	**Futuro Compuesto**	
Futuro Simple	**Futuro Compuesto**		cay-ere	hubiere	caído
			cay-eres	hubieres	caído
caer-é	habré	caído	cay-ere	hubiere	caído
caer-ás	habrás	caído	cay-éremos	hubiéremos	caído
caer-á	habrá	caído	cay-ereis	hubiereis	caído
caer-emos	habremos	caído	cay-eren	hubieren	caído
caer-éis	habréis	caído			
caer-án	habrán	caído			

IMPERATIVO

Cond. Simple	Cond. Compuesto		ca-e(tú)	ca-ed(vosotros)
			caig-a(usted)	caig-an(ustedes)
caer-ía	habría	caído		

FORMAS NO PERSONALES

caer-ías	habrías	caído	
caer-ía	habría	caído	**Infinitivo:** caer
caer-íamos	habríamos	caído	**Gerundio:** cay-endo
caer-íais	habríais	caído	**Participio:** ca-ído
caer-ían	habrían	caído	**Infinitivo Comp.:** haber caído
			Gerundio Comp.: habiendo caído

27. calentar

<table>
<tr><td colspan="4" align="center">INDICATIVO</td><td colspan="4" align="center">SUBJUNTIVO</td></tr>
</table>

INDICATIVO — SUBJUNTIVO

Presente	Pret. Perfecto		Presente	Pret. Perfecto	
calient-o	he	calentado	calient-e	haya	calentado
calient-as	has	calentado	calient-es	hayas	calentado
calient-a	ha	calentado	calient-e	haya	calentado
calent-amos	hemos	calentado	calent-emos	hayamos	calentado
calent-áis	habéis	calentado	calent-éis	hayáis	calentado
calient-an	han	calentado	calient-en	hayan	calentado

Pret. Imperfecto	Pret. Pluscuamp.		Pret. Imperfecto	Pret. Pluscuamp.	
calent-aba	había	calentado	calent-ara	hubiera	calentado
calent-abas	habías	calentado	calent-aras	hubieras	calentado
calent-aba	había	calentado	calent-ara	hubiera	calentado
calent-ábamos	habíamos	calentado	calent-áramos	hubiéramos	calentado
calent-abais	habíais	calentado	calent-arais	hubierais	calentado
calent-aban	habían	calentado	calent-aran	hubieran	calentado

Pret. Indefinido	Pret. Anterior				
			calent-ase	hubiese	calentado
			calent-ases	hubieses	calentado
calent-é	hube	calentado	calent-ase	hubiese	calentado
calent-aste	hubiste	calentado	calent-ásemos	hubiésemos	calentado
calent-ó	hubo	calentado	calent-aseis	hubieseis	calentado
calent-amos	hubimos	calentado	calent-asen	hubiesen	calentado
calent-asteis	hubisteis	calentado			
calent-aron	hubieron	calentado			

			Futuro Simple	Futuro Compuesto	
			calent-are	hubiere	calentado
			calent-ares	hubieres	calentado

Futuro Simple	Futuro Compuesto		calent-are	hubiere	calentado
calentar-é	habré	calentado	calent-áremos	hubiéremos	calentado
calentar-ás	habrás	calentado	calent-areis	hubiereis	calentado
calentar-á	habrá	calentado	calent-aren	hubieren	calentado
calentar-emos	habremos	calentado			
calentar-éis	habréis	calentado			
calentar-án	habrán	calentado			

IMPERATIVO

calient-a(tú) calent-ad(vosotros)
calient-e(usted) calient-en(ustedes)

Cond. Simple	Cond. Compuesto	
calentar-ía	habría	calentado
calentar-ías	habrías	calentado
calentar-ía	habría	calentado
calentar-íamos	habríamos	calentado
calentar-íais	habríais	calentado
calentar-ían	habrían	calentado

FORMAS NO PERSONALES

Infinitivo: calentar
Gerundio: calent-ando
Participio: calent-ado
Infinitivo Comp.: haber calentado
Gerundio Comp.: habiendo calentado

28. cazar

INDICATIVO			SUBJUNTIVO		
Presente	**Pret. Perfecto**		**Presente**	**Pret. Perfecto**	
caz-o	he	cazado	cac-e	haya	cazado
caz-as	has	cazado	cac-es	hayas	cazado
caz-a	ha	cazado	cac-e	haya	cazado
caz-amos	hemos	cazado	cac-emos	hayamos	cazado
caz-áis	habéis	cazado	cac-éis	hayáis	cazado
caz-an	han	cazado	cac-en	hayan	cazado
Pret. Imperfecto	**Pret. Pluscuamp.**		**Pret. Imperfecto**	**Pret. Pluscuamp.**	
caz-aba	había	cazado	caz-ara	hubiera	cazado
caz-abas	habías	cazado	caz-aras	hubieras	cazado
caz-aba	había	cazado	caz-ara	hubiera	cazado
caz-ábamos	habíamos	cazado	caz-áramos	hubiéramos	cazado
caz-abais	habíais	cazado	caz-arais	hubierais	cazado
caz-aban	habían	cazado	caz-aran	hubieran	cazado
Pret. Indefinido	**Pret. Anterior**		caz-ase	hubiese	cazado
			caz-ases	hubieses	cazado
cac-é	hube	cazado	caz-ase	hubiese	cazado
caz-aste	hubiste	cazado	caz-ásemos	hubiésemos	cazado
caz-ó	hubo	cazado	caz-aseis	hubieseis	cazado
caz-amos	hubimos	cazado	caz-asen	hubiesen	cazado
caz-asteis	hubisteis	cazado	**Futuro Simple**	**Futuro Compuesto**	
caz-aron	hubieron	cazado			
Futuro Simple	**Futuro Compuesto**		caz-are	hubiere	cazado
			caz-ares	hubiere	cazado
cazar-é	habré	cazado	caz-are	hubiere	cazado
cazar-ás	habrás	cazado	caz-áremos	hubiéremos	cazado
cazar-á	habrá	cazado	caz-areis	hubieres	cazado
cazar-emos	habremos	cazado	caz-aren	hubieren	cazado
cazar-éis	habréis	cazado			
cazar-án	habrán	cazado			

IMPERATIVO

caz-a(tú) caz-ad(vosotros)
cac-e(usted) cac-en(ustedes)

Cond. Simple	**Cond. Compuesto**	
cazar-ía	habría	cazado
cazar-ías	habrías	cazado
cazar-ía	habría	cazado
cazar-íamos	habríamos	cazado
cazar-íais	habríais	cazado
cazar-ían	habrían	cazado

FORMAS NO PERSONALES

Infinitivo: cazar
Gerundio: caz-ando
Participio: caz-ado
Infinitivo Comp.: haber cazado
Gerundio Comp.: habiendo cazado

29. cerner

INDICATIVO			SUBJUNTIVO		
Presente	**Pret. Perfecto**		**Presente**	**Pret. Perfecto**	
ciern-o	he	cernido	ciern-a	haya	cernido
ciern-es	has	cernido	ciern-as	hayas	cernido
ciern-e	ha	cernido	ciern-a	haya	cernido
cern-imos	hemos	cernido	cern-amos	hayamos	cernido
cern-ís	habéis	cernido	cern-áis	hayáis	cernido
ciern-en	han	cernido	ciern-an	hayan	cernido
Pret. Imperfecto	**Pret. Pluscuamp.**		**Pret. Imperfecto**	**Pret. Pluscuamp.**	
cern-ía	había	cernido	cern-iera	hubiera	cernido
cern-ías	habías	cernido	cern-ieras	hubieras	cernido
cern-ía	había	cernido	cern-iera	hubiera	cernido
cern-íamos	habíamos	cernido	cern-iéramos	hubiéramos	cernido
cern-íais	habíais	cernido	cern-ierais	hubierais	cernido
cern-ían	habían	cernido	cern-ieran	hubieran	cernido
Pret. Indefinido	**Pret. Anterior**		cern-iese	hubiese	cernido
			cern-ieses	hubieses	cernido
cern-í	hube	cernido	cern-iese	hubiese	cernido
cern-iste	hubiste	cernido	cern-iésemos	hubiésemos	cernido
cern-ió	hubo	cernido	cern-ieseis	hubieseis	cernido
cern-imos	hubimos	cernido	cern-iesen	hubiesen	cernido
cern-isteis	hubisteis	cernido			
cern-ieron	hubieron	cernido	**Futuro Simple**	**Futuro Compuesto**	
Futuro Simple	**Futuro Compuesto**		cern-iere	hubiere	cernido
			cern-ieres	hubieres	cernido
cernir-é	habré	cernido	cern-iere	hubiere	cernido
cernir-ás	habrás	cernido	cern-iéremos	hubiéremos	cernido
cernir-á	habrá	cernido	cern-iereis	hubiereis	cernido
cernir-emos	habremos	cernido	cern-ieren	hubieren	cernido
cernir-éis	habréis	cernido			
cernir-án	habrán	cernido			

IMPERATIVO	
ciern-e(tú)	cern-id(vosotros)
ciern-a(usted)	ciern-an(ustedes)

Cond. Simple	**Cond. Compuesto**	
cernir-ía	habría	cernido
cernir-ías	habrías	cernido
cernir-ía	habría	cernido
cernir-íamos	habríamos	cernido
cernir-íais	habríais	cernido
cernir-ían	habrían	cernido

FORMAS NO PERSONALES

Infinitivo:	cernir
Gerundio:	cern-iendo
Participio:	cern-ido
Infinitivo Comp.:	haber cernido
Gerundio Comp.:	habiendo cernido

30. cerrar

INDICATIVO			SUBJUNTIVO		

Presente	**Pret. Perfecto**		**Presente**	**Pret. Perfecto**	
cierr-o	he	cerrado	cierr-e	haya	cerrado
cierr-as	has	cerrado	cierr-es	hayas	cerrado
cierr-a	ha	cerrado	cierr-e	haya	cerrado
cerr-amos	hemos	cerrado	cerr-emos	hayamos	cerrado
cerr-áis	habéis	cerrado	cerr-éis	hayáis	cerrado
cierr-an	han	cerrado	cierr-en	hayan	cerrado

Pret. Imperfecto	**Pret. Pluscuamp.**		**Pret. Imperfecto**	**Pret. Pluscuamp.**	
cerr-aba	había	cerrado	cerr-ara	hubiera	cerrado
cerr-abas	habías	cerrado	cerr-aras	hubieras	cerrado
cerr-aba	había	cerrado	cerr-ara	hubiera	cerrado
cerr-ábamos	habíamos	cerrado	cerr-áramos	hubiéramos	cerrado
cerr-abais	habíais	cerrado	cerr-arais	hubierais	cerrado
cerr-aban	habían	cerrado	cerr-aran	hubieran	cerrado

Pret. Indefinido	**Pret. Anterior**				
			cerr-ase	hubiese	cerrado
			cerr-ases	hubieses	cerrado
cerr-é	hube	cerrado	cerr-ase	hubiese	cerrado
cerr-aste	hubiste	cerrado	cerr-ásemos	hubiésemos	cerrado
cerr-ó	hubo	cerrado	cerr-aseis	hubieseis	cerrado
cerr-amos	hubimos	cerrado	cerr-asen	hubiesen	cerrado
cerr-asteis	hubisteis	cerrado			
cerr-aron	hubieron	cerrado	**Futuro Simple**	**Futuro Compuesto**	

Futuro Simple	**Futuro Compuesto**				
			cerr-are	hubiere	cerrado
			cerr-ares	hubieres	cerrado
cerrar-é	habré	cerrado	cerr-are	hubiere	cerrado
cerrar-ás	habrás	cerrado	cerr-áremos	hubiéremos	cerrado
cerrar-á	habrá	cerrado	cerr-areis	hubiereis	cerrado
cerrar-emos	habremos	cerrado	cerr-aren	hubieren	cerrado
cerrar-éis	habréis	cerrado			
cerrar-án	habrán	cerrado			

Cond. Simple	**Cond. Compuesto**	
cerrar-ía	habría	cerrado
cerrar-ías	habrías	cerrado
cerrar-ía	habría	cerrado
cerrar-íamos	habríamos	cerrado
cerrar-íais	habríais	cerrado
cerrar-ían	habrían	cerrado

IMPERATIVO

cierr-a(tú)	cerr-ad(vosotros)
cierr-e(usted)	cierr-en(ustedes)

FORMAS NO PERSONALES

Infinitivo: cerrar
Gerundio: cerr-ando
Participio: cerr-ado
Infinitivo Comp.: haber cerrado
Gerundio Comp.: habiendo cerrado

31. cocer

INDICATIVO			SUBJUNTIVO		
Presente	**Pret. Perfecto**		**Presente**	**Pret. Perfecto**	
cuez-o	he	cocido	cuez-a	haya	cocido
cuec-es	has	cocido	cuez-as	hayas	cocido
cuec-e	ha	cocido	cuez-a	haya	cocido
coc-emos	hemos	cocido	coz-amos	hayamos	cocido
coc-éis	habéis	cocido	coz-áis	hayáis	cocido
cuec-en	han	cocido	cuez-an	hayan	cocido
Pret. Imperfecto	**Pret. Pluscuamp.**		**Pret. Imperfecto**	**Pret. Pluscuamp.**	
coc-ía	había	cocido	coc-iera	hubiera	cocido
coc-ías	habías	cocido	coc-ieras	hubieras	cocido
coc-ía	había	cocido	coc-iera	hubiera	cocido
coc-íamos	habíamos	cocido	coc-iéramos	hubiéramos	cocido
coc-íais	habíais	cocido	coc-ierais	hubierais	cocido
coc-ían	habían	cocido	coc-ieran	hubieran	cocido
Pret. Indefinido	**Pret. Anterior**		coc-iese	hubiese	cocido
			coc-ieses	hubieses	cocido
coc-í	hube	cocido	coc-iese	hubiese	cocido
coc-iste	hubiste	cocido	coc-iésemos	hubiésemos	cocido
coc-ió	hubo	cocido	coc-ieseis	hubieseis	cocido
coc-imos	hubimos	cocido	coc-iesen	hubiesen	cocido
coc-isteis	hubisteis	cocido			
coc-ieron	hubieron	cocido	**Futuro Simple**	**Futuro Compuesto**	
Futuro Simple	**Futuro Compuesto**		coc-iere	hubiere	cocido
			coc-ieres	hubieres	cocido
cocer-é	habré	cocido	coc-iere	hubiere	cocido
cocer-ás	habrás	cocido	coc-iéremos	hubiéremos	cocido
cocer-á	habrá	cocido	coc-iereis	hubiereis	cocido
cocer-emos	habremos	cocido	coc-ieren	hubieren	cocido
cocer-éis	habréis	cocido			
cocer-án	habrán	cocido			

Cond. Simple	Cond. Compuesto	
cocer-ía	habría	cocido
cocer-ías	habrías	cocido
cocer-ía	habría	cocido
cocer-íamos	habríamos	cocido
cocer-íais	habríais	cocido
cocer-ían	habrían	cocido

IMPERATIVO

cuec-e(tú)   coc-ed(vosotros)
cuez-a(usted)   cuez-an(ustedes)

FORMAS NO PERSONALES

Infinitivo: cocer
Gerundio: coc-iendo
Participio: coc-ido
Infinitivo Comp.: haber cocido
Gerundio Comp.: habiendo cocido

32. coger

INDICATIVO

Presente	Pret. Perfecto	
coj-o	he	cogido
cog-es	has	cogido
cog-e	ha	cogido
cog-emos	hemos	cogido
cog-éis	habéis	cogido
cog-en	han	cogido

Pret. Imperfecto	Pret. Pluscuamp.	
cog-ía	había	cogido
cog-ías	habías	cogido
cog-ía	había	cogido
cog-íamos	habíamos	cogido
cog-íais	habíais	cogido
cog-ían	habían	cogido

Pret. Indefinido	Pret. Anterior	
cog-í	hube	cogido
cog-iste	hubiste	cogido
cog-ió	hubo	cogido
cog-imos	hubimos	cogido
cog-isteis	hubisteis	cogido
cog-ieron	hubieron	cogido

Futuro Simple	Futuro Compuesto	
coger-é	habré	cogido
coger-ás	habrás	cogido
coger-á	habrá	cogido
coger-emos	habremos	cogido
coger-éis	habréis	cogido
coger-án	habrán	cogido

Cond. Simple	Cond. Compuesto	
coger-ía	habría	cogido
coger-ías	habrías	cogido
coger-ía	habría	cogido
coger-íamos	habríamos	cogido
coger-íais	habríais	cogido
coger-ían	habrían	cogido

SUBJUNTIVO

Presente	Pret. Perfecto	
coj-a	haya	cogido
coj-as	hayas	cogido
coj-a	haya	cogido
coj-amos	hayamos	cogido
coj-áis	hayáis	cogido
coj-an	hayan	cogido

Pret. Imperfecto	Pret. Pluscuamp.	
cog-iera	hubiera	cogido
cog-ieras	hubieras	cogido
cog-iera	hubiera	cogido
cog-iéramos	hubiéramos	cogido
cog-ierais	hubierais	cogido
cog-ieran	hubieran	cogido
cog-iese	hubiese	cogido
cog-ieses	hubieses	cogido
cog-iese	hubiese	cogido
cog-iésemos	hubiésemos	cogido
cog-ieseis	hubieseis	cogido
cog-iesen	hubiesen	cogido

Futuro Simple	Futuro Compuesto	
cog-iere	hubiere	cogido
cog-ieres	hubieres	cogido
cog-iere	hubiere	cogido
cog-iéremos	hubiéremos	cogido
cog-iereis	hubiereis	cogido
cog-ieren	hubieren	cogido

IMPERATIVO

cog-e(tú)   cog-ed(vosotros)
coj-a(usted)   coj-an(ustedes)

FORMAS NO PERSONALES

Infinitivo: coger
Gerundio: cog-iendo
Participio: cog-ido
Infinitivo Comp.: haber cogido
Gerundio Comp.: habiendo cogido

33. colgar

Presente	Pret. Perfecto		Presente	Pret. Perfecto	
cuelg-o	he	colgado	cuelgu-e	haya	colgado
cuelg-as	has	colgado	cuelgu-es	hayas	colgado
cuelg-a	ha	colgado	cuelgu-e	haya	colgado
colg-amos	hemos	colgado	colgu-emos	hayamos	colgado
colg-áis	habéis	colgado	colgu-éis	hayáis	colgado
cuelg-an	han	colgado	cuelgu-en	hayan	colgado

Pret. Imperfecto	Pret. Pluscuamp.		Pret. Imperfecto	Pret. Pluscuamp.	
colg-aba	había	colgado	colg-ara	hubiera	colgado
colg-abas	habías	colgado	colg-aras	hubieras	colgado
colg-aba	había	colgado	colg-ara	hubiera	colgado
colg-ábamos	habíamos	colgado	colg-áramos	hubiéramos	colgado
colg-abais	habíais	colgado	colg-arais	hubierais	colgado
colg-aban	habían	colgado	colg-aran	hubieran	colgado

Pret. Indefinido	Pret. Anterior				
			colg-ase	hubiese	colgado
			colg-ases	hubieses	colgado
colgu-é	hube	colgado	colg-ase	hubiese	colgado
colg-aste	hubiste	colgado	colg-ásemos	hubiésemos	colgado
colg-ó	hubo	colgado	colg-aseis	hubieseis	colgado
colg-amos	hubimos	colgado	colg-asen	hubiesen	colgado
colg-asteis	hubisteis	colgado			
colg-aron	hubieron	colgado			

Futuro Simple	Futuro Compuesto		Futuro Simple	Futuro Compuesto	
			colg-are	hubiere	colgado
			colg-ares	hubieres	colgado
colgar-é	habré	colgado	colg-are	hubiere	colgado
colgar-ás	habrás	colgado	colg-áremos	hubiéremos	colgado
colgar-á	habrá	colgado	colg-areis	hubiereis	colgado
colgar-emos	habremos	colgado	colg-aren	hubieren	colgado
colgar-éis	habréis	colgado			
colgar-án	habrán	colgado			

IMPERATIVO

cuelg-a(tú)   colg-ad(vosotros)
cuelgu-e(usted)   cuelgu-en(ustedes)

Cond. Simple	Cond. Compuesto	
colgar-ía	habría	colgado
colgar-ías	habrías	colgado
colgar-ía	habría	colgado
colgar-íamos	habríamos	colgado
colgar-íais	habríais	colgado
colgar-ían	habrían	colgado

FORMAS NO PERSONALES

Infinitivo: colgar
Gerundio: colg-ando
Participio: colg-ado
Infinitivo Comp.: haber colgado
Gerundio Comp.: habiendo colgado

34. colocar

<table>
<tr><td colspan="4" align="center">INDICATIVO</td><td colspan="4" align="center">SUBJUNTIVO</td></tr>
<tr><td colspan="2">Presente</td><td colspan="2">Pret. Perfecto</td><td colspan="2">Presente</td><td colspan="2">Pret. Perfecto</td></tr>
<tr><td>coloc-o</td><td></td><td>he</td><td>colocado</td><td>coloqu-e</td><td></td><td>haya</td><td>colocado</td></tr>
<tr><td>coloc-as</td><td></td><td>has</td><td>colocado</td><td>coloqu-es</td><td></td><td>hayas</td><td>colocado</td></tr>
<tr><td>coloc-a</td><td></td><td>ha</td><td>colocado</td><td>coloqu-e</td><td></td><td>haya</td><td>colocado</td></tr>
<tr><td>coloc-amos</td><td></td><td>hemos</td><td>colocado</td><td>coloqu-emos</td><td></td><td>hayamos</td><td>colocado</td></tr>
<tr><td>coloc-áis</td><td></td><td>habéis</td><td>colocado</td><td>coloqu-éis</td><td></td><td>hayáis</td><td>colocado</td></tr>
<tr><td>coloc-an</td><td></td><td>han</td><td>colocado</td><td>coloqu-en</td><td></td><td>hayan</td><td>colocado</td></tr>
<tr><td colspan="2">Pret. Imperfecto</td><td colspan="2">Pret. Pluscuamp.</td><td colspan="2">Pret. Imperfecto</td><td colspan="2">Pret. Pluscuamp.</td></tr>
<tr><td>coloc-aba</td><td></td><td>había</td><td>colocado</td><td>coloc-ara</td><td></td><td>hubiera</td><td>colocado</td></tr>
<tr><td>coloc-abas</td><td></td><td>habías</td><td>colocado</td><td>coloc-aras</td><td></td><td>hubieras</td><td>colocado</td></tr>
<tr><td>coloc-aba</td><td></td><td>había</td><td>colocado</td><td>coloc-ara</td><td></td><td>hubiera</td><td>colocado</td></tr>
<tr><td>coloc-ábamos</td><td></td><td>habíamos</td><td>colocado</td><td>coloc-áramos</td><td></td><td>hubiéramos</td><td>colocado</td></tr>
<tr><td>coloc-abais</td><td></td><td>habíais</td><td>colocado</td><td>coloc-arais</td><td></td><td>hubierais</td><td>colocado</td></tr>
<tr><td>coloc-aban</td><td></td><td>habían</td><td>colocado</td><td>coloc-aran</td><td></td><td>hubieran</td><td>colocado</td></tr>
<tr><td colspan="2">Pret. Indefinido</td><td colspan="2">Pret. Anterior</td><td>coloc-ase</td><td></td><td>hubiese</td><td>colocado</td></tr>
<tr><td></td><td></td><td></td><td></td><td>coloc-ases</td><td></td><td>hubieses</td><td>colocado</td></tr>
<tr><td>coloqu-é</td><td></td><td>hube</td><td>colocado</td><td>coloc-ase</td><td></td><td>hubiese</td><td>colocado</td></tr>
<tr><td>coloc-aste</td><td></td><td>hubiste</td><td>colocado</td><td>coloc-ásemos</td><td></td><td>hubiésemos</td><td>colocado</td></tr>
<tr><td>coloc-ó</td><td></td><td>hubo</td><td>colocado</td><td>coloc-aseis</td><td></td><td>hubieseis</td><td>colocado</td></tr>
<tr><td>coloc-amos</td><td></td><td>hubimos</td><td>colocado</td><td>coloc-asen</td><td></td><td>hubiesen</td><td>colocado</td></tr>
<tr><td>coloc-asteis</td><td></td><td>hubisteis</td><td>colocado</td><td colspan="2"></td><td colspan="2"></td></tr>
<tr><td>coloc-aron</td><td></td><td>hubieron</td><td>colocado</td><td colspan="2">Futuro Simple</td><td colspan="2">Futuro Compuesto</td></tr>
<tr><td colspan="2">Futuro Simple</td><td colspan="2">Futuro Compuesto</td><td>coloc-are</td><td></td><td>hubiere</td><td>colocado</td></tr>
<tr><td></td><td></td><td></td><td></td><td>coloc-ares</td><td></td><td>hubieres</td><td>colocado</td></tr>
<tr><td>colocar-é</td><td></td><td>habré</td><td>colocado</td><td>coloc-are</td><td></td><td>hubiere</td><td>colocado</td></tr>
<tr><td>colocar-ás</td><td></td><td>habrás</td><td>colocado</td><td>coloc-áremos</td><td></td><td>hubiéremos</td><td>colocado</td></tr>
<tr><td>colocar-á</td><td></td><td>habrá</td><td>colocado</td><td>coloc-areis</td><td></td><td>hubiereis</td><td>colocado</td></tr>
<tr><td>colocar-emos</td><td></td><td>habremos</td><td>colocado</td><td>coloc-aren</td><td></td><td>hubieren</td><td>colocado</td></tr>
<tr><td>colocar-éis</td><td></td><td>habréis</td><td>colocado</td><td colspan="4" align="center">IMPERATIVO</td></tr>
<tr><td>colocar-án</td><td></td><td>habrán</td><td>colocado</td><td colspan="2">coloc-a(tú)</td><td colspan="2">coloc-ad(vosotros)</td></tr>
<tr><td colspan="2">Cond. Simple</td><td colspan="2">Cond. Compuesto</td><td colspan="2">coloqu-e(usted)</td><td colspan="2">coloqu-en(ustedes)</td></tr>
<tr><td></td><td></td><td></td><td></td><td colspan="4" align="center">FORMAS NO PERSONALES</td></tr>
<tr><td>colocar-ía</td><td></td><td>habría</td><td>colocado</td><td colspan="4"></td></tr>
<tr><td>colocar-ías</td><td></td><td>habrías</td><td>colocado</td><td colspan="2">Infinitivo:</td><td colspan="2">colocar</td></tr>
<tr><td>colocar-ía</td><td></td><td>habría</td><td>colocado</td><td colspan="2">Gerundio:</td><td colspan="2">coloc-ando</td></tr>
<tr><td>colocar-íamos</td><td></td><td>habríamos</td><td>colocado</td><td colspan="2">Participio:</td><td colspan="2">coloc-ado</td></tr>
<tr><td>colocar-íais</td><td></td><td>habríais</td><td>colocado</td><td colspan="2">Infinitivo Comp.:</td><td colspan="2">haber colocado</td></tr>
<tr><td>colocar-ían</td><td></td><td>habrían</td><td>colocado</td><td colspan="2">Gerundio Comp.:</td><td colspan="2">habiendo colocado</td></tr>
</table>

35. complacer

INDICATIVO			SUBJUNTIVO		
Presente	**Pret. Perfecto**		**Presente**	**Pret. Perfecto**	
complazc-o	he	complacido	complazc-a	haya	complacido
complac-es	has	complacido	complazc-as	hayas	complacido
complac-e	ha	complacido	complazc-a	haya	complacido
complac-emos	hemos	complacido	complazc-amos	hayamos	complacido
complac-éis	habéis	complacido	complazc-áis	hayáis	complacido
complac-en	han	complacido	complazc-an	hayan	complacido
Pret. Imperfecto	**Pret. Pluscuamp.**		**Pret. Imperfecto**	**Pret. Pluscuamp.**	
complac-ía	había	complacido	complac-iera	hubiera	complacido
complac-ías	habías	complacido	complac-ieras	hubieras	complacido
complac-ía	había	complacido	complac-iera	hubiera	complacido
complac-íamos	habíamos	complacido	complac-iéramos	hubiéramos	complacido
complac-íais	habíais	complacido	complac-ierais	hubierais	complacido
complac-ían	habían	complacido	complac-ieran	hubieran	complacido
Pret. Indefinido	**Pret. Anterior**		complac-iese	hubiese	complacido
			complac-ieses	hubieses	complacido
complac-í	hube	complacido	complac-iese	hubiese	complacido
complac-iste	hubiste	complacido	complac-iésemos	hubiésemos	complacido
complac-ió	hubo	complacido	complac-ieseis	hubieseis	complacido
complac-imos	hubimos	complacido	complac-iesen	hubiesen	complacido
complac-isteis	hubisteis	complacido			
complac-ieron	hubieron	complacido	**Futuro Simple**	**Futuro Compuesto**	
Futuro Simple	**Futuro Compuesto**		complac-iere	hubiere	complacido
			complac-ieres	hubieres	complacido
complacer-é	habré	complacido	complac-iere	hubiere	complacido
complacer-ás	habrás	complacido	complac-iéremos	hubiéremos	complacido
complacer-á	habrá	complacido	complac-iereis	hubiereis	complacido
complacer-emos	habremos	complacido	complac-ieren	hubieren	complacido
complacer-éis	habréis	complacido			
complacer-án	habrán	complacido			

IMPERATIVO

complac-e(tú)   complac-ed(vosotros)
complazc-a(usted) complazc-an(ustedes)

Cond. Simple	**Cond. Compuesto**	
complacer-ía	habría	complacido
complacer-ías	habrías	complacido
complacer-ía	habría	complacido
complacer-íamos	habríamos	complacido
complacer-íais	habríais	complacido
complacer-ían	habrían	complacido

FORMAS NO PERSONALES

Infinitivo:	complacer
Gerundio:	complac-iendo
Participio:	complac-ido
Infinitivo Comp.:	haber complacido
Gerundio Comp.:	habiendo complacido

36. concebir

INDICATIVO		SUBJUNTIVO	

Presente	Pret. Perfecto		Presente	Pret. Perfecto	
concib-o	he	concebido	concib-a	haya	concebido
concib-es	has	concebido	concib-as	hayas	concebido
concib-e	ha	concebido	concib-a	haya	concebido
conceb-imos	hemos	concebido	concib-amos	hayamos	concebido
conceb-ís	habéis	concebido	concib-áis	hayáis	concebido
concib-en	han	concebido	concib-an	hayan	concebido

Pret. Imperfecto	Pret. Pluscuamp.		Pret. Imperfecto	Pret. Pluscuamp.	
conceb-ía	había	concebido	concib-iera	hubiera	concebido
conceb-ías	habías	concebido	concib-ieras	hubieras	concebido
conceb-ía	había	concebido	concib-iera	hubiera	concebido
conceb-íamos	habíamos	concebido	concib-iéramos	hubiéramos	concebido
conceb-íais	habíais	concebido	concib-ierais	hubierais	concebido
conceb-ían	habían	concebido	concib-ieran	hubieran	concebido

Pret. Indefinido	Pret. Anterior				
			concib-iese	hubiese	concebido
			concib-ieses	hubieses	concebido
conceb-í	hube	concebido	concib-iese	hubiese	concebido
conceb-iste	hubiste	concebido	concib-iésemos	hubiésemos	concebido
concib-ió	hubo	concebido	concib-ieseis	hubieseis	concebido
conceb-imos	hubimos	concebido	concib-iesen	hubiesen	concebido
conceb-isteis	hubisteis	concebido			
concib-ieron	hubieron	concebido	Futuro Simple	Futuro Compuesto	

Futuro Simple	Futuro Compuesto				
			concib-iere	hubiere	concebido
			concib-ieres	hubieres	concebido
concebir-é	habré	concebido	concib-iere	hubiere	concebido
concebir-ás	habrás	concebido	concib-iéremos	hubiéremos	concebido
concebir-á	habrá	concebido	concib-iereis	hubiereis	concebido
concebir-emos	habremos	concebido	concib-ieren	hubieren	concebido
concebir-éis	habréis	concebido			
concebir-án	habrán	concebido			

IMPERATIVO

Cond. Simple	Cond. Compuesto		concib-e(tú)	conceb-id(vosotros)
			concib-a(usted)	concib-an(ustedes)

FORMAS NO PERSONALES

concebir-ía	habría	concebido
concebir-ías	habrías	concebido
concebir-ía	habría	concebido
concebir-íamos	habríamos	concebido
concebir-íais	habríais	concebido
concebir-ían	habrían	concebido

Infinitivo: concebir
Gerundio: concib-iendo
Participio: conceb-ido
Infinitivo Comp.: haber concebido
Gerundio Comp.: habiendo concebido

37. concluir

INDICATIVO

Presente	Pret. Perfecto	
concluy-o	he	concluido
concluy-es	has	concluido
concluy-e	ha	concluido
conclu-imos	hemos	concluido
conclu-ís	habéis	concluido
concluy-en	han	concluido

Pret. Imperfecto	Pret. Pluscuamp.	
conclu-ía	había	concluido
conclu-ías	habías	concluido
conclu-ía	había	concluido
conclu-íamos	habíamos	concluido
conclu-íais	habíais	concluido
conclu-ían	habían	concluido

Pret. Indefinido	Pret. Anterior	
conclu-í	hube	concluido
conclu-iste	hubiste	concluido
concluy-ó	hubo	concluido
conclu-imos	hubimos	concluido
conclu-isteis	hubisteis	concluido
concluy-eron	hubieron	concluido

Futuro Simple	Futuro Compuesto	
concluir-é	habré	concluido
concluir-ás	habrás	concluido
concluir-á	habrá	concluido
concluir-emos	habremos	concluido
concluir-éis	habréis	concluido
concluir-án	habrán	concluido

Cond. Simple	Cond. Compuesto	
concluir-ía	habría	concluido
concluir-ías	habrías	concluido
concluir-ía	habría	concluido
concluir-íamos	habríamos	concluido
concluir-íais	habríais	concluido
concluir-ían	habrían	concluido

SUBJUNTIVO

Presente	Pret. Perfecto	
concluy-a	haya	concluido
concluy-as	hayas	concluido
concluy-a	haya	concluido
concluy-amos	hayamos	concluido
concluy-áis	hayáis	concluido
concluy-an	hayan	concluido

Pret. Imperfecto	Pret. Pluscuamp.	
concluy-era	hubiera	concluido
concluy-eras	hubieras	concluido
concluy-era	hubiera	concluido
concluy-éramos	hubiéramos	concluido
concluy-erais	hubierais	concluido
concluy-eran	hubieran	concluido
concluy-ese	hubiese	concluido
concluy-eses	hubieses	concluido
concluy-ese	hubiese	concluido
concluy-ésemos	hubiésemos	concluido
concluy-eseis	hubieseis	concluido
concluy-esen	hubiesen	concluido

Futuro Simple	Futuro Compuesto	
concluy-ere	hubiere	concluido
concluy-eres	hubieres	concluido
concluy-ere	hubiere	concluido
concluy-éremos	hubiéremos	concluido
concluy-ereis	hubiereis	concluido
concluy-eren	hubieren	concluido

IMPERATIVO

concluy-e(tú)	conclu-id(vosotros)
concluy-a(usted)	concluy-an(ustedes)

FORMAS NO PERSONALES

Infinitivo: concluir
Gerundio: concluy-endo
Participio: conclu-ido
Infinitivo Comp.: haber concluido
Gerundio Comp.: habiendo concluido

38. conducir

INDICATIVO			
Presente	**Pret. Perfecto**		
conduzc-o	he	conducido	
conduc-es	has	conducido	
conduc-e	ha	conducido	
conduc-imos	hemos	conducido	
conduc-ís	habéis	conducido	
conduc-en	han	conducido	

Pret. Imperfecto	**Pret. Pluscuamp.**	
conduc-ía	había	conducido
conduc-ías	habías	conducido
conduc-ía	había	conducido
conduc-íamos	habíamos	conducido
conduc-íais	habíais	conducido
conduc-ían	habían	conducido

Pret. Indefinido	**Pret. Anterior**	
conduj-e	hube	conducido
conduj-iste	hubiste	conducido
conduj-o	hubo	conducido
conduj-imos	hubimos	conducido
conduj-isteis	hubisteis	conducido
conduj-eron	hubieron	conducido

Futuro Simple	**Futuro Compuesto**	
conducir-é	habré	conducido
conducir-ás	habrás	conducido
conducir-á	habrá	conducido
conducir-emos	habremos	conducido
conducir-éis	habréis	conducido
conducir-án	habrán	conducido

Cond. Simple	**Cond. Compuesto**	
conducir-ía	habría	conducido
conducir-ías	habrías	conducido
conducir-ía	habría	conducido
conducir-íamos	habríamos	conducido
conducir-íais	habríais	conducido
conducir-ían	habrías	conducido

SUBJUNTIVO			
Presente	**Pret. Perfecto**		
conduzc-a	haya	conducido	
conduzc-as	hayas	conducido	
conduzc-a	haya	conducido	
conduzc-amos	hayamos	conducido	
conduzc-áis	hayáis	conducido	
conduzc-an	hayan	conducido	

Pret. Imperfecto	**Pret. Pluscuamp.**	
conduj-era	hubiera	conducido
conduj-eras	hubieras	conducido
conduj-era	hubiera	conducido
conduj-éramos	hubiéramos	conducido
conduj-erais	hubierais	conducido
conduj-eran	hubieran	conducido
conduj-ese	hubiese	conducido
conduj-eses	hubieses	conducido
conduj-ese	hubiese	conducido
conduj-ésemos	hubiésemos	conducido
conduj-eseis	hubieseis	conducido
conduj-esen	hubiesen	conducido

Futuro Simple	**Futuro Compuesto**	
conduj-ere	hubiere	conducido
conduj-eres	hubieres	conducido
conduj-ere	hubiere	conducido
conduj-éremos	hubiéremos	conducido
conduj-ereis	hubiereis	conducido
conduj-eren	hubieren	conducido

IMPERATIVO

conduc-e(tú)   conduc-id(vosotros)
conduzc-a(usted)   conduzc-an(ustedes)

FORMAS NO PERSONALES

Infinitivo: conducir
Gerundio: conduc-iendo
Participio: conduc-ido
Infinitivo Comp.: haber conducido
Gerundio Comp.: habiendo conducido

39. conocer

INDICATIVO

Presente	Pret. Perfecto	
conozc-o	he	conocido
conoc-es	has	conocido
conoc-e	ha	conocido
conoc-emos	hemos	conocido
conoc-éis	habéis	conocido
conoc-en	han	conocido

Pret. Imperfecto	Pret. Pluscuamp.	
conoc-ía	había	conocido
conoc-ías	habías	conocido
conoc-ía	había	conocido
conoc-íamos	habíamos	conocido
conoc-íais	habíais	conocido
conoc-ían	habían	conocido

Pret. Indefinido	Pret. Anterior	
conoc-í	hube	conocido
conoc-iste	hubiste	conocido
conoc-ió	hubo	conocido
conoc-imos	hubimos	conocido
conoc-isteis	hubisteis	conocido
conoc-ieron	hubieron	conocido

Futuro Simple	Futuro Compuesto	
conocer-é	habré	conocido
conocer-ás	habrás	conocido
conocer-á	habrá	conocido
conocer-emos	habremos	conocido
conocer-éis	habréis	conocido
conocer-án	habrán	conocido

Cond. Simple	Cond. Compuesto	
conocer-ía	habría	conocido
conocer-ías	habrías	conocido
conocer-ía	habría	conocido
conocer-íamos	habríamos	conocido
conocer-íais	habríais	conocido
conocer-ían	habrían	conocido

SUBJUNTIVO

Presente	Pret. Perfecto	
conozc-a	haya	conocido
conozc-as	hayas	conocido
conozc-a	haya	conocido
conozc-amos	hayamos	conocido
conozc-áis	hayáis	conocido
conozc-an	hayan	conocido

Pret. Imperfecto	Pret. Pluscuamp.	
conoc-iera	hubiera	conocido
conoc-ieras	hubieras	conocido
conoc-iera	hubiera	conocido
conoc-iéramos	hubiéramos	conocido
conoc-ierais	hubierais	conocido
conoc-ieran	hubieran	conocido
conoc-iese	hubiese	conocido
conoc-ieses	hubieses	conocido
conoc-iese	hubiese	conocido
conoc-iésemos	hubiésemos	conocido
conoc-ieseis	hubieseis	conocido
conoc-iesen	hubiesen	conocido

Futuro Simple	Futuro Compuesto	
conoc-iere	hubiere	conocido
conoc-ieres	hubieres	conocido
conoc-iere	hubiere	conocido
conoc-iéremos	hubiéremos	conocido
conoc-iereis	hubiereis	conocido
conoc-ieren	hubieren	conocido

IMPERATIVO

conoc-e(tú)   conoc-ed(vosotros)
conozc-a(usted)   conozc-an(ustedes)

FORMAS NO PERSONALES

Infinitivo: conocer
Gerundio: conoc-iendo
Participio: conoc-ido
Infinitivo Comp.: haber conocido
Gerundio Comp.: habiendo conocido

40. constituir

INDICATIVO		SUBJUNTIVO	

Presente	Pret. Perfecto	Presente	Pret. Perfecto
constituy-o	he constituido	constituy-a	haya constituido
constituy-es	has constituido	constituy-as	hayas constituido
constituy-e	ha constituido	constituy-a	haya constituido
constitu-imos	hemos constituido	constituy-amos	hayamos constituido
constitu-ís	habéis constituido	constituy-áis	hayáis constituido
constituy-en	han constituido	constituy-an	hayan constituido

Pret. Imperfecto	Pret. Pluscuamp.	Pret. Imperfecto	Pret. Pluscuamp.
constitu-ía	había constituido	constituy-era	hubiera constituido
constitu-ías	habías constituido	constituy-eras	hubieras constituido
constitu-ía	había constituido	constituy-era	hubiera constituido
constitu-íamos	habíamos constituido	constituy-éramos	hubiéramos constituido
constitu-íais	habíais constituido	constituy-erais	hubierais constituido
constitu-ían	habían constituido	constituy-eran	hubieran constituido

Pret. Indefinido	Pret. Anterior		
		constituy-ese	hubiese constituido
		constituy-eses	hubieses constituido
constitu-í	hube constituido	constituy-ese	hubiese constituido
constitu-iste	hubiste constituido	constituy-ésemos	hubiésemos constituido
constituy-ó	hubo constituido	constituy-eseis	hubieseis constituido
constitu-imos	hubimos constituido	constituy-esen	hubiesen constituido
constitu-isteis	hubisteis constituido		
constituy-eron	hubieron constituido	Futuro Simple	Futuro Compuesto

Futuro Simple	Futuro Compuesto		
		constituy-ere	hubiere constituido
		constituy-eres	hubieres constituido
constituir-é	habré constituido	constituy-ere	hubiere constituido
constituir-ás	habrás constituido	constituy-éremos	hubiéremos constituido
constituir-á	habrá constituido	constituy-ereis	hubiereis constituido
constituir-emos	habremos constituido	constituy-eren	hubieren constituido
constituir-éis	habréis constituido		
constituir-án	habrán constituido		

Cond. Simple	Cond. Compuesto

IMPERATIVO

constituy-e(tú)   constitu-id(vosotros)
constituy-a(usted)   constituy-an(ustedes)

Cond. Simple	Cond. Compuesto
constituir-ías	habrías constituido
constituir-ía	habría constituido
constituir-íamos	habríamos constituido
constituir-íais	habríais constituido
constituir-ían	habrían constituido
constituir-ía	habría constituido

FORMAS NO PERSONALES

Infinitivo: constituir
Gerundio: constituy-en
Participio: constitu-ido
Infinitivo Comp.: haber constituido
Gerundio Comp.: habiendo constituido

41. construir

INDICATIVO			SUBJUNTIVO		
Presente	**Pret. Perfecto**		**Presente**	**Pret. Perfecto**	
construy-o	he	construido	construy-a	haya	construido
construy-es	has	construido	construy-as	hayas	construido
construy-e	ha	construido	construy-a	haya	construido
constru-imos	hemos	construido	construy-amos	hayamos	construido
constru-ís	habéis	construido	construy-áis	hayáis	construido
construy-en	han	construido	construy-an	hayan	construido
Pret. Imperfecto	**Pret. Pluscuamp.**		**Pret. Imperfecto**	**Pret. Pluscuamp.**	
constru-ía	había	construido	construy-era	hubiera	construido
constru-ías	habías	construido	construy-eras	hubieras	construido
constru-ía	había	construido	construy-era	hubiera	construido
constru-íamos	habíamos	construido	construy-éramos	hubiéramos	construido
constru-íais	habíais	construido	construy-erais	hubierais	construido
constru-ían	habían	construido	construy-eran	hubieran	construido
Pret. Indefinido	**Pret. Anterior**		construy-ese	hubiese	construido
			construy-eses	hubieses	construido
constru-í	hube	construido	construy-ese	hubiese	construido
constru-iste	hubiste	construido	construy-ésemos	hubiésemos	construido
construy-ó	hubo	construido	construy-eseis	hubieseis	construido
constru-imos	hubimos	construido	construy-esen	hubiesen	construido
constru-isteis	hubisteis	construido	**Futuro Simple**	**Futuro Compuesto**	
construy-eron	hubieron	construido			
Futuro Simple	**Futuro Compuesto**		construy-ere	hubiere	construido
			construy-eres	hubieres	construido
construir-é	habré	construido	construy-ere	hubiere	construido
construir-ás	habrás	construido	construy-éremos	hubiéremos	construido
construir-á	habrá	construido	construy-ereis	hubiereis	construido
construir-emos	habremos	construido	construy-eren	hubieren	construido
construir-éis	habréis	construido			
construir-án	habrán	construido			

IMPERATIVO	
construy-e(tú)	constru-id(vosotros)
construy-a(usted)	construy-an(ustedes)

Cond. Simple	Cond. Compuesto	
construir-ía	habría	construido
construir-ías	habrías	construido
construir-ía	habría	construido
construir-íamos	habríamos	construido
construir-íais	habríais	construido
construir-ían	habrían	construido

FORMAS NO PERSONALES

Infinitivo: construir
Gerundio: construy-endo
Participio: constru-ido
Infinitivo Comp.: haber construido
Gerundio Comp.: habiendo construido

42. contar

INDICATIVO			SUBJUNTIVO		
Presente	**Pret. Perfecto**		**Presente**	**Pret. Perfecto**	
cuent-o	he	contado	cuent-e	haya	contado
cuent-as	has	contado	cuent-es	hayas	contado
cuent-a	ha	contado	cuent-e	haya	contado
cont-amos	hemos	contado	cont-emos	hayamos	contado
cont-áis	habéis	contado	cont-éis	hayáis	contado
cuent-an	han	contado	cuent-en	hayan	contado
Pret. Imperfecto	**Pret. Pluscuamp.**		**Pret. Imperfecto**	**Pret. Pluscuamp.**	
cont-aba	había	contado	cont-ara	hubiera	contado
cont-abas	habías	contado	cont-aras	hubieras	contado
cont-aba	había	contado	cont-ara	hubiera	contado
cont-ábamos	habíamos	contado	cont-áramos	hubiéramos	contado
cont-abais	habíais	contado	cont-arais	hubierais	contado
cont-aban	habían	contado	cont-aran	hubieran	contado
Pret. Indefinido	**Pret. Anterior**		cont-ase	hubiese	contado
			cont-ases	hubieses	contado
cont-é	hube	contado	cont-ase	hubiese	contado
cont-aste	hubiste	contado	cont-ásemos	hubiésemos	contado
cont-ó	hubo	contado	cont-aseis	hubieseis	contado
cont-amos	hubimos	contado	cont-asen	hubiesen	contado
cont-asteis	hubisteis	contado	**Futuro Simple**	**Futuro Compuesto**	
cont-aron	hubieron	contado			
			cont-are	hubiere	contado
			cont-ares	hubieres	contado
Futuro Simple	**Futuro Compuesto**		cont-are	hubiere	contado
			cont-áremos	hubiéremos	contado
contar-é	habré	contado	cont-areis	hubiereis	contado
contar-ás	habrás	contado	cont-aren	hubieren	contado
contar-á	habrá	contado			
contar-emos	habremos	contado			
contar-éis	habréis	contado			
contar-án	habrán	contado			

IMPERATIVO	
cuent-a(tú)	cont-ad(vosotros)
cuent-e(usted)	cuent-en(ustedes)

Cond. Simple	Cond. Compuesto	
contar-ía	habría	contado
contar-ías	habrías	contado
contar-ía	habría	contado
contar-íamos	habríamos	contado
contar-íais	habríais	contado
contar-ían	habrían	contado

FORMAS NO PERSONALES

Infinitivo:	contar
Gerundio:	cont-ando
Participio:	cont-ado
Infinitivo Comp.:	haber contado
Gerundio Comp.:	habiendo contado

43. contribuir

INDICATIVO			SUBJUNTIVO		
Presente	**Pret. Perfecto**		**Presente**	**Pret. Perfecto**	
contribuy-o	he	contribuido	contribuy-a	haya	contribuido
contribuy-es	has	contribuido	contribuy-as	hayas	contribuido
contribuy-e	ha	contribuido	contribuy-a	haya	contribuido
contribu-imos	hemos	contribuido	contribuy-amos	hayamos	contribuido
contribu-ís	habéis	contribuido	contribuy-áis	hayáis	contribuido
contribuy-en	han	contribuido	contribuy-an	hayan	contribuido
Pret. Imperfecto	**Pret. Pluscuamp.**		**Pret. Imperfecto**	**Pret. Pluscuamp.**	
contribu-ía	había	contribuido	contribuy-era	hubiera	contribuido
contribu-ías	habías	contribuido	contribuy-eras	hubieras	contribuido
contribu-ía	había	contribuido	contribuy-era	hubiera	contribuido
contribu-íamos	habíamos	contribuido	contribuy-éramos	hubiéramos	contribuido
contribu-íais	habíais	contribuido	contribuy-erais	hubierais	contribuido
contribu-ían	habían	contribuido	contribuy-eran	hubieran	contribuido
Pret. Indefinido	**Pret. Anterior**		contribuy-ese	hubiese	contribuido
			contribuy-eses	hubieses	contribuido
contribu-í	hube	contribuido	contribuy-ese	hubiese	contribuido
contribu-iste	hubiste	contribuido	contribuy-ésemos	hubiésemos	contribuido
contribuy-ó	hubo	contribuido	contribuy-eseis	hubieseis	contribuido
contribu-imos	hubimos	contribuido	contribuy-esen	hubiesen	contribuido
contribu-isteis	hubisteis	contribuido			
contribuy-eron	hubieron	contribuido	**Futuro Simple**	**Futuro Compuesto**	
Futuro Simple	**Futuro Compuesto**		contribuy-ere	hubiere	contribuido
			contribuy-eres	hubieres	contribuido
contribuir-é	habré	contribuido	contribuy-ere	hubiere	contribuido
contribuir-ás	habrás	contribuido	contribuy-éremos	hubiéremos	contribuido
contribuir-á	habrá	contribuido	contribuy-ereis	hubiereis	contribuido
contribuir-emos	habremos	contribuido	contribuy-eren	hubieren	contribuido
contribuir-éis	habréis	contribuido			
contribuir-án	habrán	contribuido			

IMPERATIVO
contribuy-e(tú)   contribu-id(vosotros)
contribuy-a(usted)   contribuy-an(ustedes)

Cond. Simple	**Cond. Compuesto**	
contribuir-ía	habría	contribuido
contribuir-ías	habrías	contribuido
contribuir-ía	habría	contribuido
contribuir-íamos	habríamos	contribuido
contribuir-íais	habríais	contribuido
contribuir-ían	habrían	contribuido

FORMAS NO PERSONALES

Infinitivo: contribuir
Gerundio: contribuy-endo
Participio: contribu-ido
Infinitivo Comp.:   haber contribuido
Gerundio Comp.: habiendo contribuido

44. convenir

<table>
<tr><th colspan="4">INDICATIVO</th><th colspan="4">SUBJUNTIVO</th></tr>
<tr><th colspan="2">Presente</th><th colspan="2">Pret. Perfecto</th><th colspan="2">Presente</th><th colspan="2">Pret. Perfecto</th></tr>
<tr><td>conveng-o</td><td></td><td>he</td><td>convenido</td><td>conveng-a</td><td></td><td>haya</td><td>convenido</td></tr>
<tr><td>convien-es</td><td></td><td>has</td><td>convenido</td><td>conveng-as</td><td></td><td>hayas</td><td>convenido</td></tr>
<tr><td>convien-e</td><td></td><td>ha</td><td>convenido</td><td>conveng-a</td><td></td><td>haya</td><td>convenido</td></tr>
<tr><td>conven-imos</td><td></td><td>hemos</td><td>convenido</td><td>conveng-amos</td><td></td><td>hayamos</td><td>convenido</td></tr>
<tr><td>conven-ís</td><td></td><td>habéis</td><td>convenido</td><td>conveng-áis</td><td></td><td>hayáis</td><td>convenido</td></tr>
<tr><td>convien-en</td><td></td><td>han</td><td>convenido</td><td>conveng-an</td><td></td><td>hayan</td><td>convenido</td></tr>
<tr><th colspan="2">Pret. Imperfecto</th><th colspan="2">Pret. Pluscuamp.</th><th colspan="2">Pret. Imperfecto</th><th colspan="2">Pret. Pluscuamp.</th></tr>
<tr><td>conven-ía</td><td></td><td>había</td><td>convenido</td><td>convin-iera</td><td></td><td>hubiera</td><td>convenido</td></tr>
<tr><td>conven-ías</td><td></td><td>habías</td><td>convenido</td><td>convin-ieras</td><td></td><td>hubieras</td><td>convenido</td></tr>
<tr><td>conven-ía</td><td></td><td>había</td><td>convenido</td><td>convin-iera</td><td></td><td>hubiera</td><td>convenido</td></tr>
<tr><td>conven-íamos</td><td></td><td>habíamos</td><td>convenido</td><td>convin-iéramos</td><td></td><td>hubiéramos</td><td>convenido</td></tr>
<tr><td>conven-íais</td><td></td><td>habíais</td><td>convenido</td><td>convin-ierais</td><td></td><td>hubierais</td><td>convenido</td></tr>
<tr><td>conven-ían</td><td></td><td>habían</td><td>convenido</td><td>convin-ieran</td><td></td><td>hubieran</td><td>convenido</td></tr>
<tr><th colspan="2">Pret. Indefinido</th><th colspan="2">Pret. Anterior</th><td>convin-iese</td><td></td><td>hubiese</td><td>convenido</td></tr>
<tr><td></td><td></td><td></td><td></td><td>convin-ieses</td><td></td><td>hubieses</td><td>convenido</td></tr>
<tr><td>convin-e</td><td></td><td>hube</td><td>convenido</td><td>convin-iese</td><td></td><td>hubiese</td><td>convenido</td></tr>
<tr><td>convin-iste</td><td></td><td>hubiste</td><td>convenido</td><td>convin-iésemos</td><td></td><td>hubiésemos</td><td>convenido</td></tr>
<tr><td>convin-o</td><td></td><td>hubo</td><td>convenido</td><td>convin-ieseis</td><td></td><td>hubieseis</td><td>convenido</td></tr>
<tr><td>convin-imos</td><td></td><td>hubimos</td><td>convenido</td><td>convin-iesen</td><td></td><td>hubiesen</td><td>convenido</td></tr>
<tr><td>convin-isteis</td><td></td><td>hubisteis</td><td>convenido</td><th colspan="2">Futuro Simple</th><th colspan="2">Futuro Compuesto</th></tr>
<tr><td>convin-ieron</td><td></td><td>hubieron</td><td>convenido</td><td>convin-iere</td><td></td><td>hubiere</td><td>convenido</td></tr>
<tr><th colspan="2">Futuro Simple</th><th colspan="2">Futuro Compuesto</th><td>convin-ieres</td><td></td><td>hubieres</td><td>convenido</td></tr>
<tr><td></td><td></td><td></td><td></td><td>convin-iere</td><td></td><td>hubiere</td><td>convenido</td></tr>
<tr><td>convendr-é</td><td></td><td>habré</td><td>convenido</td><td>convin-iéremos</td><td></td><td>hubiéremos</td><td>convenido</td></tr>
<tr><td>convendr-ás</td><td></td><td>habrás</td><td>convenido</td><td>convin-iereis</td><td></td><td>hubiereis</td><td>convenido</td></tr>
<tr><td>convendr-á</td><td></td><td>habrá</td><td>convenido</td><td>convin-ieren</td><td></td><td>hubieren</td><td>convenido</td></tr>
<tr><td>convendr-emos</td><td></td><td>habremos</td><td>convenido</td><td></td><td></td><td></td><td></td></tr>
<tr><td>convendr-éis</td><td></td><td>habréis</td><td>convenido</td><td></td><td></td><td></td><td></td></tr>
<tr><td>convendr-án</td><td></td><td>habrán</td><td>convenido</td><td></td><td></td><td></td><td></td></tr>
</table>

Cond. Simple / Cond. Compuesto

Cond. Simple		Cond. Compuesto	
convendr-ía		habría	convenido
convendr-ías		habrías	convenido
convendr-ía		habría	convenido
convendr-íamos		habríamos	convenido
convendr-íais		habríais	convenido
convendr-ían		habrían	convenido

IMPERATIVO

conven(tú)	conven-id(vosotros)
conveng-a(usted)	conveng-an(ustedes)

FORMAS NO PERSONALES

Infinitivo:	convenir
Gerundio:	convin-iendo
Participio:	conven-ido
Infinitivo Comp.:	haber convenido
Gerundio Comp.:	habiendo convenido

45. convertir

INDICATIVO			SUBJUNTIVO		
Presente	**Pret. Perfecto**		**Presente**	**Pret. Perfecto**	
conviert-o	he	convertido	conviert-a	haya	convertido
conviert-es	has	convertido	conviert-as	hayas	convertido
conviert-e	ha	convertido	conviert-a	haya	convertido
convert-imos	hemos	convertido	convirt-amos	hayamos	convertido
convert-ís	habéis	convertido	convirt-áis	hayáis	convertido
conviert-en	han	convertido	conviert-an	hayan	convertido
Pret. Imperfecto	**Pret. Pluscuamp.**		**Pret. Imperfecto**	**Pret. Pluscuamp.**	
convert-ía	había	convertido	convirt-iera	hubiera	convertido
convert-ías	habías	convertido	convirt-ieras	hubieras	convertido
convert-ía	había	convertido	convirt-iera	hubiera	convertido
convert-íamos	habíamos	convertido	convirt-iéramos	hubiéramos	convertido
convert-íais	habíais	convertido	convirt-ierais	hubierais	convertido
convert-ían	habían	convertido	convirt-ieran	hubieran	convertido
Pret. Indefinido	**Pret. Anterior**		convirt-iese	hubiese	convertido
			convirt-ieses	hubieses	convertido
convert-í	hube	convertido	convirt-iese	hubiese	convertido
convert-iste	hubiste	convertido	convirt-iésemos	hubiésemos	convertido
convirt-ió	hubo	convertido	convirt-ieseis	hubieseis	convertido
convert-imos	hubimos	convertido	convirt-iesen	hubiesen	convertido
convert-isteis	hubisteis	convertido	**Futuro Simple**	**Futuro Compuesto**	
convirt-ieron	hubieron	convertido	convirt-iere	hubiere	convertido
Futuro Simple	**Futuro Compuesto**		convirt-ieres	hubieres	convertido
			convirt-iere	hubiere	convertido
convertir-é	habré	convertido	convirt-iéremos	hubiéremos	convertido
convertir-ás	habrás	convertido	convirt-iereis	hubiereis	convertido
convertir-á	habrá	convertido	convirt-ieren	hubieren	convertido
convertir-emos	habremos	convertido			
convertir-éis	habréis	convertido			
convertir-án	habrán	convertido			

IMPERATIVO

conviert-e(tú)   convert-id(vosotros)
conviert-a(usted) conviert-an(ustedes)

Cond. Simple	**Cond. Compuesto**	
convertir-ía	habría	convertido
convertir-ías	habrías	convertido
convertir-ía	habría	convertido
convertir-íamos	habríamos	convertido
convertir-íais	habríais	convertido
convertir-ían	habrían	convertido

FORMAS NO PERSONALES

Infinitivo: convertir
Gerundio: convirt-iendo
Participio: convert-ido
Infinitivo Comp.:   haber convertido
Gerundio Comp.:   habiendo convertido

46. costar

<table>
<tr><td colspan="4" align="center">INDICATIVO</td><td colspan="4" align="center">SUBJUNTIVO</td></tr>
<tr><td colspan="2">Presente</td><td colspan="2">Pret. Perfecto</td><td colspan="2">Presente</td><td colspan="2">Pret. Perfecto</td></tr>
<tr><td>cuest-o</td><td></td><td>he</td><td>costado</td><td>cuest-e</td><td></td><td>haya</td><td>costado</td></tr>
<tr><td>cuest-as</td><td></td><td>has</td><td>costado</td><td>cuest-es</td><td></td><td>hayas</td><td>costado</td></tr>
<tr><td>cuest-a</td><td></td><td>ha</td><td>costado</td><td>cuest-e</td><td></td><td>haya</td><td>costado</td></tr>
<tr><td>cost-amos</td><td></td><td>hemos</td><td>costado</td><td>cost-emos</td><td></td><td>hayamos</td><td>costado</td></tr>
<tr><td>cost-áis</td><td></td><td>habéis</td><td>costado</td><td>cost-éis</td><td></td><td>hayáis</td><td>costado</td></tr>
<tr><td>cuest-an</td><td></td><td>han</td><td>costado</td><td>cuest-en</td><td></td><td>hayan</td><td>costado</td></tr>
<tr><td colspan="2">Pret. Imperfecto</td><td colspan="2">Pret. Pluscuamp.</td><td colspan="2">Pret. Imperfecto</td><td colspan="2">Pret. Pluscuamp.</td></tr>
<tr><td>cost-aba</td><td></td><td>había</td><td>costado</td><td>cost-ara</td><td></td><td>hubiera</td><td>costado</td></tr>
<tr><td>cost-abas</td><td></td><td>habías</td><td>costado</td><td>cost-aras</td><td></td><td>hubieras</td><td>costado</td></tr>
<tr><td>cost-aba</td><td></td><td>había</td><td>costado</td><td>cost-ara</td><td></td><td>hubiera</td><td>costado</td></tr>
<tr><td>cost-ábamos</td><td></td><td>habíamos</td><td>costado</td><td>cost-áramos</td><td></td><td>hubiéramos</td><td>costado</td></tr>
<tr><td>cost-abais</td><td></td><td>habíais</td><td>costado</td><td>cost-arais</td><td></td><td>hubierais</td><td>costado</td></tr>
<tr><td>cost-aban</td><td></td><td>habían</td><td>costado</td><td>cost-aran</td><td></td><td>hubieran</td><td>costado</td></tr>
<tr><td colspan="2">Pret. Indefinido</td><td colspan="2">Pret. Anterior</td><td>cost-ase</td><td></td><td>hubiese</td><td>costado</td></tr>
<tr><td></td><td></td><td></td><td></td><td>cost-ases</td><td></td><td>hubieses</td><td>costado</td></tr>
<tr><td>cost-é</td><td></td><td>hube</td><td>costado</td><td>cost-ase</td><td></td><td>hubiese</td><td>costado</td></tr>
<tr><td>cost-aste</td><td></td><td>hubiste</td><td>costado</td><td>cost-ásemos</td><td></td><td>hubiésemos</td><td>costado</td></tr>
<tr><td>cost-ó</td><td></td><td>hubo</td><td>costado</td><td>cost-aseis</td><td></td><td>hubieseis</td><td>costado</td></tr>
<tr><td>cost-amos</td><td></td><td>hubimos</td><td>costado</td><td>cost-asen</td><td></td><td>hubiesen</td><td>costado</td></tr>
<tr><td>cost-asteis</td><td></td><td>hubisteis</td><td>costado</td><td colspan="2"></td><td colspan="2"></td></tr>
<tr><td>cost-aron</td><td></td><td>hubieron</td><td>costado</td><td colspan="2">Futuro Simple</td><td colspan="2">Futuro Compuesto</td></tr>
<tr><td colspan="2">Futuro Simple</td><td colspan="2">Futuro Compuesto</td><td>cost-are</td><td></td><td>hubiere</td><td>costado</td></tr>
<tr><td></td><td></td><td></td><td></td><td>cost-ares</td><td></td><td>hubieres</td><td>costado</td></tr>
<tr><td>costar-é</td><td></td><td>habré</td><td>costado</td><td>cost-are</td><td></td><td>hubiere</td><td>costado</td></tr>
<tr><td>costar-ás</td><td></td><td>habrás</td><td>costado</td><td>cost-áremos</td><td></td><td>hubiéremos</td><td>costado</td></tr>
<tr><td>costar-á</td><td></td><td>habrá</td><td>costado</td><td>cost-areis</td><td></td><td>hubiereis</td><td>costado</td></tr>
<tr><td>costar-emos</td><td></td><td>habremos</td><td>costado</td><td>cost-aren</td><td></td><td>hubieren</td><td>costado</td></tr>
<tr><td>costar-éis</td><td></td><td>habréis</td><td>costado</td><td colspan="4"></td></tr>
<tr><td>costar-án</td><td></td><td>habrán</td><td>costado</td><td colspan="4" align="center">IMPERATIVO</td></tr>
<tr><td colspan="2">Cond. Simple</td><td colspan="2">Cond. Compuesto</td><td colspan="2">cuest-a(tú)</td><td colspan="2">cost-ad(vosotros)</td></tr>
<tr><td></td><td></td><td></td><td></td><td colspan="2">cuest-e(usted)</td><td colspan="2">cuest-en(ustedes)</td></tr>
<tr><td>costar-ía</td><td></td><td>habría</td><td>costado</td><td colspan="4" align="center">FORMAS NO PERSONALES</td></tr>
<tr><td>costar-ías</td><td></td><td>habrías</td><td>costado</td><td colspan="4"></td></tr>
<tr><td>costar-ía</td><td></td><td>habría</td><td>costado</td><td colspan="2">Infinitivo:</td><td colspan="2">costar</td></tr>
<tr><td>costar-íamos</td><td></td><td>habríamos</td><td>costado</td><td colspan="2">Gerundio:</td><td colspan="2">cost-ando</td></tr>
<tr><td>costar-íais</td><td></td><td>habríais</td><td>costado</td><td colspan="2">Participio:</td><td colspan="2">cost-ado</td></tr>
<tr><td>costar-ían</td><td></td><td>habrían</td><td>costado</td><td colspan="2">Infinitivo Comp.:</td><td colspan="2">haber costado</td></tr>
<tr><td colspan="4"></td><td colspan="2">Gerundio Comp.:</td><td colspan="2">habiendo costado</td></tr>
</table>

47. crecer

INDICATIVO			SUBJUNTIVO		
Presente	**Pret. Perfecto**		**Presente**	**Pret. Perfecto**	
crezc-o	he	crecido	crezc-a	haya	crecido
crec-es	has	crecido	crezc-as	hayas	crecido
crec-e	ha	crecido	crezc-a	haya	crecido
crec-emos	hemos	crecido	crezc-amos	hayamos	crecido
crec-éis	habéis	crecido	crezc-áis	hayáis	crecido
crec-en	han	crecido	crezc-an	hayan	crecido
Pret. Imperfecto	**Pret. Pluscuamp.**		**Pret. Imperfecto**	**Pret. Pluscuamp.**	
crec-ía	había	crecido	crec-iera	hubiera	crecido
crec-ías	habías	crecido	crec-ieras	hubieras	crecido
crec-ía	había	crecido	crec-iera	hubiera	crecido
crec-íamos	habíamos	crecido	crec-iéramos	hubiéramos	crecido
crec-íais	habíais	crecido	crec-ierais	hubierais	crecido
crec-ían	habían	crecido	crec-ieran	hubieran	crecido
Pret. Indefinido	**Pret. Anterior**		crec-iese	hubiese	crecido
			crec-ieses	hubieses	crecido
crec-í	hube	crecido	crec-iese	hubiese	crecido
crec-iste	hubiste	crecido	crec-iésemos	hubiésemos	crecido
crec-ió	hubo	crecido	crec-ieseis	hubieseis	crecido
crec-imos	hubimos	crecido	crec-iesen	hubiesen	crecido
crec-isteis	hubisteis	crecido			
crec-ieron	hubieron	crecido	**Futuro Simple**	**Futuro Compuesto**	
Futuro Simple	**Futuro Compuesto**		crec-iere	hubiere	crecido
			crec-ieres	hubieres	crecido
crecer-é	habré	crecido	crec-iere	hubiere	crecido
crecer-ás	habrás	crecido	crec-iéremos	hubiéremos	crecido
crecer-á	habrá	crecido	crec-iereis	hubiereis	crecido
crecer-emos	habremos	crecido	crec-ieren	hubieren	crecido
crecer-éis	habréis	crecido			
crecer-án	habrán	crecido			

IMPERATIVO

crec-e(tú)	crec-ed(vosotros)
crezc-a(usted)	crezc-an(ustedes)

Cond. Simple	**Cond. Compuesto**	
crecer-ía	habría	crecido
crecer-ías	habrías	crecido
crecer-ía	habría	crecido
crecer-íamos	habríamos	crecido
crecer-íais	habríais	crecido
crecer-ían	habrían	crecido

FORMAS NO PERSONALES

Infinitivo: crecer
Gerundio: crec-iendo
Participio: crec-ido
Infinitivo Comp.: haber crecido
Gerundio Comp.: habiendo crecido

48. creer

INDICATIVO			SUBJUNTIVO		
Presente	**Pret. Perfecto**		**Presente**	**Pret. Perfecto**	
cre-o	he	creído	cre-a	haya	creído
cre-es	has	creído	cre-as	hayas	creído
cre-e	ha	creído	cre-a	haya	creído
cre-emos	hemos	creído	cre-amos	hayamos	creído
cre-éis	habéis	creído	cre-áis	hayáis	creído
cre-en	han	creído	cre-an	hayan	creído
Pret. Imperfecto	**Pret. Pluscuamp.**		**Pret. Imperfecto**	**Pret. Pluscuamp.**	
cre-ía	había	creído	crey-era	hubiera	creído
cre-ías	habías	creído	crey-eras	hubieras	creído
cre-ía	había	creído	crey-era	hubiera	creído
cre-íamos	habíamos	creído	crey-éramos	hubiéramos	creído
cre-íais	habíais	creído	crey-erais	hubierais	creído
cre-ían	habían	creído	crey-eran	hubieran	creído
Pret. Indefinido	**Pret. Anterior**		crey-ese	hubiese	creído
			crey-eses	hubieses	creído
cre-í	hube	creído	crey-ese	hubiese	creído
cre-íste	hubiste	creído	crey-ésemos	hubiésemos	creído
crey-ó	hubo	creído	crey-eseis	hubieseis	creído
cre-ímos	hubimos	creído	crey-esen	hubiesen	creído
cre-ísteis	hubisteis	creído			
crey-eron	hubieron	creído	**Futuro Simple**	**Futuro Compuesto**	
Futuro Simple	**Futuro Compuesto**		crey-ere	hubiere	creído
			crey-eres	hubieres	creído
creer-é	habré	creído	crey-ere	hubiere	creído
creer-ás	habrás	creído	crey-éremos	hubiéremos	creído
creer-á	habrá	creído	crey-ereis	hubiereis	creído
creer-emos	habremos	creído	crey-eren	hubieren	creído
creer-éis	habréis	creído			
creer-án	habrán	creído			

Cond. Simple	Cond. Compuesto	
creer-ía	habría	creído
creer-ías	habrías	creído
creer-ía	habría	creído
creer-íamos	habríamos	creído
creer-íais	habríais	creído
creer-ían	habrían	creído

IMPERATIVO

cre-e(tú)	cre-ed(vosotros)
cre-a(usted)	cre-an(ustedes)

FORMAS NO PERSONALES

Infinitivo:	creer
Gerundio:	crey-endo
Participio:	cre-ído
Infinitivo Comp.:	haber creído
Gerundio Comp.:	habiendo creído

49. cruzar

INDICATIVO				SUBJUNTIVO		

INDICATIVO

Presente / **Pret. Perfecto**

Presente	Pret. Perfecto	
cruz-o	he	cruzado
cruz-as	has	cruzado
cruz-a	ha	cruzado
cruz-amos	hemos	cruzado
cruz-áis	habéis	cruzado
cruz-an	han	cruzado

Pret. Imperfecto / **Pret. Pluscuamp.**

Pret. Imperfecto	Pret. Pluscuamp.	
cruz-aba	había	cruzado
cruz-abas	habías	cruzado
cruz-aba	había	cruzado
cruz-ábamos	habíamos	cruzado
cruz-abais	habíais	cruzado
cruz-aban	habían	cruzado

Pret. Indefinido / **Pret. Anterior**

Pret. Indefinido	Pret. Anterior	
cruc-é	hube	cruzado
cruz-aste	hubiste	cruzado
cruz-ó	hubo	cruzado
cruz-amos	hubimos	cruzado
cruz-asteis	hubisteis	cruzado
cruz-aron	hubieron	cruzado

Futuro Simple / **Futuro Compuesto**

Futuro Simple	Futuro Compuesto	
cruzar-é	habré	cruzado
cruzar-ás	habrás	cruzado
cruzar-á	habrá	cruzado
cruzar-emos	habremos	cruzado
cruzar-éis	habréis	cruzado
cruzar-án	habrán	cruzado

Cond. Simple / **Cond. Compuesto**

Cond. Simple	Cond. Compuesto	
cruzar-ía	habría	cruzado
cruzar-ías	habrías	cruzado
cruzar-ía	habría	cruzado
cruzar-íamos	habríamos	cruzado
cruzar-íais	habríais	cruzado
cruzar-ían	habrían	cruzado

SUBJUNTIVO

Presente / **Pret. Perfecto**

Presente	Pret. Perfecto	
cruc-e	haya	cruzado
cruc-es	hayas	cruzado
cruc-e	haya	cruzado
cruc-emos	hayamos	cruzado
cruc-éis	hayáis	cruzado
cruc-en	hayan	cruzado

Pret. Imperfecto / **Pret. Pluscuamp.**

Pret. Imperfecto	Pret. Pluscuamp.	
cruz-ara	hubiera	cruzado
cruz-aras	hubieras	cruzado
cruz-ara	hubiera	cruzado
cruz-áramos	hubiéramos	cruzado
cruz-arais	hubierais	cruzado
cruz-aran	hubieran	cruzado
cruz-ase	hubiese	cruzado
cruz-ases	hubieses	cruzado
cruz-ase	hubiese	cruzado
cruz-ásemos	hubiésemos	cruzado
cruz-aseis	hubieseis	cruzado
cruz-asen	hubiesen	cruzado

Futuro Simple / **Futuro Compuesto**

Futuro Simple	Futuro Compuesto	
cruz-are	hubiere	cruzado
cruz-ares	hubieres	cruzado
cruz-are	hubiere	cruzado
cruz-áremos	hubiéremos	cruzado
cruz-areis	hubiereis	cruzado
cruz-aren	hubieren	cruzado

IMPERATIVO

cruz-a(tú)   cruz-ad(vosotros)
cruc-e(usted)   **cruc-en(ustedes)**

FORMAS NO PERSONALES

Infinitivo: cruzar
Gerundio: cruz-ando
Participio: cruz-ado
Infinitivo Comp.:   haber cruzado
Gerundio Comp.:   habiendo cruzado

50. dar

INDICATIVO				SUBJUNTIVO		
Presente	**Pret. Perfecto**			**Presente**	**Pret. Perfecto**	
doy	he	dado		dé	haya	dado
das	has	dado		des	hayas	dado
da	ha	dado		dé	haya	dado
damos	hemos	dado		demos	hayamos	dado
dáis	habéis	dado		deis	hayáis	dado
dan	han	dado		den	hayan	dado
Pret. Imperfecto	**Pret. Pluscuamp.**			**Pret. Imperfecto**	**Pret. Pluscuamp.**	
daba	había	dado		diera	hubiera	dado
dabas	habías	dado		dieras	hubieras	dado
daba	había	dado		diera	hubiera	dado
dábamos	habíamos	dado		diéramos	hubiéramos	dado
dabais	habíais	dado		dierais	hubierais	dado
daban	habían	dado		dieran	hubieran	dado
Pret. Indefinido	**Pret. Anterior**			diese	hubiese	dado
				dieses	hubieses	dado
di	hube	dado		diese	hubiese	dado
diste	hubiste	dado		diésemos	hubiésemos	dado
dió	hubo	dado		dieseis	hubieseis	dado
dimos	hubimos	dado		diesen	hubiesen	dado
disteis	hubisteis	dado		**Futuro Simple**	**Futuro Compuesto**	
dieron	hubieron	dado				
Futuro Simple	**Futuro Compuesto**			diere	hubiere	dado
				dieres	hubieres	dado
dar-é	habré	dado		diere	hubiere	dado
dar-ás	habrás	dado		diéremos	hubiéremos	dado
dar-á	habrá	dado		diereis	hubiereis	dado
dar-emos	habremos	dado		dieren	hubieren	dado
dar-éis	habréis	dado				
dar-án	habrán	dado				

IMPERATIVO

da(tú)   dad(vosotros)
dé(usted)   den(ustedes)

Cond. Simple	**Cond. Compuesto**	
dar-ía	habría	dado
dar-ías	habrías	dado
dar-ía	habría	dado
dar-íamos	habríamos	dado
dar-íais	habríais	dado
dar-ían	habrían	dado

FORMAS NO PERSONALES

Infinitivo: dar
Gerundio: dando
Participio: dado
Infinitivo Comp.: haber dado
Gerundio Comp.: habiendo dado

51. decir

INDICATIVO				SUBJUNTIVO		

INDICATIVO — SUBJUNTIVO

Presente	Pret. Perfecto		Presente	Pret. Perfecto	
dig-o	he	dicho	dig-a	haya	dicho
dic-es	has	dicho	dig-as	hayas	dicho
dic-e	ha	dicho	dig-a	haya	dicho
dec-imos	hemos	dicho	dig-amos	hayamos	dicho
dec-ís	habéis	dicho	dig-áis	hayáis	dicho
dic-en	han	dicho	dig-an	hayan	dicho

Pret. Imperfecto	Pret. Pluscuamp.		Pret. Imperfecto	Pret. Pluscuamp.	
dec-ía	había	dicho	dij-era	hubiera	dicho
dec-ías	habías	dicho	dij-eras	hubieras	dicho
dec-ía	había	dicho	dij-era	hubiera	dicho
dec-íamos	habíamos	dicho	dij-éramos	hubiéramos	dicho
dec-íais	habíais	dicho	dij-erais	hubierais	dicho
dec-ían	habían	dicho	dij-eran	hubieran	dicho

Pret. Indefinido	Pret. Anterior				
			dij-ese	hubiese	dicho
			dij-eses	hubieses	dicho
dij-e	hube	dicho	dij-ese	hubiese	dicho
dij-iste	hubiste	dicho	dij-ésemos	hubiésemos	dicho
dij-o	hubo	dicho	dij-eseis	hubieseis	dicho
dij-imos	hubimos	dicho	dij-esen	hubiesen	dicho
dij-isteis	hubisteis	dicho			
dij-eron	hubieron	dicho			

			Futuro Simple	Futuro Compuesto	
			dij-ere	hubiere	dicho
			dij-eres	hubieres	dicho
Futuro Simple	Futuro Compuesto		dij-ere	hubiere	dicho
			dij-éremos	hubiéremos	dicho
dir-é	habré	dicho	dij-ereis	hubiereis	dicho
dir-ás	habrás	dicho	dij-eren	hubieren	dicho
dir-á	habrá	dicho			
dir-emos	habremos	dicho			
dir-éis	habréis	dicho			
dir-án	habrán	dicho			

IMPERATIVO

di (tú)	dec-id(vosotros)
dig-a(usted)	dig-an(ustedes)

Cond. Simple	Cond. Compuesto	
dir-ía	habría	dicho
dir-ías	habrías	dicho
dir-ía	habría	dicho
dir-íamos	habríamos	dicho
dir-íais	habríais	dicho
dir-ían	habrían	dicho

FORMAS NO PERSONALES

Infinitivo: decir
Gerundio: dic-iendo
Participio: dicho
Infinitivo Comp.: haber dicho
Gerundio Comp.: habiendo dicho

52. deducir

INDICATIVO

Presente	Pret. Perfecto	
deduzc-o	he	deducido
deduc-es	has	deducido
deduc-e	ha	deducido
deduc-imos	hemos	deducido
deduc-ís	habéis	deducido
deduc-en	han	deducido

Pret. Imperfecto	Pret. Pluscuamp.	
deduc-ía	había	deducido
deduc-ías	habías	deducido
deduc-ía	había	deducido
deduc-íamos	habíamos	deducido
deduc-íais	habíais	deducido
deduc-ían	habían	deducido

Pret. Indefinido	Pret. Anterior	
deduj-e	hube	deducido
deduj-iste	hubiste	deducido
deduj-o	hubo	deducido
deduj-imos	hubimos	deducido
deduj-isteis	hubisteis	deducido
deduj-eron	hubieron	deducido

Futuro Simple	Futuro Compuesto	
deducir-é	habré	deducido
deducir-ás	habrás	deducido
deducir-á	habrá	deducido
deducir-emos	habremos	deducido
deducir-éis	habréis	deducido
deducir-án	habrán	deducido

Cond. Simple	Cond. Compuesto	
deducir-ía	habría	deducido
deducir-ías	habrías	deducido
deducir-ía	habría	deducido
deducir-íamos	habríamos	deducido
deducir-íais	habríais	deducido
deducir-ían	habrían	deducido

SUBJUNTIVO

Presente	Pret. Perfecto	
deduzc-a	haya	deducido
deduzc-as	hayas	deducido
deduzc-a	haya	deducido
deduzc-amos	hayamos	deducido
deduzc-áis	hayáis	deducido
deduzc-an	hayan	deducido

Pret. Imperfecto	Pret. Pluscuamp.	
deduj-era	hubiera	deducido
deduj-eras	hubieras	deducido
deduj-era	hubiera	deducido
deduj-éramos	hubiéramos	deducido
deduj-erais	hubierais	deducido
deduj-eran	hubieran	deducido
deduj-ese	hubiese	deducido
deduj-eses	hubieses	deducido
deduj-ese	hubiese	deducido
deduj-ésemos	hubiésemos	deducido
deduj-eseis	hubieseis	deducido
deduj-esen	hubiesen	deducido

Futuro Simple	Futuro Compuesto	
deduj-ere	hubiere	deducido
deduj-eres	hubieres	deducido
deduj-ere	hubiere	deducido
deduj-éremos	hubiéremos	deducido
deduj-ereis	hubiereis	deducido
deduj-eren	hubieren	deducido

IMPERATIVO

deduc-e(tú)   deduc-id(vosotros)
deduzc-a(usted)   deduzc-an(ustedes)

FORMAS NO PERSONALES

Infinitivo: deducir
Gerundio: deduc-iendo
Participio: deduc-ido
Infinitivo Comp.: haber deducido
Gerundio Comp.:   habiendo deducido

53. delinquir

INDICATIVO			SUBJUNTIVO		
Presente	**Pret. Perfecto**		**Presente**	**Pret. Perfecto**	
delinc-o	he	delinquido	delinc5-a	haya	delinquido
delinqu-es	has	delinquido	delinc-as	hayas	delinquido
delinqu-e	ha	delinquido	delinc-a	haya	delinquido
delinqu-imos	hemos	delinquido	delinc-amos	hayamos	delinquido
delinqu-ís	habéis	delinquido	delinc-áis	hayáis	delinquido
delinqu-en	han	delinquido	delinc-an	hayan	delinquido
Pret. Imperfecto	**Pret. Pluscuamp.**		**Pret. Imperfecto**	**Pret. Pluscuamp.**	
delinqu-ía	había	delinquido	delinqu-iera	hubiera	delinquido
delinqu-ías	habías	delinquido	delinqu-ieras	hubieras	delinquido
delinqu-ía	había	delinquido	delinqu-iera	hubiera	delinquido
delinqu-íamos	habíamos	delinquido	delinqu-iéramos	hubiéramos	delinquido
delinqu-íais	habíais	delinquido	delinqu-ierais	hubierais	delinquido
delinqu-ían	habían	delinquido	delinqu-ieran	hubieran	delinquido
Pret. Indefinido	**Pret. Anterior**		delinqu-iese	hubiese	delinquido
			delinqu-ieses	hubieses	delinquido
delinqu-í	hube	delinquido	delinqu-iese	hubiese	delinquido
delinqu-iste	hubiste	delinquido	delinqu-iésemos	hubiésemos	delinquido
delinqu-ió	hubo	delinquido	delinqu-ieseis	hubieseis	delinquido
delinqu-imos	hubimos	delinquido	delinqu-iesen	hubiesen	delinquido
delinqu-isteis	hubisteis	delinquido			
delinqu-ieron	hubieron	delinquido	**Futuro Simple**	**Futuro Compuesto**	
Futuro Simple	**Futuro Compuesto**		delinqu-iere	hubiere	delinquido
			delinqu-ieres	hubieres	delinquido
delinquir-é	habré	delinquido	delinqu-iere	hubiere	delinquido
delinquir-ás	habrás	delinquido	delinqu-iéremos	hubiéremos	delinquido
delinquir-á	habrá	delinquido	delinqu-iereis	hubiereis	delinquido
delinquir-emos	habremos	delinquido	delinqu-ieren	hubieren	delinquido
delinquir-éis	habréis	delinquido			
delinquir-án	habrán	delinquido			

Cond. Simple	**Cond. Compuesto**	
delinquir-ía	habría	delinquido
delinquir-ías	habrías	delinquido
delinquir-ía	habría	delinquido
delinquir-íamos	habríamos	delinquido
delinquir-íais	habríais	delinquido
delinquir-ían	habrían	delinquido

IMPERATIVO
delinqu-e(tú)   delinqu-id(vosotros)
delinc-a(usted)   delinc-an(ustedes)

FORMAS NO PERSONALES

Infinitivo: delinquir
Gerundio: delinqu-iendo
Participio: delinqu-ido
Infinitivo Comp.: haber delinquido
Gerundio Comp.: habiendo delinquido

54. despertar

INDICATIVO

Presente	Pret. Perfecto	
despiert-o	he	despertado
despiert-as	has	despertado
despiert-a	ha	despertado
despert-amos	hemos	despertado
despert-áis	habéis	despertado
despiert-an	han	despertado

Pret. Imperfecto	Pret. Pluscuamp.	
despert-aba	había	despertado
despert-abas	habías	despertado
despert-aba	había	despertado
despert-ábamos	habíamos	despertado
despert-abais	habíais	despertado
despert-aban	habían	despertado

Pret. Indefinido	Pret. Anterior	
despert-é	hube	despertado
despert-aste	hubiste	despertado
despert-ó	hubo	despertado
despert-amos	hubimos	despertado
despert-asteis	hubisteis	despertado
despert-aron	hubieron	despertado

Futuro Simple	Futuro Compuesto	
despertar-é	habré	despertado
despertar-ás	habrás	despertado
despertar-á	habrá	despertado
despertar-emos	habremos	despertado
despertar-éis	habréis	despertado
despertar-án	habrán	despertado

Cond. Simple	Cond. Compuesto	
despertar-ía	habría	despertado
despertar-ías	habrías	despertado
despertar-ía	habría	despertado
despertar-íamos	habríamos	despertado
despertar-íais	habríais	despertado
despertar-ían	habrían	despertado

SUBJUNTIVO

Presente	Pret. Perfecto	
despiert-e	haya	despertado
despiert-es	hayas	despertado
despiert-e	haya	despertado
despert-emos	hayamos	despertado
despert-éis	hayáis	despertado
despiert-en	hayan	despertado

Pret. Imperfecto	Pret. Pluscuamp.	
despert-ara	hubiera	despertado
despert-aras	hubieras	despertado
despert-ara	hubiera	despertado
despert-áramos	hubiéramos	despertado
despert-arais	hubierais	despertado
despert-aran	hubieran	despertado
despert-ase	hubiese	despertado
despert-ases	hubieses	despertado
despert-ase	hubiese	despertado
despert-ásemos	hubiésemos	despertado
despert-aseis	hubieseis	despertado
despert-asen	hubiesen	despertado

Futuro Simple	Futuro Compuesto	
despert-are	hubiere	despertado
despert-ares	hubieres	despertado
despert-are	hubiere	despertado
despert-áremos	hubiéremos	despertado
despert-areis	hubiereis	despertado
despert-aren	hubieren	despertado

IMPERATIVO

despiert-a(tú)   despert-ad(vosotros)
despiert-e(usted)   despiert-en(ustedes)

FORMAS NO PERSONALES

Infinitivo: despertar
Gerundio: despert-ando
Participio: despert-ado
Infinitivo Comp.: haber despertado
Gerundio Comp.:   habiendo despertado

55. destituir

INDICATIVO				SUBJUNTIVO		

Presente	Pret. Perfecto			Presente	Pret. Perfecto	
destituy-o	he	destituido		destituy-a	haya	destituido
destituy-es	has	destituido		destituy-as	hayas	destituido
destituy-e	ha	destituido		destituy-a	haya	destituido
destitu-imos	hemos	destituido		destituy-amos	hayamos	destituido
destitu-ís	habéis	destituido		destituy-áis	hayáis	destituido
destituy-en	han	destituido		destituy-an	hayan	destituido

Pret. Imperfecto	Pret. Pluscuamp.			Pret. Imperfecto	Pret. Pluscuamp.	
destitu-ía	había	destituido		destituy-era	hubiera	destituido
destitu-ías	habías	destituido		destituy-eras	hubieras	destituido
destitu-ía	había	destituido		destituy-era	hubiera	destituido
destitu-íamos	habíamos	destituido		destituy-éramos	hubiéramos	destituido
destitu-íais	habíais	destituido		destituy-erais	hubierais	destituido
destitu-ían	habían	destituido		destituy-eran	hubieran	destituido

Pret. Indefinido	Pret. Anterior					
				destituy-ese	hubiese	destituido
				destituy-eses	hubieses	destituido
destitu-í	hube	destituido		destituy-ese	hubiese	destituido
destitu-iste	hubiste	destituido		destituy-ésemos	hubiésemos	destituido
destituy-ó	hubo	destituido		destituy-eseis	hubieseis	destituido
destitu-imos	hubimos	destituido		destituy-esen	hubiesen	destituido
destitu-isteis	hubisteis	destituido				
destituy-eron	hubieron	destituido		Futuro Simple	Futuro Compuesto	

Futuro Simple	Futuro Compuesto					
				destituy-ere	hubiere	destituido
				destituy-eres	hubieres	destituido
destituir-é	habré	destituido		destituy-ere	hubiere	destituido
destituir-ás	habrás	destituido		destituy-éremos	hubiéremos	destituido
destituir-á	habrá	destituido		destituy-ereis	hubiereis	destituido
destituir-emos	habremos	destituido		destituy-eren	hubieren	destituido
destituir-éis	habréis	destituido				
destituir-án	habrán	destituido				

IMPERATIVO

destituy-e(tú)   destitu-id(vosotros)
destituy-a(usted)   destitu-an(ustedes)

Cond. Simple	Cond. Compuesto	
destituir-ía	habría	destituido
destituir-ías	habrías	destituido
destituir-ía	habría	destituido
destituir-íamos	habríamos	destituido
destituir-íais	habríais	destituido
destituir-ían	habrían	destituido

FORMAS NO PERSONALES

Infinitivo: destituir
Gerundio: destituy-endo
Participio: destitu-ido
Infinitivo Comp.: haber destituido
Gerundio Comp.: habiendo destituido

56. destruir

Presente	Pret. Perfecto		Presente	Pret. Perfecto	
destruy-o	he	destruido	destruy-a	haya	destruido
destruy-es	has	destruido	destruy-as	hayas	destruido
destruy-e	ha	destruido	destruy-a	haya	destruido
destru-imos	hemos	destruido	destruy-amos	hayamos	destruido
destru-ís	habéis	destruido	destruy-áis	hayáis	destruido
destruy-en	han	destruido	destruy-an	hayan	destruido

Pret. Imperfecto	Pret. Pluscuamp.		Pret. Imperfecto	Pret. Pluscuamp.	
destru-ía	había	destruido	destruy-era	hubiera	destruido
destru-ías	habías	destruido	destruy-eras	hubieras	destruido
destru-ía	había	destruido	destruy-era	hubiera	destruido
destru-íamos	habíamos	destruido	destruy-éramos	hubiéramos	destruido
destru-íais	habíais	destruido	destruy-erais	hubierais	destruido
destru-ían	habían	destruido	destruy-eran	hubieran	destruido

Pret. Indefinido	Pret. Anterior				
			destruy-ese	hubiese	destruido
destru-í	hube	destruido	destruy-eses	hubieses	destruido
destru-iste	hubiste	destruido	destruy-ese	hubiese	destruido
destruy-ó	hubo	destruido	destruy-ésemos	hubiésemos	destruido
destru-imos	hubimos	destruido	destruy-eseis	hubieseis	destruido
destru-isteis	hubisteis	destruido	destruy-esen	hubiesen	destruido
destruy-eron	hubieron	destruido			

Futuro Simple	Futuro Compuesto		Futuro Simple	Futuro Compuesto	
			destruy-ere	hubiere	destruido
			destruy-eres	hubieres	destruido
destruir-é	habré	destruido	destruy-ere	hubiere	destruido
destruir-ás	habrás	destruido	destruy-éremos	hubiéremos	destruido
destruir-á	habrá	destruido	destruy-ereis	hubiereis	destruido
destruir-emos	habremos	destruido	destruy-eren	hubieren	destruido
destruir-éis	habréis	destruido			
destruir-án	habrán	destruido			

destruy-e(tú)   destru-id(vosotros)
destruy-a(usted)   destruy-an(ustedes)

Cond. Simple	Cond. Compuesto	
destruir-ía	habría	destruido
destruir-ías	habrías	destruido
destruir-ía	habría	destruido
destruir-íamos	habríamos	destruido
destruir-íais	habríais	destruido
destruir-ían	habrían	destruido

Infinitivo: destruir
Gerundio: destruy-endo
Participio: destru-ido
Infinitivo Comp.:   haber destruido
Gerundio Comp.:   habiendo destruido

57. detener

Presente	Pret. Perfecto		Presente	Pret. Perfecto	
deteng-o	he	detenido	deteng-a	haya	detenido
detien-es	has	detenido	deteng-as	hayas	detenido
detien-e	ha	detenido	deteng-a	haya	detenido
deten-emos	hemos	detenido	deteng-amos	hayamos	detenido
deten-éis	habéis	detenido	deteng-áis	hayáis	detenido
detien-en	han	detenido	deteng-an	hayan	detenido

Pret. Imperfecto	Pret. Pluscuamp.		Pret. Imperfecto	Pret. Pluscuamp.	
deten-ía	había	detenido	detuv-iera	hubiera	detenido
deten-ías	habías	detenido	detuv-ieras	hubieras	detenido
deten-ía	había	detenido	detuv-iera	hubiera	detenido
deten-íamos	habíamos	detenido	detuv-iéramos	hubiéramos	detenido
deten-íais	habíais	detenido	detuv-ierais	hubierais	detenido
deten-ían	habían	detenido	detuv-ieran	hubieran	detenido

Pret. Indefinido	Pret. Anterior				
			detuv-iese	hubiese	detenido
detuv-e	hube	detenido	detuv-ieses	hubieses	detenido
detuv-iste	hubiste	detenido	detuv-iese	hubiese	detenido
detuv-o	hubo	detenido	detuv-iésemos	hubiésemos	detenido
detuv-imos	hubimos	detenido	detuv-ieseis	hubieseis	detenido
detuv-isteis	hubisteis	detenido	detuv-iesen	hubiesen	detenido
detuv-ieron	hubieron	detenido	Futuro Simple	Futuro Compuesto	

Futuro Simple	Futuro Compuesto				
			detuv-iere	hubiere	detenido
			detuv-ieres	hubieres	detenido
detendr-é	habré	detenido	detuv-iere	hubiere	detenido
detendr-ás	habrás	detenido	detuv-iéremos	hubiéremos	detenido
detendr-á	habrá	detenido	detuv-iereis	hubiereis	detenido
detendr-emos	habremos	detenido	detuv-ieren	hubieren	detenido
detendr-éis	habréis	detenido			
detendr-án	habrán	detenido			

deten(tú) deten-ed(vosotros)
deteng-a(usted) deteng-an(ustedes)

Cond. Simple	Cond. Compuesto	
detendr-ía	habría	detenido
detendr-ías	habrías	detenido
detendr-ía	habría	detenido
detendr-íamos	habríamos	detenido
detendr-íais	habríais	detenido
detendr-ían	habrían	detenido

FORMAS NO PERSONALES

Infinitivo: detener
Gerundio: deten-iendo
Participio: deten-ido
Infinitivo Comp.: haber detenido
Gerundio Comp.: habiendo detenido

58. digerir

<table>
<tr><th colspan="2">INDICATIVO</th><th colspan="2">SUBJUNTIVO</th></tr>
<tr><th>Presente</th><th>Pret. Perfecto</th><th>Presente</th><th>Pret. Perfecto</th></tr>
<tr><td>digier-o</td><td>he digerido</td><td>digier-a</td><td>haya digerido</td></tr>
<tr><td>digier-es</td><td>has digerido</td><td>digier-as</td><td>hayas digerido</td></tr>
<tr><td>digier-e</td><td>ha digerido</td><td>digier-a</td><td>haya digerido</td></tr>
<tr><td>diger-imos</td><td>hemos digerido</td><td>digir-amos</td><td>hayamos digerido</td></tr>
<tr><td>diger-ís</td><td>habéis digerido</td><td>digir-áis</td><td>hayáis digerido</td></tr>
<tr><td>digier-en</td><td>han digerido</td><td>digier-an</td><td>hayan digerido</td></tr>
<tr><th>Pret. Imperfecto</th><th>Pret. Pluscuamp.</th><th>Pret. Imperfecto</th><th>Pret. Pluscuamp.</th></tr>
<tr><td>diger-ía</td><td>había digerido</td><td>digir-iera</td><td>hubiera digerido</td></tr>
<tr><td>diger-ías</td><td>habías digerido</td><td>digir-ieras</td><td>hubieras digerido</td></tr>
<tr><td>diger-ía</td><td>había digerido</td><td>digir-iera</td><td>hubiera digerido</td></tr>
<tr><td>diger-íamos</td><td>habíamos digerido</td><td>digir-iéramos</td><td>hubiéramos digerido</td></tr>
<tr><td>diger-íais</td><td>habíais digerido</td><td>digir-ierais</td><td>hubierais digerido</td></tr>
<tr><td>diger-ían</td><td>habían digerido</td><td>digir-ieran</td><td>hubieran digerido</td></tr>
<tr><th>Pret. Indefinido</th><th>Pret. Anterior</th><td>digir-iese</td><td>hubiese digerido</td></tr>
<tr><td></td><td></td><td>digir-ieses</td><td>hubieses digerido</td></tr>
<tr><td>diger-í</td><td>hube digerido</td><td>digir-iese</td><td>hubiese digerido</td></tr>
<tr><td>diger-iste</td><td>hubiste digerido</td><td>digir-iésemos</td><td>hubiésemos digerido</td></tr>
<tr><td>digir-ió</td><td>hubo digerido</td><td>digir-ieseis</td><td>hubieseis digerido</td></tr>
<tr><td>diger-imos</td><td>hubimos digerido</td><td>digir-iesen</td><td>hubiesen digerido</td></tr>
<tr><td>diger-isteis</td><td>hubisteis digerido</td><th>Futuro Simple</th><th>Futuro Compuesto</th></tr>
<tr><td>digir-ieron</td><td>hubieron digerido</td><td></td><td></td></tr>
<tr><th>Futuro Simple</th><th>Futuro Compuesto</th><td>digir-iere</td><td>hubiere digerido</td></tr>
<tr><td></td><td></td><td>digir-ieres</td><td>hubieres digerido</td></tr>
<tr><td>digerir-é</td><td>habré digerido</td><td>digir-iere</td><td>hubiere digerido</td></tr>
<tr><td>digerir-ás</td><td>habrás digerido</td><td>digir-iéremos</td><td>hubiéremos digerido</td></tr>
<tr><td>digerir-á</td><td>habrá digerido</td><td>digir-iereis</td><td>hubiereis digerido</td></tr>
<tr><td>digerir-emos</td><td>habremos digerido</td><td>digir-ieren</td><td>hubieren digerido</td></tr>
<tr><td>digerir-éis</td><td>habréis digerido</td><td colspan="2"></td></tr>
<tr><td>digerir-án</td><td>habrán digerido</td><td colspan="2">IMPERATIVO</td></tr>
<tr><th>Cond. Simple</th><th>Cond. Compuesto</th><td>digier-e(tú)</td><td>diger-id(vosotros)</td></tr>
<tr><td></td><td></td><td>digier-a(usted)</td><td>digier-an(ustedes)</td></tr>
<tr><td>digerir-ía</td><td>habría digerido</td><td colspan="2">FORMAS NO PERSONALES</td></tr>
<tr><td>digerir-ías</td><td>habrías digerido</td><td colspan="2"></td></tr>
<tr><td>digerir-ía</td><td>habría digerido</td><td>Infinitivo:</td><td>digerir</td></tr>
<tr><td>digerir-íamos</td><td>habríamos digerido</td><td>Gerundio:</td><td>digir-iendo</td></tr>
<tr><td>digerir-íais</td><td>habríais digerido</td><td>Participio:</td><td>diger-ido</td></tr>
<tr><td>digerir-ían</td><td>habrían digerido</td><td>Infinitivo Comp.:</td><td>haber digerido</td></tr>
<tr><td></td><td></td><td>Gerundio Comp.:</td><td>habiendo digerido</td></tr>
</table>

59. dirigir

<table>
<tr><td colspan="3">INDICATIVO</td><td colspan="3">SUBJUNTIVO</td></tr>
<tr><td>Presente</td><td colspan="2">Pret. Perfecto</td><td>Presente</td><td colspan="2">Pret. Perfecto</td></tr>
<tr><td>dirij-o</td><td>he</td><td>dirigido</td><td>dirij-a</td><td>haya</td><td>dirigido</td></tr>
<tr><td>dirig-es</td><td>has</td><td>dirigido</td><td>dirij-as</td><td>hayas</td><td>dirigido</td></tr>
<tr><td>dirig-e</td><td>ha</td><td>dirigido</td><td>dirij-a</td><td>haya</td><td>dirigido</td></tr>
<tr><td>dirig-imos</td><td>hemos</td><td>dirigido</td><td>dirij-amos</td><td>hayamos</td><td>dirigido</td></tr>
<tr><td>dirig-ís</td><td>habéis</td><td>dirigido</td><td>dirij-áis</td><td>hayáis</td><td>dirigido</td></tr>
<tr><td>dirig-en</td><td>han</td><td>dirigido</td><td>dirij-an</td><td>hayan</td><td>dirigido</td></tr>
<tr><td>Pret. Imperfecto</td><td colspan="2">Pret. Pluscuamp.</td><td>Pret. Imperfecto</td><td colspan="2">Pret. Pluscuamp.</td></tr>
<tr><td>dirig-ía</td><td>había</td><td>dirigido</td><td>dirig-iera</td><td>hubiera</td><td>dirigido</td></tr>
<tr><td>dirig-ías</td><td>habías</td><td>dirigido</td><td>dirig-ieras</td><td>hubieras</td><td>dirigido</td></tr>
<tr><td>dirig-ía</td><td>había</td><td>dirigido</td><td>dirig-iera</td><td>hubiera</td><td>dirigido</td></tr>
<tr><td>dirig-íamos</td><td>habíamos</td><td>dirigido</td><td>dirig-iéramos</td><td>hubiéramos</td><td>dirigido</td></tr>
<tr><td>dirig-íais</td><td>habíais</td><td>dirigido</td><td>dirig-ierais</td><td>hubierais</td><td>dirigido</td></tr>
<tr><td>dirig-ían</td><td>habían</td><td>dirigido</td><td>dirig-ieran</td><td>hubieran</td><td>dirigido</td></tr>
<tr><td>Pret. Indefinido</td><td colspan="2">Pret. Anterior</td><td>dirig-iese</td><td>hubiese</td><td>dirigido</td></tr>
<tr><td></td><td></td><td></td><td>dirig-ieses</td><td>hubieses</td><td>dirigido</td></tr>
<tr><td>dirig-í</td><td>hube</td><td>dirigido</td><td>dirig-iese</td><td>hubiese</td><td>dirigido</td></tr>
<tr><td>dirig-iste</td><td>hubiste</td><td>dirigido</td><td>dirig-iésemos</td><td>hubiésemos</td><td>dirigido</td></tr>
<tr><td>dirig-ió</td><td>hubo</td><td>dirigido</td><td>dirig-ieseis</td><td>hubieseis</td><td>dirigido</td></tr>
<tr><td>dirig-imos</td><td>hubimos</td><td>dirigido</td><td>dirig-iesen</td><td>hubiesen</td><td>dirigido</td></tr>
<tr><td>dirig-isteis</td><td>hubisteis</td><td>dirigido</td><td></td><td></td><td></td></tr>
<tr><td>dirig-ieron</td><td>hubieron</td><td>dirigido</td><td>Futuro Simple</td><td colspan="2">Futuro Compuesto</td></tr>
<tr><td>Futuro Simple</td><td colspan="2">Futuro Compuesto</td><td>dirig-iere</td><td>hubiere</td><td>dirigido</td></tr>
<tr><td></td><td></td><td></td><td>dirig-ieres</td><td>hubieres</td><td>dirigido</td></tr>
<tr><td>dirigir-é</td><td>habré</td><td>dirigido</td><td>dirig-iere</td><td>hubiere</td><td>dirigido</td></tr>
<tr><td>dirigir-ás</td><td>habrás</td><td>dirigido</td><td>dirig-iéremos</td><td>hubiéremos</td><td>dirigido</td></tr>
<tr><td>dirigir-á</td><td>habrá</td><td>dirigido</td><td>dirig-iereis</td><td>hubiereis</td><td>dirigido</td></tr>
<tr><td>dirigir-emos</td><td>habremos</td><td>dirigido</td><td>dirig-ieren</td><td>hubieren</td><td>dirigido</td></tr>
<tr><td>dirigir-éis</td><td>habréis</td><td>dirigido</td><td></td><td></td><td></td></tr>
<tr><td>dirigir-án</td><td>habrán</td><td>dirigido</td><td colspan="3">IMPERATIVO</td></tr>
<tr><td>Cond. Simple</td><td colspan="2">Cond. Compuesto</td><td>dirig-e(tú)</td><td colspan="2">dirig-id(vosotros)</td></tr>
<tr><td></td><td></td><td></td><td>dirij-a(usted)</td><td colspan="2">dirij-an(ustedes)</td></tr>
<tr><td>dirigir-ía</td><td>habría</td><td>dirigido</td><td colspan="3"></td></tr>
<tr><td>dirigir-ías</td><td>habrías</td><td>dirigido</td><td colspan="3">FORMAS NO PERSONALES</td></tr>
<tr><td>dirigir-ía</td><td>habría</td><td>dirigido</td><td colspan="3"></td></tr>
<tr><td>dirigir-íamos</td><td>habríamos</td><td>dirigido</td><td>Infinitivo:</td><td colspan="2">dirigir</td></tr>
<tr><td>dirigir-íais</td><td>habríais</td><td>dirigido</td><td>Gerundio:</td><td colspan="2">dirig-iendo</td></tr>
<tr><td>dirigir-ían</td><td>habrían</td><td>dirigido</td><td>Participio:</td><td colspan="2">dirig-ido</td></tr>
<tr><td></td><td></td><td></td><td>Infinitivo Comp.:</td><td colspan="2">haber dirigido</td></tr>
<tr><td></td><td></td><td></td><td>Gerundio Comp.:</td><td colspan="2">habiendo dirigido</td></tr>
</table>

60. disminuir

<table>
<tr><th colspan="4" align="center">INDICATIVO</th><th colspan="4" align="center">SUBJUNTIVO</th></tr>
<tr><th>Presente</th><th colspan="2">Pret. Perfecto</th><th>Presente</th><th colspan="2">Pret. Perfecto</th></tr>
<tr><td>disminuy-o</td><td>he</td><td>disminuido</td><td>disminuy-a</td><td>haya</td><td>disminuido</td></tr>
<tr><td>disminuy-es</td><td>has</td><td>disminuido</td><td>disminuy-as</td><td>hayas</td><td>disminuido</td></tr>
<tr><td>disminuy-e</td><td>ha</td><td>disminuido</td><td>disminuy-a</td><td>haya</td><td>disminuido</td></tr>
<tr><td>disminu-imos</td><td>hemos</td><td>disminuido</td><td>disminuy-amos</td><td>hayamos</td><td>disminuido</td></tr>
<tr><td>disminu-ís</td><td>habéis</td><td>disminuido</td><td>disminuy-áis</td><td>hayáis</td><td>disminuido</td></tr>
<tr><td>disminuy-en</td><td>han</td><td>disminuido</td><td>disminuy-an</td><td>hayan</td><td>disminuido</td></tr>
<tr><th>Pret. Imperfecto</th><th colspan="2">Pret. Pluscuamp.</th><th>Pret. Imperfecto</th><th colspan="2">Pret. Pluscuamp.</th></tr>
<tr><td>disminu-ía</td><td>había</td><td>disminuido</td><td>disminuy-era</td><td>hubiera</td><td>disminuido</td></tr>
<tr><td>disminu-ías</td><td>habías</td><td>disminuido</td><td>disminuy-eras</td><td>hubieras</td><td>disminuido</td></tr>
<tr><td>disminu-ía</td><td>había</td><td>disminuido</td><td>disminuy-era</td><td>hubiera</td><td>disminuido</td></tr>
<tr><td>disminu-íamos</td><td>habíamos</td><td>disminuido</td><td>disminuy-éramos</td><td>hubiéramos</td><td>disminuido</td></tr>
<tr><td>disminu-íais</td><td>habíais</td><td>disminuido</td><td>disminuy-erais</td><td>hubierais</td><td>disminuido</td></tr>
<tr><td>disminu-ían</td><td>habían</td><td>disminuido</td><td>disminuy-eran</td><td>hubieran</td><td>disminuido</td></tr>
<tr><th>Pret. Indefinido</th><th colspan="2">Pret. Anterior</th><td>disminuy-ese</td><td>hubiese</td><td>disminuido</td></tr>
<tr><td></td><td></td><td></td><td>disminuy-eses</td><td>hubieses</td><td>disminuido</td></tr>
<tr><td>disminu-í</td><td>hube</td><td>disminuido</td><td>disminuy-ese</td><td>hubiese</td><td>disminuido</td></tr>
<tr><td>disminu-iste</td><td>hubiste</td><td>disminuido</td><td>disminuy-ésemos</td><td>hubiésemos</td><td>disminuido</td></tr>
<tr><td>disminuy-ó</td><td>hubo</td><td>disminuido</td><td>disminuy-eseis</td><td>hubieseis</td><td>disminuido</td></tr>
<tr><td>disminu-imos</td><td>hubimos</td><td>disminuido</td><td>disminuy-esen</td><td>hubiesen</td><td>disminuido</td></tr>
<tr><td>disminu-isteis</td><td>hubisteis</td><td>disminuido</td><td></td><td></td><td></td></tr>
<tr><td>disminuy-eron</td><td>hubieron</td><td>disminuido</td><th>Futuro Simple</th><th colspan="2">Futuro Compuesto</th></tr>
<tr><th>Futuro Simple</th><th colspan="2">Futuro Compuesto</th><td>disminuy-ere</td><td>hubiere</td><td>disminuido</td></tr>
<tr><td></td><td></td><td></td><td>disminuy-eres</td><td>hubieres</td><td>disminuido</td></tr>
<tr><td>disminuir-é</td><td>habré</td><td>disminuido</td><td>disminuy-ere</td><td>hubiere</td><td>disminuido</td></tr>
<tr><td>disminuir-ás</td><td>habrás</td><td>disminuido</td><td>disminuy-éremos</td><td>hubiéremos</td><td>disminuido</td></tr>
<tr><td>disminuir-á</td><td>habrá</td><td>disminuido</td><td>disminuy-ereis</td><td>hubiereis</td><td>disminuido</td></tr>
<tr><td>disminuir-emos</td><td>habremos</td><td>disminuido</td><td>disminuy-eren</td><td>hubieren</td><td>disminuido</td></tr>
<tr><td>disminuir-éis</td><td>habréis</td><td>disminuido</td><td colspan="3"></td></tr>
<tr><td>disminuir-án</td><td>habrán</td><td>disminuido</td><td colspan="3" align="center">IMPERATIVO</td></tr>
<tr><th>Cond. Simple</th><th colspan="2">Cond. Compuesto</th><td colspan="3">disminuy-e(tú)   disminu-id(vosotros)
disminuy-a(usted) disminuy-an(ustedes)</td></tr>
<tr><td>disminuir-ía</td><td>habría</td><td>disminuido</td><td colspan="3" align="center">FORMAS NO PERSONALES</td></tr>
<tr><td>disminuir-ías</td><td>habrías</td><td>disminuido</td><td colspan="3"></td></tr>
<tr><td>disminuir-ía</td><td>habría</td><td>disminuido</td><td colspan="3">Infinitivo: disminuir</td></tr>
<tr><td>disminuir-íamos</td><td>habríamos</td><td>disminuido</td><td colspan="3">Gerundio: disminuy-endo</td></tr>
<tr><td>disminuir-íais</td><td>habríais</td><td>disminuido</td><td colspan="3">Participio: disminu-ido</td></tr>
<tr><td>disminuir-ían</td><td>habrían</td><td>disminuido</td><td colspan="3">Infinitivo Comp.: haber disminuido</td></tr>
<tr><td colspan="3"></td><td colspan="3">Gerundio Comp.: habiendo disminuido</td></tr>
</table>

61. distinguir

INDICATIVO			SUBJUNTIVO		

INDICATIVO

Presente	Pret. Perfecto		Presente	Pret. Perfecto	
disting-o	he	distinguido	disting-a	haya	distinguido
distingu-es	has	distinguido	disting-as	hayas	distinguido
distingu-e	ha	distinguido	disting-a	haya	distinguido
distingu-imos	hemos	distinguido	disting-amos	hayamos	distinguido
distingu-ís	habéis	distinguido	disting-áis	hayáis	distinguido
distingu-en	han	distinguido	disting-an	hayan	distinguido

Pret. Imperfecto	Pret. Pluscuamp.		Pret. Imperfecto	Pret. Pluscuamp.	
distingu-ía	había	distinguido	distingu-iera	hubiera	distinguido
distingu-ías	habías	distinguido	distingu-ieras	hubieras	distinguido
distingu-ía	había	distinguido	distingu-iera	hubiera	distinguido
distingu-íamos	habíamos	distinguido	distingu-iéramos	hubiéramos	distinguido
distingu-íais	habíais	distinguido	distingu-ierais	hubierais	distinguido
distingu-ían	habían	distinguido	distingu-ieran	hubieran	distinguido

Pret. Indefinido	Pret. Anterior				
			distingu-iese	hubiese	distinguido
			distingu-ieses	hubieses	distinguido
distingu-í	hube	distinguido	distingu-iese	hubiese	distinguido
distingu-iste	hubiste	distinguido	distingu-iésemos	hubiésemos	distinguido
distingu-ió	hubo	distinguido	distingu-ieseis	hubieseis	distinguido
distingu-imos	hubimos	distinguido	distingu-iesen	hubiesen	distinguido
distingu-isteis	hubisteis	distinguido			
distingu-ieron	hubieron	distinguido	Futuro Simple	Futuro Compuesto	

Futuro Simple	Futuro Compuesto				
			distingu-iere	hubiere	distinguido
			distingu-ieres	hubieres	distinguido
distinguir-é	habré	distinguido	distingu-iere	hubiere	distinguido
distinguir-ás	habrás	distinguido	distingu-iéremos	hubiéremos	distinguido
distinguir-á	habrá	distinguido	distingu-iereis	hubiereis	distinguido
distinguir-emos	habremos	distinguido	distingu-ieren	hubieren	distinguido
distinguir-éis	habréis	distinguido			
distinguir-án	habrán	distinguido			

IMPERATIVO

distingu-e(tú)   distingu-id(vosotros)
disting-a(usted)   disting-an(ustedes)

Cond. Simple	Cond. Compuesto	
distinguir-ía	habría	distinguido
distinguir-ías	habrías	distinguido
distinguir-ía	habría	distinguido
distinguir-íamos	habríamos	distinguido
distinguir-íais	habríais	distinguido
distinguir-ían	habrían	distinguido

FORMAS NO PERSONALES

Infinitivo: distinguir
Gerundio: distingu-iendo
Participio: distingu-ido
Infinitivo Comp.: haber distinguido
Gerundio Comp.: habiendo distinguido

62. divertir

Presente	Pret. Perfecto		Presente	Pret. Perfecto	
diviert-o	he	divertido	diviert-a	haya	divertido
diviert-es	has	divertido	diviert-as	hayas	divertido
diviert-e	ha	divertido	diviert-a	haya	divertido
divert-imos	hemos	divertido	divirt-amos	hayamos	divertido
divert-ís	habéis	divertido	divirt-áis	hayáis	divertido
diviert-en	han	divertido	diviert-an	hayan	divertido

Pret. Imperfecto	Pret. Pluscuamp.		Pret. Imperfecto	Pret. Pluscuamp.	
divert-ía	había	divertido	divirt-iera	hubiera	divertido
divert-ías	habías	divertido	divirt-ieras	hubieras	divertido
divert-ía	había	divertido	divirt-iera	hubiera	divertido
divert-íamos	habíamos	divertido	divirt-iéramos	hubiéramos	divertido
divert-íais	habíais	divertido	divirt-ierais	hubierais	divertido
divert-ían	habían	divertido	divirt-ieran	hubieran	divertido

Pret. Indefinido	Pret. Anterior				
			divirt-iese	hubiese	divertido
			divirt-ieses	hubieses	divertido
divert-í	hube	divertido	divirt-iese	hubiese	divertido
divert-iste	hubiste	divertido	divirt-iésemos	hubiésemos	divertido
divirt-ió	hubo	divertido	divirt-ieseis	hubieseis	divertido
divert-imos	hubimos	divertido	divirt-iesen	hubiesen	divertido
divert-isteis	hubisteis	divertido			
divirt-ieron	hubieron	divertido			

Futuro Simple	Futuro Compuesto		Futuro Simple	Futuro Compuesto	
divertir-é	habré	divertido	divirt-iere	hubiere	divertido
divertir-ás	habrás	divertido	divirt-ieres	hubieres	divertido
divertir-á	habrá	divertido	divirt-iere	hubiere	divertido
divertir-emos	habremos	divertido	divirt-iéremos	hubiéremos	divertido
divertir-éis	habréis	divertido	divirt-iereis	hubiereis	divertido
divertir-án	habrán	divertido	divirt-ieren	hubieren	divertido

Cond. Simple	Cond. Compuesto	
divertir-ía	habría	divertido
divertir-ías	habrías	divertido
divertir-ía	habría	divertido
divertir-íamos	habríamos	divertido
divertir-íais	habríais	divertido
divertir-ían	habrían	divertido

IMPERATIVO

diviert-e(tú)	divert-id(vosotros)
diviert-a(usted)	diviert-an(ustedes)

FORMAS NO PERSONALES

Infinitivo:	divertir
Gerundio:	divirt-iendo
Participio:	divert-ido
Infinitivo Comp.:	haber divertido
Gerundio Comp.:	habiendo divertido

63. doler

INDICATIVO			SUBJUNTIVO		
Presente	**Pret. Perfecto**		**Presente**	**Pret. Perfecto**	
duel-o	he	dolido	duel-a	haya	dolido
duel-es	has	dolido	duel-as	hayas	dolido
duel-e	ha	dolido	duel-a	haya	dolido
dol-emos	hemos	dolido	dol-amos	hayamos	dolido
dol-éis	habéis	dolido	dol-áis	hayáis	dolido
duel-en	han	dolido	duel-an	hayan	dolido
Pret. Imperfecto	**Pret. Pluscuamp.**		**Pret. Imperfecto**	**Pret. Pluscuamp.**	
dol-ía	había	dolido	dol-iera	hubiera	dolido
dol-ías	habías	dolido	dol-ieras	hubieras	dolido
dol-ía	había	dolido	dol-iera	hubiera	dolido
dol-íamos	habíamos	dolido	dol-iéramos	hubiéramos	dolido
dol-íais	habíais	dolido	dol-ierais	hubierais	dolido
dol-ían	habían	dolido	dol-ieran	hubieran	dolido
Pret. Indefinido	**Pret. Anterior**		dol-iese	hubiese	dolido
			dol-ieses	hubieses	dolido
dol-í	hube	dolido	dol-iese	hubiese	dolido
dol-iste	hubiste	dolido	dol-iésemos	hubiésemos	dolido
dol-ió	hubo	dolido	dol-ieseis	hubieseis	dolido
dol-imos	hubimos	dolido	dol-iesen	hubiesen	dolido
dol-isteis	hubisteis	dolido			
dol-ieron	hubieron	dolido	**Futuro Simple**	**Futuro Compuesto**	
Futuro Simple	**Futuro Compuesto**		dol-iere	hubiere	dolido
			dol-ieres	hubieres	dolido
doler-é	habré	dolido	dol-iere	hubiere	dolido
doler-ás	habrás	dolido	dol-iéremos	hubiéremos	dolido
doler-á	habrá	dolido	dol-iereis	hubiereis	dolido
doler-emos	habremos	dolido	dol-ieren	hubieren	dolido
doler-éis	habréis	dolido			
doler-án	habrán	dolido			

<table>
<tr><td colspan="3">Cond. Simple   Cond. Compuesto</td></tr>
</table>

Cond. Simple	Cond. Compuesto	
doler-ía	habría	dolido
doler-ías	habrías	dolido
doler-ía	habría	dolido
doler-íamos	habríamos	dolido
doler-íais	habríais	dolido
doler-ían	habrían	dolido

IMPERATIVO

duel-e(tú) dol-ed(vosotros)
duel-a(usted) duel-an(ustedes)

FORMAS NO PERSONALES

Infinitivo: doler
Gerundio: dol-iendo
Participio: dol-ido
Infinitivo Comp.: haber dolido
Gerundio Comp.: habiendo dolido

64. dormir

INDICATIVO		SUBJUNTIVO	

Presente	**Pret. Perfecto**	**Presente**	**Pret. Perfecto**
duerm-o	he dormido	duerm-a	haya dormido
duerm-es	has dormido	duerm-as	hayas dormido
duerm-e	ha dormido	duerm-a	haya dormido
dorm-imos	hemos dormido	durm-amos	hayamos dormido
dorm-ís	habéis dormido	durm-áis	hayáis dormido
duerm-en	han dormido	duerm-an	hayan dormido

Pret. Imperfecto	**Pret. Pluscuamp.**	**Pret. Imperfecto**	**Pret. Pluscuamp.**
dorm-ía	había dormido	durm-iera	hubiera dormido
dorm-ías	habías dormido	durm-ieras	hubieras dormido
dorm-ía	había dormido	durm-iera	hubiera dormido
dorm-íamos	habíamos dormido	durm-iéramos	hubiéramos dormido
dorm-íais	habíais dormido	durm-ierais	hubierais dormido
dorm-ían	habían dormido	durm-ieran	hubieran dormido

Pret. Indefinido	**Pret. Anterior**		
		durm-iese	hubiese dormido
		durm-ieses	hubieses dormido
dorm-í	hube dormido	durm-iese	hubiese dormido
dorm-iste	hubiste dormido	durm-iésemos	hubiésemos dormido
durm-ió	hubo dormido	durm-ieseis	hubieseis dormido
dorm-imos	hubimos dormido	durm-iesen	hubiesen dormido
dorm-isteis	hubisteis dormido		
durm-ieron	hubieron dormido	**Futuro Simple**	**Futuro Compuesto**

Futuro Simple	**Futuro Compuesto**		
		durm-iere	hubiere dormido
		durm-ieres	hubieres dormido
dormir-é	habré dormido	durm-iere	hubiere dormido
dormir-ás	habrás dormido	durm-iéremos	hubiéremos dormido
dormir-á	habrá dormido	durm-iereis	hubiereis dormido
dormir-emos	habremos dormido	durm-ieren	hubieren dormido
dormir-éis	habréis dormido		
dormir-án	habrán dormido		

IMPERATIVO

duerm-e(tú)   dorm-id(vosotros)
duerm-a(usted)   duerm-an(ustedes)

Cond. Simple	**Cond. Compuesto**
dormir-ía	habría dormido
dormir-ías	habrías dormido
dormir-ía	habría dormido
dormir-íamos	habríamos dormido
dormir-íais	habríais dormido
dormir-ían	habrían dormido

FORMAS NO PERSONALES

Infinitivo: dormir
Gerundio: durm-iendo
Participio: dorm-ido
Infinitivo Comp.:   haber dormido
Gerundio Comp.:   habiendo dormido

65. elegir

INDICATIVO				SUBJUNTIVO		
Presente	**Pret. Perfecto**			**Presente**	**Pret. Perfecto**	
elij-o	he	elegido		elij-a	haya	elegido
elig-es	has	elegido		elij-as	hayas	elegido
elig-e	ha	elegido		elij-a	haya	elegido
eleg-imos	hemos	elegido		elij-amos	hayamos	elegido
eleg-ís	habéis	elegido		elij-áis	hayáis	elegido
elig-en	han	elegido		elij-an	hayan	elegido
Pret. Imperfecto	**Pret. Pluscuamp.**			**Pret. Imperfecto**	**Pret. Pluscuamp.**	
eleg-ía	había	elegido		elig-iera	hubiera	elegido
eleg-ías	habías	elegido		elig-ieras	hubieras	elegido
eleg-ía	había	elegido		elig-iera	hubiera	elegido
eleg-íamos	habíamos	elegido		elig-iéramos	hubiéramos	elegido
eleg-íais	habíais	elegido		elig-ierais	hubierais	elegido
eleg-ían	habían	elegido		elig-ieran	hubieran	elegido
Pret. Indefinido	**Pret. Anterior**			elig-iese	hubiese	elegido
				elig-ieses	hubieses	elegido
eleg-í	hube	elegido		elig-iese	hubiese	elegido
eleg-iste	hubiste	elegido		elig-iésemos	hubiésemos	elegido
elig-ió	hubo	elegido		elig-ieseis	hubieseis	elegido
eleg-imos	hubimos	elegido		elig-iesen	hubiesen	elegido
eleg-isteis	hubisteis	elegido				
elig-ieron	hubieron	elegido		**Futuro Simple**	**Futuro Compuesto**	
Futuro Simple	**Futuro Compuesto**			elig-iere	hubiere	elegido
				elig-ieres	hubieres	elegido
elegir-é	habré	elegido		elig-iere	hubiere	elegido
elegir-ás	habrás	elegido		elig-iéremos	hubiéremos	elegido
elegir-á	habrá	elegido		elig-iereis	hubiereis	elegido
elegir-emos	habremos	elegido		elig-ieren	hubieren	elegido
elegir-éis	habréis	elegido				
elegir-án	habrán	elegido				

IMPERATIVO

Cond. Simple	**Cond. Compuesto**		elig-e(tú)	eleg-id(vosotros)
			elij-a(usted)	elij-an(ustedes)

FORMAS NO PERSONALES

elegir-ía	habría	elegido
elegir-ías	habrías	elegido
elegir-ía	habría	elegido
elegir-íamos	habríamos	elegido
elegir-íais	habríais	elegido
elegir-ían	habrían	elegido

Infinitivo: elegir
Gerundio: elig-iendo
Participio: eleg-ido
Infinitivo Comp.: haber elegido
Gerundio Comp.: habiendo elegido

66. empezar

<table>
<tr><th colspan="2" align="center">INDICATIVO</th><th colspan="2" align="center">SUBJUNTIVO</th></tr>
<tr><th>Presente</th><th>Pret. Perfecto</th><th>Presente</th><th>Pret. Perfecto</th></tr>
<tr><td>empiez-o</td><td>he empezado</td><td>empiec-e</td><td>haya empezado</td></tr>
<tr><td>empiez-as</td><td>has empezado</td><td>empiec-es</td><td>hayas empezado</td></tr>
<tr><td>empiez-a</td><td>ha empezado</td><td>empiec-e</td><td>haya empezado</td></tr>
<tr><td>empez-amos</td><td>hemos empezado</td><td>empec-emos</td><td>hayamos empezado</td></tr>
<tr><td>empez-áis</td><td>habéis empezado</td><td>empec-éis</td><td>hayáis empezado</td></tr>
<tr><td>empiez-an</td><td>han empezado</td><td>empiec-en</td><td>hayan empezado</td></tr>
<tr><th>Pret. Imperfecto</th><th>Pret. Pluscuamp.</th><th>Pret. Imperfecto</th><th>Pret. Pluscuamp.</th></tr>
<tr><td>empez-aba</td><td>había empezado</td><td>empez-ara</td><td>hubiera empezado</td></tr>
<tr><td>empez-abas</td><td>habías empezado</td><td>empez-aras</td><td>hubieras empezado</td></tr>
<tr><td>empez-aba</td><td>había empezado</td><td>empez-ara</td><td>hubiera empezado</td></tr>
<tr><td>empez-ábamos</td><td>habíamos empezado</td><td>empez-áramos</td><td>hubiéramos empezado</td></tr>
<tr><td>empez-abais</td><td>habíais empezado</td><td>empez-arais</td><td>hubierais empezado</td></tr>
<tr><td>empez-aban</td><td>habían empezado</td><td>empez-aran</td><td>hubieran empezado</td></tr>
<tr><th>Pret. Indefinido</th><th>Pret. Anterior</th><td>empez-ase</td><td>hubiese empezado</td></tr>
<tr><td></td><td></td><td>empez-ases</td><td>hubieses empezado</td></tr>
<tr><td>empec-é</td><td>hube empezado</td><td>empez-ase</td><td>hubiese empezado</td></tr>
<tr><td>empez-aste</td><td>hubiste empezado</td><td>empez-ásemos</td><td>hubiésemos empezado</td></tr>
<tr><td>empez-ó</td><td>hubo empezado</td><td>empez-aseis</td><td>hubieseis empezado</td></tr>
<tr><td>empez-amos</td><td>hubimos empezado</td><td>empez-asen</td><td>hubiesen empezado</td></tr>
<tr><td>empez-asteis</td><td>hubisteis empezado</td><td></td><td></td></tr>
<tr><td>empez-aron</td><td>hubieron empezado</td><th>Futuro Simple</th><th>Futuro Compuesto</th></tr>
<tr><th>Futuro Simple</th><th>Futuro Compuesto</th><td>empez-are</td><td>hubiere empezado</td></tr>
<tr><td></td><td></td><td>empez-ares</td><td>hubieres empezado</td></tr>
<tr><td>empezar-é</td><td>habré empezado</td><td>empez-are</td><td>hubiere empezado</td></tr>
<tr><td>empezar-ás</td><td>habrás empezado</td><td>empez-áremos</td><td>hubiéremos empezado</td></tr>
<tr><td>empezar-á</td><td>habrá empezado</td><td>empez-areis</td><td>hubiereis empezado</td></tr>
<tr><td>empezar-emos</td><td>habremos empezado</td><td>empez-aren</td><td>hubieren empezado</td></tr>
<tr><td>empezar-éis</td><td>habréis empezado</td><td></td><td></td></tr>
<tr><td>empezar-án</td><td>habrán empezado</td><td></td><td></td></tr>
</table>

IMPERATIVO	
empiez-a(tú)	empez-ad(vosotros)
empiec-e(usted)	empiec-en(ustedes)

Cond. Simple	Cond. Compuesto
empezar-ía	habría empezado
empezar-ías	habrías empezado
empezar-ía	habría empezado
empezar-íamos	habríamos empezado
empezar-íais	habríais empezado
empezar-ían	habrían empezado

FORMAS NO PERSONALES

Infinitivo: empezar
Gerundio: empez-ando
Participio: empez-ado
Infinitivo Comp.: haber empezado
Gerundio Comp.: habiendo empezado

67. encender

Presente	Pret. Perfecto		Presente	Pret. Perfecto	
enciend-o	he	encendido	enciend-a	haya	encendido
enciend-es	has	encendido	enciend-as	hayas	encendido
enciend-e	ha	encendido	enciend-a	haya	encendido
encend-emos	hemos	encendido	encend-amos	hayamos	encendido
encend-éis	habéis	encendido	encend-áis	hayáis	encendido
enciend-en	han	encendido	enciend-an	hayan	encendido

Pret. Imperfecto	Pret. Pluscuamp.		Pret. Imperfecto	Pret. Pluscuamp.	
encend-ía	había	encendido	encend-iera	hubiera	encendido
encend-ías	habías	encendido	encend-ieras	hubieras	encendido
encend-ía	había	encendido	encend-iera	hubiera	encendido
encend-íamos	habíamos	encendido	encend-iéramos	hubiéramos	encendido
encend-íais	habíais	encendido	encend-ierais	hubierais	encendido
encend-ían	habían	encendido	encend-ieran	hubieran	encendido

Pret. Indefinido	Pret. Anterior		encend-iese	hubiese	encendido
			encend-ieses	hubieses	encendido
encend-í	hube	encendido	encend-iese	hubiese	encendido
encend-iste	hubiste	encendido	encend-iésemos	hubiésemos	encendido
encend-ió	hubo	encendido	encend-ieseis	hubieseis	encendido
encend-imos	hubimos	encendido	encend-iesen	hubiesen	encendido
encend-isteis	hubisteis	encendido			
encend-ieron	hubieron	encendido	**Futuro Simple**	**Futuro Compuesto**	

Futuro Simple	Futuro Compuesto		encend-iere	hubiere	encendido
			encend-ieres	hubieres	encendido
encender-é	habré	encendido	encend-iere	hubiere	encendido
encender-ás	habrás	encendido	encend-iéremos	hubiéremos	encendido
encender-á	habrá	encendido	encend-iereis	hubiereis	encendido
encender-emos	habremos	encendido	encend-ieren	hubieren	encendido
encender-éis	habréis	encendido			
encender-án	habrán	encendido			

enciend-e(tú) encend-ed(vosotros)
enciend-a(usted) enciend-an(ustedes)

Cond. Simple	Cond. Compuesto	
encender-ía	habría	encendido
encender-ías	habrías	encendido
encender-ía	habría	encendido
encender-íamos	habríamos	encendido
encender-íais	habríais	encendido
encender-ían	habrían	encendido

Infinitivo: encender
Gerundio: encend-iendo
Participio: encend-ido
Infinitivo Comp.: haber encendido
Gerundio Comp.: habiendo encendido

68. encontrar

INDICATIVO		SUBJUNTIVO	

INDICATIVO

Presente	Pret. Perfecto		Presente	Pret. Perfecto	
encuentr-o	he	encontrado	encuentr-e	haya	encontrado
encuentr-as	has	encontrado	encuentr-es	hayas	encontrado
encuentr-a	ha	encontrado	encuentr-e	haya	encontrado
encontr-amos	hemos	encontrado	encontr-emos	hayamos	encontrado
encontr-áis	habéis	encontrado	encontr-éis	hayáis	encontrado
encuentr-an	han	encontrado	encuentr-en	hayan	encontrado

Pret. Imperfecto	Pret. Pluscuamp.		Pret. Imperfecto	Pret. Pluscuamp.	
encontr-aba	había	encontrado	encontr-ara	hubiera	encontrado
encontr-abas	habías	encontrado	encontr-aras	hubieras	encontrado
encontr-aba	había	encontrado	encontr-ara	hubiera	encontrado
encontr-ábamos	habíamos	encontrado	encontr-áramos	hubiéramos	encontrado
encontr-abais	habíais	encontrado	encontr-arais	hubierais	encontrado
encontr-aban	habían	encontrado	encontr-aran	hubieran	encontrado

Pret. Indefinido	Pret. Anterior				
			encontr-ase	hubiese	encontrado
			encontr-ases	hubieses	encontrado
encontr-é	hube	encontrado	encontr-ase	hubiese	encontrado
encontr-aste	hubiste	encontrado	encontr-ásemos	hubiésemos	encontrado
encontr-ó	hubo	encontrado	encontr-aseis	hubieseis	encontrado
encontr-amos	hubimos	encontrado	encontr-asen	hubiesen	encontrado
encontr-asteis	hubisteis	encontrado			
encontr-aron	hubieron	encontrado	Futuro Simple	Futuro Compuesto	

Futuro Simple	Futuro Compuesto				
			encontr-are	hubiere	encontrado
			encontr-ares	hubieres	encontrado
encontrar-é	habré	encontrado	encontr-are	hubiere	encontrado
encontrar-ás	habrás	encontrado	encontr-áremos	hubiéremos	encontrado
encontrar-á	habrá	encontrado	encontr-areis	hubiereis	encontrado
encontrar-emos	habremos	encontrado	encontr-aren	hubieren	encontrado
encontrar-éis	habréis	encontrado			
encontrar-án	habrán	encontrado			

IMPERATIVO

encuentr-a(tú)   encontr-ad(vosotros)
encuentr-e(usted)   encuentr-en(ustedes)

Cond. Simple	Cond. Compuesto	
encontrar-ía	habría	encontrado
encontrar-ías	habrías	encontrado
encontrar-ía	habría	encontrado
encontrar-íamos	habríamos	encontrado
encontrar-íais	habríais	encontrado
encontrar-ían	habrían	encontrado

FORMAS NO PERSONALES

Infinitivo: encontrar
Gerundio: encontr-ando
Participio: encontr-ado
Infinitivo Comp.: haber encontrado
Gerundio Comp.: habiendo encontrado

69. enfriar

INDICATIVO			SUBJUNTIVO		

INDICATIVO

Presente	Pret. Perfecto	
enfrí-o	he	enfriado
enfrí-as	has	enfriado
enfrí-a	ha	enfriado
enfri-amos	hemos	enfriado
enfri-áis	habéis	enfriado
enfrí-an	han	enfriado

Pret. Imperfecto	Pret. Pluscuamp.	
enfri-aba	había	enfriado
enfri-abas	habías	enfriado
enfri-aba	había	enfriado
enfri-ábamos	habíamos	enfriado
enfri-abais	habíais	enfriado
enfri-aban	habían	enfriado

Pret. Indefinido	Pret. Anterior	
enfri-é	hube	enfriado
enfri-aste	hubiste	enfriado
enfri-ó	hubo	enfriado
enfri-amos	hubimos	enfriado
enfri-asteis	hubisteis	enfriado
enfri-aron	hubieron	enfriado

Futuro Simple	Futuro Compuesto	
enfriar-é	habré	enfriado
enfriar-ás	habrás	enfriado
enfriar-á	habrá	enfriado
enfriar-emos	habremos	enfriado
enfriar-éis	habréis	enfriado
enfriar-án	habrán	enfriado

Cond. Simple	Cond. Compuesto	
enfriar-ía	habría	enfriado
enfriar-ías	habrías	enfriado
enfriar-ía	habría	enfriado
enfriar-íamos	habríamos	enfriado
enfriar-íais	habríais	enfriado
enfriar-ían	habrían	enfriado

SUBJUNTIVO

Presente	Pret. Perfecto	
enfrí-e	haya	enfriado
enfrí-es	hayas	enfriado
enfrí-e	haya	enfriado
enfri-emos	hayamos	enfriado
enfri-éis	hayáis	enfriado
enfrí-en	hayan	enfriado

Pret. Imperfecto	Pret. Pluscuamp.	
enfri-ara	hubiera	enfriado
enfri-aras	hubieras	enfriado
enfri-ara	hubiera	enfriado
enfri-áramos	hubiéramos	enfriado
enfri-arais	hubierais	enfriado
enfri-aran	hubieran	enfriado
enfri-ase	hubiese	enfriado
enfri-ases	hubieses	enfriado
enfri-ase	hubiese	enfriado
enfri-ásemos	hubiésemos	enfriado
enfri-aseis	hubieseis	enfriado
enfri-asen	hubiesen	enfriado

Futuro Simple	Futuro Compuesto	
enfri-are	hubiere	enfriado
enfri-ares	hubieres	enfriado
enfri-are	hubiere	enfriado
enfri-áremos	hubiéremos	enfriado
enfri-areis	hubiereis	enfriado
enfri-aren	hubieren	enfriado

IMPERATIVO

enfrí-a(tú)	enfri-ad(vosotros)
enfrí-e(usted)	enfrí-en(ustedes)

FORMAS NO PERSONALES

Infinitivo:	enfriar
Gerundio:	enfri-ando
Participio:	enfri-ado
Infinitivo Comp.:	haber enfriado
Gerundio Comp.:	habiendo enfriado

70. entender

INDICATIVO

Presente
entiend-o
entiend-es
entiend-e
entend-emos
entend-éis
entiend-en

Pret. Perfecto
he   entendido
has   entendido
ha   entendido
hemos   entendido
habéis   entendido
han   entendido

Pret. Imperfecto
entend-ía
entend-ías
entend-ía
entend-íamos
entend-íais
entend-ían

Pret. Pluscuamp.
había   entendido
habías   entendido
había   entendido
habíamos   entendido
habíais   entendido
habían   entendido

Pret. Indefinido
entend-í
entend-iste
entend-ió
entend-imos
entend-isteis
entend-ieron

Pret. Anterior
hube   entendido
hubiste   entendido
hubo   entendido
hubimos   entendido
hubisteis   entendido
hubieron   entendido

Futuro Simple
entender-é
entender-ás
entender-á
entender-emos
entender-éis
entender-án

Futuro Compuesto
habré   entendido
habrás   entendido
habrá   entendido
habremos   entendido
habréis   entendido
habrán   entendido

Cond. Simple
entender-ía
entender-ías
entender-ía
entender-íamos
entender-íais
entender-ían

Cond. Compuesto
habría   entendido
habrías   entendido
habría   entendido
habríamos   entendido
habríais   entendido
habrían   entendido

SUBJUNTIVO

Presente
entiend-a
entiend-as
entiend-a
entend-amos
entend-áis
entiend-an

Pret. Perfecto
haya   entendido
hayas   entendido
haya   entendido
hayamos   entendido
hayáis   entendido
hayan   entendido

Pret. Imperfecto
entend-iera
entend-ieras
entend-iera
entend-iéramos
entend-ierais
entend-ieran

entend-iese
entend-ieses
entend-iese
entend-iésemos
entend-ieseis
entend-iesen

Pret. Pluscuamp.
hubiera   entendido
hubieras   entendido
hubiera   entendido
hubiéramos   entendido
hubierais   entendido
hubieran   entendido

hubiese   entendido
hubieses   entendido
hubiese   entendido
hubiésemos   entendido
hubieseis   entendido
hubiesen   entendido

Futuro Simple
entend-iere
entend-ieres
entend-iere
entend-iéremos
entend-iereis
entend-ieren

Futuro Compuesto
hubiere   entendido
hubieres   entendido
hubiere   entendido
hubiéremos   entendido
hubiereis   entendido
hubieren   entendido

IMPERATIVO

entiend-e(tú)   entend-ed(vosotros)
entiend-a(usted)   entiend-an(ustedes)

FORMAS NO PERSONALES

Infinitivo: entender
Gerundio: entend-iendo
Participio: entend-ido
Infinitivo Comp.:   haber entendido
Gerundio Comp.:   habiendo entendido

71. enviar

INDICATIVO			SUBJUNTIVO		
Presente	**Pret. Perfecto**		**Presente**	**Pret. Perfecto**	
enví-o	he	enviado	enví-e	haya	enviado
enví-as	has	enviado	enví-es	hayas	enviado
enví-a	ha	enviado	enví-e	haya	enviado
envi-amos	hemos	enviado	envi-emos	hayamos	enviado
envi-áis	habéis	enviado	envi-éis	hayáis	enviado
enví-an	han	enviado	enví-en	hayan	enviado
Pret. Imperfecto	**Pret. Pluscuamp.**		**Pret. Imperfecto**	**Pret. Pluscuamp.**	
envi-aba	había	enviado	envi-ara	hubiera	enviado
envi-abas	habías	enviado	envi-aras	hubieras	enviado
envi-aba	había	enviado	envi-ara	hubiera	enviado
envi-ábamos	habíamos	enviado	envi-áramos	hubiéramos	enviado
envi-abais	habíais	enviado	envi-arais	hubierais	enviado
envi-aban	habían	enviado	envi-aran	hubieran	enviado
Pret. Indefinido	**Pret. Anterior**		envi-ase	hubiese	enviado
			envi-ases	hubieses	enviado
envi-é	hube	enviado	envi-ase	hubiese	enviado
envi-aste	hubiste	enviado	envi-ásemos	hubiésemos	enviado
envi-ó	hubo	enviado	envi-aseis	hubieseis	enviado
envi-amos	hubimos	enviado	envi-asen	hubiesen	enviado
envi-asteis	hubisteis	enviado	**Futuro Simple**	**Futuro Compuesto**	
envi-aron	hubieron	enviado			
Futuro Simple	**Futuro Compuesto**		envi-are	hubiere	enviado
			envi-ares	hubieres	enviado
enviar-é	habré	enviado	envi-are	hubiere	enviado
enviar-ás	habrás	enviado	envi-áremos	hubiéremos	enviado
enviar-á	habrá	enviado	envi-areis	hubiereis	enviado
enviar-emos	habremos	enviado	envi-aren	hubieren	enviado
enviar-éis	habréis	enviado			
enviar-án	habrán	enviado			

IMPERATIVO	
enví-a(tú)	envi-ad(vosotros)
enví-e(usted)	enví-en(ustedes)

Cond. Simple — **Cond. Compuesto**

enviar-ía	habría	enviado
enviar-ías	habrías	enviado
enviar-ía	habría	enviado
enviar-íamos	habríamos	enviado
enviar-íais	habríais	enviado
enviar-ían	habrían	enviado

FORMAS NO PERSONALES

Infinitivo:	enviar
Gerundio:	envi-ando
Participio:	envi-ado
Infinitivo Comp.:	haber enviado
Gerundio Comp.:	habiendo enviado

72. erguir

INDICATIVO		SUBJUNTIVO	

INDICATIVO

Presente / **Pret. Perfecto**

Presente	Pret. Perfecto	
irg-o/yerg-o	he	erguido
irgu-es/yergu-es	has	erguido
irgu-e/yergu-e	ha	erguido
ergu-imos	hemos	erguido
ergu-ís	habéis	erguido
irgu-en/yergu-en	han	erguido

Pret. Imperfecto / **Pret. Pluscuamp.**

Pret. Imperfecto	Pret. Pluscuamp.	
ergu-ía	había	erguido
ergu-ías	habías	erguido
ergu-ía	había	erguido
ergu-íamos	habíamos	erguido
ergu-íais	habíais	erguido
ergu-ían	habían	erguido

Pret. Indefinido / **Pret. Anterior**

Pret. Indefinido	Pret. Anterior	
ergu-í	hube	erguido
ergu-iste	hubiste	erguido
irgu-ió	hubo	erguido
ergu-imos	hubimos	erguido
ergu-isteis	hubisteis	erguido
irgu-ieron	hubieron	erguido

Futuro Simple / **Futuro Compuesto**

Futuro Simple	Futuro Compuesto	
erguir-é	habré	erguido
erguir-ás	habrás	erguido
erguir-á	habrá	erguido
erguir-emos	habremos	erguido
erguir-éis	habréis	erguido
erguir-án	habrán	erguido

Cond. Simple / **Cond. Compuesto**

Cond. Simple	Cond. Compuesto	
erguir-ía	habría	erguido
erguir-ías	habrías	erguido
erguir-ía	habría	erguido
erguir-íamos	habríamos	erguido
erguir-íais	habríais	erguido
erguir-ían	habrían	erguido

SUBJUNTIVO

Presente / **Pret. Perfecto**

Presente	Pret. Perfecto	
irg-a/yerg-a	haya	erguido
irg-as/yerg-as	hayas	erguido
irg-a/yerg-a	haya	erguido
irg-amos	hayamos	erguido
irg-áis	hayáis	erguido
irg-an/yerg-an	hayan	erguido

Pret. Imperfecto / **Pret. Pluscuamp.**

Pret. Imperfecto	Pret. Pluscuamp.	
irgu-iera	hubiera	erguido
irgu-ieras	hubieras	erguido
irgu-iera	hubiera	erguido
irgu-iéramos	hubiéramos	erguido
irgu-ierais	hubierais	erguido
irgu-ieran	hubieran	erguido
irgu-iese	hubiese	erguido
irgu-ieses	hubieses	erguido
irgu-iese	hubiese	erguido
irgu-iésemos	hubiésemos	erguido
irgu-ieseis	hubieseis	erguido
irgu-iesen	hubiesen	erguido

Futuro Simple / **Futuro Compuesto**

Futuro Simple	Futuro Compuesto	
irgu-iere	hubiere	erguido
irgu-ieres	hubieres	erguido
irgu-iere	hubiere	erguido
irgu-iéremos	hubiéremos	erguido
irgu-iereis	hubiereis	erguido
irgu-ieren	hubieren	erguido

IMPERATIVO

irgu-e/yergu-e(tú)   ergu-id(vosotros)
irg-a/yerg-a(usted)   irg-an/yerg-an(ustedes)

FORMAS NO PERSONALES

Infinitivo: erguir
Gerundio: irgu-iendo
Participio: ergu-ido
Infinitivo Comp.: haber erguido
Gerundio Comp.: habiendo erguido

73. errar

INDICATIVO				SUBJUNTIVO		

INDICATIVO

Presente	Pret. Perfecto	
yerr-o	he	errado
yerr-as	has	errado
yerr-a	ha	errado
err-amos	hemos	errado
err-áis	habéis	errado
yerr-an	han	errado

Pret. Imperfecto	Pret. Pluscuamp.	
err-aba	había	errado
err-abas	habías	errado
err-aba	había	errado
err-ábamos	habíamos	errado
err-abais	habíais	errado
err-aban	habían	errado

Pret. Indefinido	Pret. Anterior	
err-é	hube	errado
err-aste	hubiste	errado
err-ó	hubo	errado
err-amos	hubimos	errado
err-asteis	hubisteis	errado
err-aron	hubieron	errado

Futuro Simple	Futuro Compuesto	
errar-é	habré	errado
errar-ás	habrás	errado
errar-á	habrá	errado
errar-emos	habremos	errado
errar-éis	habréis	errado
errar-án	habrán	errado

Cond. Simple	Cond. Compuesto	
errar-ía	habría	errado
errar-ías	habrías	errado
errar-ía	habría	errado
errar-íamos	habríamos	errado
errar-íais	habríais	errado
errar-ían	habrían	errado

SUBJUNTIVO

Presente	Pret. Perfecto	
yerr-e	haya	errado
yerr-es	hayas	errado
yerr-e	haya	errado
err-emos	hayamos	errado
err-éis	hayáis	errado
yerr-en	hayan	errado

Pret. Imperfecto	Pret. Pluscuamp.	
err-ara	hubiera	errado
err-aras	hubieras	errado
err-ara	hubiera	errado
err-áramos	hubiéramos	errado
err-arais	hubierais	errado
err-aran	hubieran	errado
err-ase	hubiese	errado
err-ases	hubieses	errado
err-ase	hubiese	errado
err-ásemos	hubiésemos	errado
err-aseis	hubieseis	errado
err-asen	hubiesen	errado

Futuro Simple	Futuro Compuesto	
err-are	hubiere	errado
err-ares	hubieres	errado
err-are	hubiere	errado
err-áremos	hubiéremos	errado
err-areis	hubiereis	errado
err-aren	hubieren	errado

IMPERATIVO

yerr-a(tú)	err-ad(vosotros)
yerr-e(usted)	yerr-en(ustedes)

FORMAS NO PERSONALES

Infinitivo: errar
Gerundio: err-ando
Participio: err-ado
Infinitivo Comp.: haber errado
Gerundio Comp.: habiendo errado

74. esparcir

INDICATIVO			SUBJUNTIVO		
Presente	**Pret. Perfecto**		**Presente**	**Pret. Perfecto**	
esparz-o	he	esparcido	esparz-a	haya	esparcido
esparc-es	has	esparcido	esparz-as	hayas	esparcido
esparc-e	ha	esparcido	esparz-a	haya	esparcido
esparc-imos	hemos	esparcido	esparz-amos	hayamos	esparcido
esparc-ís	habéis	esparcido	esparz-áis	hayáis	esparcido
esparc-en	han	esparcido	esparz-an	hayan	esparcido
Pret. Imperfecto	**Pret. Pluscuamp.**		**Pret. Imperfecto**	**Pret. Pluscuamp.**	
esparc-ía	había	esparcido	esparc-iera	hubiera	esparcido
esparc-ías	habías	esparcido	esparc-ieras	hubieras	esparcido
esparc-ía	había	esparcido	esparc-iera	hubiera	esparcido
esparc-íamos	habíamos	esparcido	esparc-iéramos	hubiéramos	esparcido
esparc-íais	habíais	esparcido	esparc-ierais	hubierais	esparcido
esparc-ían	habían	esparcido	esparc-ieran	hubieran	esparcido
Pret. Indefinido	**Pret. Anterior**		esparc-iese	hubiese	esparcido
			esparc-ieses	hubieses	esparcido
esparc-í	hube	esparcido	esparc-iese	hubiese	esparcido
esparc-iste	hubiste	esparcido	esparc-iésemos	hubiésemos	esparcido
esparc-ió	hubo	esparcido	esparc-ieseis	hubieseis	esparcido
esparc-imos	hubimos	esparcido	esparc-iesen	hubiesen	esparcido
esparc-isteis	hubisteis	esparcido			
esparc-ieron	hubieron	esparcido	**Futuro Simple**	**Futuro Compuesto**	
Futuro Simple	**Futuro Compuesto**		esparc-iere	hubiere	esparcido
			esparc-ieres	hubieres	esparcido
esparcir-é	habré	esparcido	esparc-iere	hubiere	esparcido
esparcir-ás	habrás	esparcido	esparc-iéremos	hubiéremos	esparcido
esparcir-á	habrá	esparcido	esparc-iereis	hubiereis	esparcido
esparcir-emos	habremos	esparcido	esparc-ieren	hubieren	esparcido
esparcir-éis	habréis	esparcido			
esparcir-án	habrán	esparcido			

	IMPERATIVO	
Cond. Simple	**Cond. Compuesto**	
			esparc-e(tú)	esparc-id(vosotros)
			esparz-a(usted)	esparz-an(ustedes)

Cond. Simple	**Cond. Compuesto**	
esparcir-ía	habría	esparcido
esparcir-ías	habrías	esparcido
esparcir-ía	habría	esparcido
esparcir-íamos	habríamos	esparcido
esparcir-íais	habríais	esparcido
esparcir-ían	habrían	esparcido

IMPERATIVO

esparc-e(tú)   esparc-id(vosotros)
esparz-a(usted)   esparz-an(ustedes)

FORMAS NO PERSONALES

Infinitivo: esparcir
Gerundio: esparc-iendo
Participio: esparc-ido
Infinitivo Comp.: haber esparcido
Gerundio Comp.: habiendo esparcido

75. excluir

	INDICATIVO			SUBJUNTIVO	

Presente   **Pret. Perfecto**   **Presente**   **Pret. Perfecto**

Presente	Pret. Perfecto		Presente	Pret. Perfecto	
excluy-o	he	excluido	excluy-a	haya	excluido
excluy-es	has	excluido	excluy-as	hayas	excluido
excluy-e	ha	excluido	excluy-a	haya	excluido
exclu-imos	hemos	excluido	excluy-amos	hayamos	excluido
exclu-ís	habéis	excluido	excluy-áis	hayáis	excluido
excluy-en	han	excluido	excluy-an	hayan	excluido

Pret. Imperfecto   **Pret. Pluscuamp.**   **Pret. Imperfecto**   **Pret. Pluscuamp.**

Pret. Imperfecto	Pret. Pluscuamp.		Pret. Imperfecto	Pret. Pluscuamp.	
exclu-ía	había	excluido	excluy-era	hubiera	excluido
exclu-ías	habías	excluido	excluy-eras	hubieras	excluido
exclu-ía	había	excluido	excluy-era	hubiera	excluido
exclu-íamos	habíamos	excluido	excluy-éramos	hubiéramos	excluido
exclu-íais	habíais	excluido	excluy-erais	hubierais	excluido
exclu-ían	habían	excluido	excluy-eran	hubieran	excluido

Pret. Indefinido   **Pret. Anterior**

Pret. Indefinido	Pret. Anterior				
exclu-í	hube	excluido	excluy-ese	hubiese	excluido
exclu-iste	hubiste	excluido	excluy-eses	hubieses	excluido
excluy-ó	hubo	excluido	excluy-ese	hubiese	excluido
exclu-imos	hubimos	excluido	excluy-ésemos	hubiésemos	excluido
exclu-isteis	hubisteis	excluido	excluy-eseis	hubieseis	excluido
excluy-eron	hubieron	excluido	excluy-esen	hubiesen	excluido

Futuro Simple   **Futuro Compuesto**   **Futuro Simple**   **Futuro Compuesto**

Futuro Simple	Futuro Compuesto		Futuro Simple	Futuro Compuesto	
excluir-é	habré	excluido	excluy-ere	hubiere	excluido
excluir-ás	habrás	excluido	excluy-eres	hubieres	excluido
excluir-á	habrá	excluido	excluy-ere	hubiere	excluido
excluir-emos	habremos	excluido	excluy-éremos	hubiéremos	excluido
excluir-éis	habréis	excluido	excluy-ereis	hubiereis	excluido
excluir-án	habrán	excluido	excluy-eren	hubieren	excluido

Cond. Simple   **Cond. Compuesto**

Cond. Simple	Cond. Compuesto	
excluir-ía	habría	excluido
excluir-ías	habrías	excluido
excluir-ía	habría	excluido
excluir-íamos	habríamos	excluido
excluir-íais	habríais	excluido
excluir-ían	habrían	excluido

IMPERATIVO

excluy-e(tú)   exclu-id(vosotros)
excluy-a(usted)   excluy-an(ustedes)

FORMAS NO PERSONALES

Infinitivo: excluir
Gerundio: excluy-endo
Participio: exclu-ido
Infinitivo Comp.:   haber excluido
Gerundio Comp.:   habiendo excluido

76. exigir

INDICATIVO		SUBJUNTIVO	
Presente	**Pret. Perfecto**	**Presente**	**Pret. Perfecto**
exij-o	he exigido	exij-a	haya exigido
exig-es	has exigido	exij-as	hayas exigido
exig-e	ha exigido	exij-a	haya exigido
exig-imos	hemos exigido	exij-amos	hayamos exigido
exig-ís	habéis exigido	exij-áis	hayáis exigido
exig-en	han exigido	exij-an	hayan exigido
Pret. Imperfecto	**Pret. Pluscuamp.**	**Pret. Imperfecto**	**Pret. Pluscuamp.**
exig-ía	había exigido	exig-iera	hubiera exigido
exig-ías	habías exigido	exig-ieras	hubieras exigido
exig-ía	había exigido	exig-iera	hubiera exigido
exig-íamos	habíamos exigido	exig-iéramos	hubiéramos exigido
exig-íais	habíais exigido	exig-ierais	hubierais exigido
exig-ían	habían exigido	exig-ieran	hubieran exigido
Pret. Indefinido	**Pret. Anterior**	exig-iese	hubiese exigido
		exig-ieses	hubieses exigido
exig-í	hube exigido	exig-iese	hubiese exigido
exig-iste	hubiste exigido	exig-iésemos	hubiésemos exigido
exig-ió	hubo exigido	exig-ieseis	hubieseis exigido
exig-imos	hubimos exigido	exig-iesen	hubiesen exigido
exig-isteis	hubisteis exigido	**Futuro Simple**	**Futuro Compuesto**
exig-ieron	hubieron exigido		
Futuro Simple	**Futuro Compuesto**	exig-iere	hubiere exigido
		exig-ieres	hubieres exigido
exigir-é	habré exigido	exig-iere	hubiere exigido
exigir-ás	habrás exigido	exig-iéremos	hubiéremos exigido
exigir-á	habrá exigido	exig-iereis	hubiereis exigido
exigir-emos	habremos exigido	exig-ieren	hubieren exigido
exigir-éis	habréis exigido		
exigir-án	habrán exigido		

IMPERATIVO

exig-e(tú)   exig-id(vosotros)
exij-a(usted)   exij-an(ustedes)

Cond. Simple / Cond. Compuesto

Cond. Simple	**Cond. Compuesto**
exigir-ía	habría exigido
exigir-ías	habrías exigido
exigir-ía	habría exigido
exigir-íamos	habríamos exigido
exigir-íais	habríais exigido
exigir-ían	habrían exigido

FORMAS NO PERSONALES

Infinitivo: exigir
Gerundio: exig-iendo
Participio: exig-ido
Infinitivo Comp.: haber exigido
Gerundio Comp.: habiendo exigido

77. fregar

INDICATIVO

Presente
frieg-o
frieg-as
frieg-a
freg-amos
freg-áis
frieg-an

Pret. Perfecto
he   fregado
has   fregado
ha   fregado
hemos   fregado
habéis   fregado
han   fregado

Pret. Imperfecto
freg-aba
freg-abas
freg-aba
freg-ábamos
freg-abais
freg-aban

Pret. Pluscuamp.
había   fregado
habías   fregado
había   fregado
habíamos   fregado
habíais   fregado
habían   fregado

Pret. Indefinido
fregu-é
freg-aste
freg-ó
freg-amos
freg-asteis
freg-aron

Pret. Anterior
hube   fregado
hubiste   fregado
hubo   fregado
hubimos   fregado
hubisteis   fregado
hubieron   fregado

Futuro Simple
fregar-é
fregar-ás
fregar-á
fregar-emos
fregar-éis
fregar-án

Futuro Compuesto
habré   fregado
habrás   fregado
habrá   fregado
habremos   fregado
habréis   fregado
habrán   fregado

Cond. Simple
fregar-ía
fregar-ías
fregar-ía
fregar-íamos
fregar-íais
fregar-ían

Cond. Compuesto
habría   fregado
habrías   fregado
habría   fregado
habríamos   fregado
habríais   fregado
habrían   fregado

SUBJUNTIVO

Presente
friegu-e
friegu-es
friegu-e
fregu-emos
fregu-éis
friegu-en

Pret. Perfecto
haya   fregado
hayas   fregado
haya   fregado
hayamos   fregado
hayáis   fregado
hayan   fregado

Pret. Imperfecto
freg-ara
freg-aras
freg-ara
freg-áramos
freg-arais
freg-aran

Pret. Pluscuamp.
hubiera   fregado
hubieras   fregado
hubiera   fregado
hubiéramos   fregado
hubierais   fregado
hubieran   fregado

freg-ase
freg-ases
freg-ase
freg-ásemos
freg-aseis
freg-asen

hubiese   fregado
hubieses   fregado
hubiese   fregado
hubiésemos   fregado
hubieseis   fregado
hubiesen   fregado

Futuro Simple
freg-are
freg-ares
freg-are
freg-áremos
freg-areis
freg-aren

Futuro Compuesto
hubiere   fregado
hubieres   fregado
hubiere   fregado
hubiéremos   fregado
hubiereis   fregado
hubieren   fregado

IMPERATIVO
frieg-a(tú)   freg-ad(vosotros)
friegu-e(usted)   friegu-en(ustedes)

FORMAS NO PERSONALES

Infinitivo: fregar
Gerundio: freg-ando
Participio: freg-ado
Infinitivo Comp.:   haber fregado
Gerundio Comp.:   habiendo fregado

78. freir

INDICATIVO			SUBJUNTIVO		
Presente	**Pret. Perfecto**		**Presente**	**Pret. Perfecto**	
frí-o	he	freído	frí-a	haya	freído
frí-es	has	freído	frí-as	hayas	freído
frí-e	ha	freído	frí-a	haya	freído
fre-ímos	hemos	freído	frí-amos	hayamos	freído
fre-ís	habéis	freído	frí-áis	hayáis	freído
frí-en	han	freído	frí-an	hayan	freído
Pret. Imperfecto	**Pret. Pluscuamp.**		**Pret. Imperfecto**	**Pret. Pluscuamp.**	
fre-ía	había	freído	frí-era	hubiera	freído
fre-ías	habías	freído	frí-eras	hubieras	freído
fre-ía	había	freído	frí-era	hubiera	freído
fre-íamos	habíamos	freído	frí-éramos	hubiéramos	freído
fre-íais	habíais	freído	frí-erais	hubierais	freído
fre-ían	habían	freído	frí-eran	hubieran	freído
Pret. Indefinido	**Pret. Anterior**		frí-ese	hubiese	freído
			frí-eses	hubieses	freído
fre-í	hube	freído	frí-ese	hubiese	freído
fre-íste	hubiste	freído	frí-ésemos	hubiésemos	freído
frí-ó	hubo	freído	frí-eseis	hubieseis	freído
fre-ímos	hubimos	freído	frí-esen	hubiesen	freído
fre-ísteis	hubisteis	freído			
frí-eron	hubieron	freído	**Futuro Simple**	**Futuro Compuesto**	
Futuro Simple	**Futuro Compuesto**		frí-ere	hubiere	freído
			frí-eres	hubieres	freído
freir-é	habré	freído	frí-ere	hubiere	freído
freir-ás	habrás	freído	frí-éremos	hubiéremos	freído
freir-á	habrá	freído	frí-ereis	hubiereis	freído
freir-emos	habremos	freído	frí-eren	hubieren	freído
freir-éis	habréis	freído			
freir-án	habrán	freído			

IMPERATIVO

frí-e(tú)	fre-íd(vosotros)
frí-a(usted)	frí-an(ustedes)

INDICATIVO		
Cond. Simple	**Cond. Compuesto**	
freir-ía	habría	freído
freir-ías	habrías	freído
freir-ía	habría	freído
freir-íamos	habríamos	freído
freir-íais	habríais	freído
freir-ían	habrían	freído

FORMAS NO PERSONALES

Infinitivo: freir
Gerundio: frí-endo
Participio: fre-ído/frito
Infinitivo Comp.: haber freído
Gerundio Comp.: habiendo freído

79. gemir

INDICATIVO			SUBJUNTIVO		
Presente	**Pret. Perfecto**		**Presente**	**Pret. Perfecto**	
gim-o	he	gemido	gim-a	haya	gemido
gim-es	has	gemido	gim-as	hayas	gemido
gim-e	ha	gemido	gim-a	haya	gemido
gem-imos	hemos	gemido	gim-amos	hayamos	gemido
gem-ís	habéis	gemido	gim-áis	hayáis	gemido
gim-en	han	gemido	gim-an	hayan	gemido
Pret. Imperfecto	**Pret. Pluscuamp.**		**Pret. Imperfecto**	**Pret. Pluscuamp.**	
gem-ía	había	gemido	gim-iera	hubiera	gemido
gem-ías	habías	gemido	gim-ieras	hubieras	gemido
gem-ía	había	gemido	gim-iera	hubiera	gemido
gem-íamos	habíamos	gemido	gim-iéramos	hubiéramos	gemido
gem-íais	habíais	gemido	gim-ierais	hubierais	gemido
gem-ían	habían	gemido	gim-ieran	hubieran	gemido
Pret. Indefinido	**Pret. Anterior**		gim-iese	hubiese	gemido
			gim-ieses	hubieses	gemido
gem-í	hube	gemido	gim-iese	hubiese	gemido
gem-iste	hubiste	gemido	gim-iésemos	hubiésemos	gemido
gim-ió	hubo	gemido	gim-ieseis	hubieseis	gemido
gem-imos	hubimos	gemido	gim-iesen	hubiesen	gemido
gem-isteis	hubisteis	gemido			
gim-ieron	hubieron	gemido	**Futuro Simple**	**Futuro Compuesto**	
Futuro Simple	**Futuro Compuesto**		gim-iere	hubiere	gemido
			gim-ieres	hubieres	gemido
gemir-é	habré	gemido	gim-iere	hubiere	gemido
gemir-ás	habrás	gemido	gim-iéremos	hubiéremos	gemido
gemir-á	habrá	gemido	gim-iereis	hubiereis	gemido
gemir-emos	habremos	gemido	gim-ieren	hubieren	gemido
gemir-éis	habréis	gemido			
gemir-án	habrán	gemido			

IMPERATIVO

gim-e(tú) gem-id(vosotros)
gim-a(usted) gim-an(ustedes)

Cond. Simple	Cond. Compuesto	
gemir-ía	habría	gemido
gemir-ías	habrías	gemido
gemir-ía	habría	gemido
gemir-íamos	habríamos	gemido
gemir-íais	habríais	gemido
gemir-ían	habrían	gemido

FORMAS NO PERSONALES

Infinitivo: gemir
Gerundio: gim-iendo
Participio: gem-ido
Infinitivo Comp.: haber gemido
Gerundio Comp.: habiendo gemido

80. gobernar

INDICATIVO			SUBJUNTIVO		

INDICATIVO

Presente	Pret. Perfecto		Presente	Pret. Perfecto	
gobiern-o	he	gobernado	gobiern-e	haya	gobernado
gobiern-as	has	gobernado	gobiern-es	hayas	gobernado
gobiern-a	ha	gobernado	gobiern-e	haya	gobernado
gobern-amos	hemos	gobernado	gobern-emos	hayamos	gobernado
gobern-áis	habéis	gobernado	gobern-éis	hayáis	gobernado
gobiern-an	han	gobernado	gobiern-en	hayan	gobernado

Pret. Imperfecto	Pret. Pluscuamp.		Pret. Imperfecto	Pret. Pluscuamp.	
gobern-aba	había	gobernado	gobern-ara	hubiera	gobernado
gobern-abas	habías	gobernado	gobern-aras	hubieras	gobernado
gobern-aba	había	gobernado	gobern-ara	hubiera	gobernado
gobern-ábamos	habíamos	gobernado	gobern-áramos	hubiéramos	gobernado
gobern-abais	habíais	gobernado	gobern-arais	hubierais	gobernado
gobern-aban	habían	gobernado	gobern-aran	hubieran	gobernado

Pret. Indefinido	Pret. Anterior				
			gobern-ase	hubiese	gobernado
			gobern-ases	hubieses	gobernado
gobern-é	hube	gobernado	gobern-ase	hubiese	gobernado
gobern-aste	hubiste	gobernado	gobern-ásemos	hubiésemos	gobernado
gobern-ó	hubo	gobernado	gobern-aseis	hubieseis	gobernado
gobern-amos	hubimos	gobernado	gobern-asen	hubiesen	gobernado
gobern-asteis	hubisteis	gobernado			
gobern-aron	hubieron	gobernado	**Futuro Simple**	**Futuro Compuesto**	

Futuro Simple	Futuro Compuesto				
			gobern-are	hubiere	gobernado
			gobern-ares	hubieres	gobernado
gobernar-é	habré	gobernado	gobern-are	hubiere	gobernado
gobernar-ás	habrás	gobernado	gobern-áremos	hubiéremos	gobernado
gobernar-á	habrá	gobernado	gobern-areis	hubiereis	gobernado
gobernar-emos	habremos	gobernado	gobern-aren	hubieren	gobernado
gobernar-éis	habréis	gobernado			
gobernar-án	habrán	gobernado			

IMPERATIVO

gobiern-a(tú)	gobern-ad(vosotros)
gobiern-e(usted)	gobiern-en(ustedes)

Cond. Simple	Cond. Compuesto	
gobernar-ía	habría	gobernado
gobernar-ías	habrías	gobernado
gobernar-ía	habría	gobernado
gobernar-íamos	habríamos	gobernado
gobernar-íais	habríais	gobernado
gobernar-ían	habrían	gobernado

FORMAS NO PERSONALES

Infinitivo: gobernar
Gerundio: gobern-ando
Participio: gobern-ado
Infinitivo Comp.: haber gobernado
Gerundio Comp.: habiendo gobernado

81. hacer

INDICATIVO			SUBJUNTIVO		
Presente	**Pret. Perfecto**		**Presente**	**Pret. Perfecto**	
hag-o	he	hecho	hag-a	haya	hecho
hac-es	has	hecho	hag-as	hayas	hecho
hac-e	ha	hecho	hag-a	haya	hecho
hac-emos	hemos	hecho	hag-amos	hayamos	hecho
hac-éis	habéis	hecho	hag-áis	hayáis	hecho
hac-en	han	hecho	hag-an	hayan	hecho
Pret. Imperfecto	**Pret. Pluscuamp.**		**Pret. Imperfecto**	**Pret. Pluscuamp.**	
hac-ía	había	hecho	hic-iera	hubiera	hecho
hac-ías	habías	hecho	hic-ieras	hubieras	hecho
hac-ía	había	hecho	hic-iera	hubiera	hecho
hac-íamos	habíamos	hecho	hic-iéramos	hubiéramos	hecho
hac-íais	habíais	hecho	hic-ierais	hubierais	hecho
hac-ían	habían	hecho	hic-ieran	hubieran	hecho
Pret. Indefinido	**Pret. Anterior**		hic-iese	hubiese	hecho
			hic-ieses	hubieses	hecho
hic-e	hube	hecho	hic-iese	hubiese	hecho
hic-iste	hubiste	hecho	hic-iésemos	hubiésemos	hecho
hiz-o	hubo	hecho	hic-ieseis	hubieseis	hecho
hic-imos	hubimos	hecho	hic-iesen	hubiesen	hecho
hic-isteis	hubisteis	hecho	**Futuro Simple**	**Futuro Compuesto**	
hic-ieron	hubieron	hecho			
Futuro Simple	**Futuro Compuesto**		hic-iere	hubiere	hecho
			hic-ieres	hubieres	hecho
har-é	habré	hecho	hic-iere	hubiere	hecho
har-ás	habrás	hecho	hic-iéremos	hubiéremos	hecho
har-á	habrá	hecho	hic-iereis	hubiereis	hecho
har-emos	habremos	hecho	hic-ieren	hubieren	hecho
har-éis	habréis	hecho			
har-án	habrán	hecho			

IMPERATIVO

Cond. Simple	**Cond. Compuesto**

haz(tú) hac-ed(vosotros)
hag-a(usted) hag-an(ustedes)

FORMAS NO PERSONALES

har-ía	habría	hecho
har-ías	habrías	hecho
har-ía	habría	hecho
har-íamos	habríamos	hecho
har-íais	habríais	hecho
har-ían	habrían	hecho

Infinitivo: hacer
Gerundio: hac-iendo
Participio: hecho
Infinitivo Comp.: haber hecho
Gerundio Comp.: habiendo hecho

82. henchir

INDICATIVO		SUBJUNTIVO	

INDICATIVO

Presente — **Pret. Perfecto**

Presente	Pret. Perfecto	
hinch-o	he	henchido
hinch-es	has	henchido
hinch-e	ha	henchido
hench-imos	hemos	henchido
hench-ís	habéis	henchido
hinch-en	han	henchido

Pret. Imperfecto — **Pret. Pluscuamp.**

Pret. Imperfecto	Pret. Pluscuamp.	
hench-ía	había	henchido
hench-ías	habías	henchido
hench-ía	había	henchido
hench-íamos	habíamos	henchido
hench-íais	habíais	henchido
hench-ían	habían	henchido

Pret. Indefinido — **Pret. Anterior**

Pret. Indefinido	Pret. Anterior	
hench-í	hube	henchido
hench-iste	hubiste	henchido
hinch-ió	hubo	henchido
hench-imos	hubimos	henchido
hench-isteis	hubisteis	henchido
hinch-ieron	hubieron	henchido

Futuro Simple — **Futuro Compuesto**

Futuro Simple	Futuro Compuesto	
henchir-é	habré	henchido
henchir-ás	habrás	henchido
henchir-á	habrá	henchido
henchir-emos	habremos	henchido
henchir-éis	habréis	henchido
henchir-án	habrán	henchido

Cond. Simple — **Cond. Compuesto**

Cond. Simple	Cond. Compuesto	
henchir-ía	habría	henchido
henchir-ías	habrías	henchido
henchir-ía	habría	henchido
henchir-íamos	habríamos	henchido
henchir-íais	habríais	henchido
henchir-ían	habrían	henchido

SUBJUNTIVO

Presente — **Pret. Perfecto**

Presente	Pret. Perfecto	
hinch-a	haya	henchido
hinch-as	hayas	henchido
hinch-a	haya	henchido
hinch-amos	hayamos	henchido
hinch-áis	hayáis	henchido
hinch-an	hayan	henchido

Pret. Imperfecto — **Pret. Pluscuamp.**

Pret. Imperfecto	Pret. Pluscuamp.	
hinch-iera	hubiera	henchido
hinch-ieras	hubieras	henchido
hinch-iera	hubiera	henchido
hinch-iéramos	hubiéramos	henchido
hinch-ierais	hubierais	henchido
hinch-ieran	hubieran	henchido
hinch-iese	hubiese	henchido
hinch-ieses	hubieses	henchido
hinch-iese	hubiese	henchido
hinch-iésemos	hubiésemos	henchido
hinch-ieseis	hubieseis	henchido
hinch-iesen	hubiesen	henchido

Futuro Simple — **Futuro Compuesto**

Futuro Simple	Futuro Compuesto	
hinch-iere	hubiere	henchido
hinch-ieres	hubieres	henchido
hinch-iere	hubiere	henchido
hinch-iéremos	hubiéremos	henchido
hinch-iereis	hubiereis	henchido
hinch-ieren	hubieren	henchido

IMPERATIVO

hinch-e(tú)	hench-id(vosotros)
hinch-a(usted)	hinch-an(ustedes)

FORMAS NO PERSONALES

Infinitivo:	henchir
Gerundio:	hinch-iendo
Participio:	hench-ido
Infinitivo Comp.:	haber henchido
Gerundio Comp.:	habiendo henchido

83. herir

INDICATIVO			SUBJUNTIVO		
Presente	**Pret. Perfecto**		**Presente**	**Pret. Perfecto**	
hier-o	he	herido	hier-a	haya	herido
hier-es	has	herido	hier-as	hayas	herido
hier-e	ha	herido	hier-a	haya	herido
her-imos	hemos	herido	hir-amos	hayamos	herido
her-ís	habéis	herido	hir-áis	hayáis	herido
hier-en	han	herido	hier-an	hayan	herido
Pret. Imperfecto	**Pret. Pluscuamp.**		**Pret. Imperfecto**	**Pret. Pluscuamp.**	
her-ía	había	herido	hir-iera	hubiera	herido
her-ías	habías	herido	hir-ieras	hubieras	herido
her-ía	había	herido	hir-iera	hubiera	herido
her-íamos	habíamos	herido	hir-iéramos	hubiéramos	herido
her-íais	habíais	herido	hir-ierais	hubierais	herido
her-ían	habían	herido	hir-ieran	hubieran	herido
Pret. Indefinido	**Pret. Anterior**		hir-iese	hubiese	herido
			hir-ieses	hubieses	herido
her-í	hube	herido	hir-iese	hubiese	herido
her-iste	hubiste	herido	hir-iésemos	hubiésemos	herido
hir-ió	hubo	herido	hir-ieseis	hubieseis	herido
her-imos	hubimos	herido	hir-iesen	hubiesen	herido
her-isteis	hubisteis	herido	**Futuro Simple**	**Futuro Compuesto**	
hir-ieron	hubieron	herido			
Futuro Simple	**Futuro Compuesto**		hir-iere	hubiere	herido
			hir-ieres	hubieres	herido
herir-é	habré	herido	hir-iere	hubiere	herido
herir-ás	habrás	herido	hir-iéremos	hubiéremos	herido
herir-á	habrá	herido	hir-iereis	hubiereis	herido
herir-emos	habremos	herido	hir-ieren	hubieren	herido
herir-éis	habréis	herido			
herir-án	habrán	herido			

	IMPERATIVO	
hier-e(tú)	her-id(vosotros)	
hier-a(usted)	hier-an(ustedes)	

Cond. Simple	**Cond. Compuesto**	
herir-ía	habría	herido
herir-ías	habrías	herido
herir-ía	habría	herido
herir-íamos	habríamos	herido
herir-íais	habríais	herido
herir-ían	habrían	herido

FORMAS NO PERSONALES

Infinitivo: herir
Gerundio: hir-iendo
Participio: her-ido
Infinitivo Comp.: haber herido
Gerundio Comp.: habiendo herido

84. hervir

INDICATIVO		SUBJUNTIVO	

Presente	Pret. Perfecto		Presente	Pret. Perfecto	
hierv-o	he	hervido	hierv-a	haya	hervido
hierv-es	has	hervido	hierv-as	hayas	hervido
hierv-e	ha	hervido	hierv-a	haya	hervido
herv-imos	hemos	hervido	hirv-amos	hayamos	hervido
herv-ís	habéis	hervido	hirv-áis	hayáis	hervido
hierv-en	han	hervido	hierv-an	hayan	hervido

Pret. Imperfecto	Pret. Pluscuamp.		Pret. Imperfecto	Pret. Pluscuamp.	
herv-ía	había	hervido	hirv-iera	hubiera	hervido
herv-ías	habías	hervido	hirv-ieras	hubieras	hervido
herv-ía	había	hervido	hirv-iera	hubiera	hervido
herv-íamos	habíamos	hervido	hirv-iéramos	hubiéramos	hervido
herv-íais	habíais	hervido	hirv-ierais	hubierais	hervido
herv-ían	habían	hervido	hirv-ieran	hubieran	hervido

Pret. Indefinido	Pret. Anterior				
			hirv-iese	hubiese	hervido
			hirv-ieses	hubieses	hervido
herv-í	hube	hervido	hirv-iese	hubiese	hervido
herv-iste	hubiste	hervido	hirv-iésemos	hubiésemos	hervido
hirv-ió	hubo	hervido	hirv-ieseis	hubieseis	hervido
herv-imos	hubimos	hervido	hirv-iesen	hubiesen	hervido
herv-isteis	hubisteis	hervido			
hirv-ieron	hubieron	hervido	Futuro Simple	Futuro Compuesto	

Futuro Simple	Futuro Compuesto				
			hirv-iere	hubiere	hervido
			hirv-ieres	hubieres	hervido
hervir-é	habré	hervido	hirv-iere	hubiere	hervido
hervir-ás	habrás	hervido	hirv-iéremos	hubiéremos	hervido
hervir-á	habrá	hervido	hirv-iereis	hubiereis	hervido
hervir-emos	habremos	hervido	hirv-ieren	hubieren	hervido
hervir-éis	habréis	hervido			
hervir-án	habrán	hervido			

Cond. Simple	Cond. Compuesto	

IMPERATIVO

hierv-e(tú)	herv-id(vosotros)
hierv-a(usted)	hierv-an(ustedes)

Cond. Simple	Cond. Compuesto	
hervir-ía	habría	hervido
hervir-ías	habrías	hervido
hervir-ía	habría	hervido
hervir-íamos	habríamos	hervido
hervir-íais	habríais	hervido
hervir-ían	habrían	hervido

FORMAS NO PERSONALES

Infinitivo: hervir
Gerundio: hirv-iendo
Participio: herv-ido
Infinitivo Comp.: haber hervido
Gerundio Comp.: habiendo hervido

85. huir

<table>
<tr><td colspan="3">INDICATIVO</td><td colspan="3">SUBJUNTIVO</td></tr>
<tr><td>Presente</td><td colspan="2">Pret. Perfecto</td><td>Presente</td><td colspan="2">Pret. Perfecto</td></tr>
<tr><td>huy-o</td><td>he</td><td>huido</td><td>huy-a</td><td>haya</td><td>huido</td></tr>
<tr><td>huy-es</td><td>has</td><td>huido</td><td>huy-as</td><td>hayas</td><td>huido</td></tr>
<tr><td>huy-e</td><td>ha</td><td>huido</td><td>huy-a</td><td>haya</td><td>huido</td></tr>
<tr><td>hu-imos</td><td>hemos</td><td>huido</td><td>huy-amos</td><td>hayamos</td><td>huido</td></tr>
<tr><td>hu-ís</td><td>habéis</td><td>huido</td><td>huy-áis</td><td>hayáis</td><td>huido</td></tr>
<tr><td>huy-en</td><td>han</td><td>huido</td><td>huy-an</td><td>hayan</td><td>huido</td></tr>
<tr><td>Pret. Imperfecto</td><td colspan="2">Pret. Pluscuamp.</td><td>Pret. Imperfecto</td><td colspan="2">Pret. Pluscuamp.</td></tr>
<tr><td>hu-ía</td><td>había</td><td>huido</td><td>huy-era</td><td>hubiera</td><td>huido</td></tr>
<tr><td>hu-ías</td><td>habías</td><td>huido</td><td>huy-eras</td><td>hubieras</td><td>huido</td></tr>
<tr><td>hu-ía</td><td>había</td><td>huido</td><td>huy-era</td><td>hubiera</td><td>huido</td></tr>
<tr><td>hu-íamos</td><td>habíamos</td><td>huido</td><td>huy-éramos</td><td>hubiéramos</td><td>huido</td></tr>
<tr><td>hu-íais</td><td>habíais</td><td>huido</td><td>huy-erais</td><td>hubierais</td><td>huido</td></tr>
<tr><td>hu-ían</td><td>habían</td><td>huido</td><td>huy-eran</td><td>hubieran</td><td>huido</td></tr>
<tr><td>Pret. Indefinido</td><td colspan="2">Pret. Anterior</td><td>huy-ese</td><td>hubiese</td><td>huido</td></tr>
<tr><td></td><td></td><td></td><td>huy-eses</td><td>hubieses</td><td>huido</td></tr>
<tr><td>hu-í</td><td>hube</td><td>huido</td><td>huy-ese</td><td>hubiese</td><td>huido</td></tr>
<tr><td>hu-iste</td><td>hubiste</td><td>huido</td><td>huy-ésemos</td><td>hubiésemos</td><td>huido</td></tr>
<tr><td>huy-ó</td><td>hubo</td><td>huido</td><td>huy-eseis</td><td>hubieseis</td><td>huido</td></tr>
<tr><td>hu-imos</td><td>hubimos</td><td>huido</td><td>huy-esen</td><td>hubiesen</td><td>huido</td></tr>
<tr><td>hu-isteis</td><td>hubisteis</td><td>huido</td><td></td><td></td><td></td></tr>
<tr><td>huy-eron</td><td>hubieron</td><td>huido</td><td>Futuro Simple</td><td colspan="2">Futuro Compuesto</td></tr>
<tr><td>Futuro Simple</td><td colspan="2">Futuro Compuesto</td><td>huy-ere</td><td>hubiere</td><td>huido</td></tr>
<tr><td></td><td></td><td></td><td>huy-eres</td><td>hubieres</td><td>huido</td></tr>
<tr><td>huir-é</td><td>habré</td><td>huido</td><td>huy-ere</td><td>hubiere</td><td>huido</td></tr>
<tr><td>huir-ás</td><td>habrás</td><td>huido</td><td>huy-éremos</td><td>hubiéremos</td><td>huido</td></tr>
<tr><td>huir-á</td><td>habrá</td><td>huido</td><td>huy-ereis</td><td>hubiereis</td><td>huido</td></tr>
<tr><td>huir-emos</td><td>habremos</td><td>huido</td><td>huy-eren</td><td>hubieren</td><td>huido</td></tr>
<tr><td>huir-éis</td><td>habréis</td><td>huido</td><td></td><td></td><td></td></tr>
<tr><td>huir-án</td><td>habrán</td><td>huido</td><td></td><td></td><td></td></tr>
</table>

Cond. Simple	Cond. Compuesto	
huir-ía	habría	huido
huir-ías	habrías	huido
huir-ía	habría	huido
huir-íamos	habríamos	huido
huir-íais	habríais	huido
huir-ían	habrían	huido

IMPERATIVO

huy-e(tú)	hu-id(vosotros)
huy-a(usted)	huy-an(ustedes)

FORMAS NO PERSONALES

Infinitivo: huir
Gerundio: huy-endo
Participio: hu-ido
Infinitivo Comp.: haber huido
Gerundio Comp.: habiendo huido

86. imponer

INDICATIVO		SUBJUNTIVO	

INDICATIVO

Presente — Pret. Perfecto

Presente	Pret. Perfecto	
impong-o	he	impuesto
impon-es	has	impuesto
impon-e	ha	impuesto
impon-emos	hemos	impuesto
impon-éis	habéis	impuesto
impon-en	han	impuesto

Pret. Imperfecto — Pret. Pluscuamp.

Pret. Imperfecto	Pret. Pluscuamp.	
impon-ía	había	impuesto
impon-ías	habías	impuesto
impon-ía	había	impuesto
impon-íamos	habíamos	impuesto
impon-íais	habíais	impuesto
impon-ían	habían	impuesto

Pret. Indefinido — Pret. Anterior

Pret. Indefinido	Pret. Anterior	
impus-e	hube	impuesto
impus-iste	hubiste	impuesto
impus-o	hubo	impuesto
impus-imos	hubimos	impuesto
impus-isteis	hubisteis	impuesto
impus-ieron	hubieron	impuesto

Futuro Simple — Futuro Compuesto

Futuro Simple	Futuro Compuesto	
impondr-é	habré	impuesto
impondr-ás	habrás	impuesto
impondr-á	habrá	impuesto
impondr-emos	habremos	impuesto
impondr-éis	habréis	impuesto
impondr-án	habrán	impuesto

Cond. Simple — Cond. Compuesto

Cond. Simple	Cond. Compuesto	
impondr-ía	habría	impuesto
impondr-ías	habrías	impuesto
impondr-ía	habría	impuesto
impondr-íamos	habríamos	impuesto
impondr-íais	habríais	impuesto
impondr-ían	habrían	impuesto

SUBJUNTIVO

Presente — Pret. Perfecto

Presente	Pret. Perfecto	
impong-a	haya	impuesto
impong-as	hayas	impuesto
impong-a	haya	impuesto
impong-amos	hayamos	impuesto
impong-áis	hayáis	impuesto
impong-an	hayan	impuesto

Pret. Imperfecto — Pret. Pluscuamp.

Pret. Imperfecto	Pret. Pluscuamp.	
impus-iera	hubiera	impuesto
impus-ieras	hubieras	impuesto
impus-iera	hubiera	impuesto
impus-iéramos	hubiéramos	impuesto
impus-ierais	hubierais	impuesto
impus-ieran	hubieran	impuesto
impus-iese	hubiese	impuesto
impus-ieses	hubieses	impuesto
impus-iese	hubiese	impuesto
impus-iésemos	hubiésemos	impuesto
impus-ieseis	hubieseis	impuesto
impus-iesen	hubiesen	impuesto

Futuro Simple — Futuro Compuesto

Futuro Simple	Futuro Compuesto	
impus-iere	hubiere	impuesto
impus-ieres	hubieres	impuesto
impus-ieses	hubiere	impuesto
impus-iéremos	hubiéremos	impuesto
impus-iereis	hubiereis	impuesto
impus-ieren	hubieren	impuesto

IMPERATIVO

impon(tú)	impon-ed(vosotros)
impong-a(usted)	impong-an(ustedes)

FORMAS NO PERSONALES

Infinitivo:	imponer
Gerundio:	impon-iendo
Participio:	impuesto
Infinitivo Comp.:	haber impuesto
Gerundio Comp.:	habiendo impuesto

87. influir

	INDICATIVO		SUBJUNTIVO	

Presente	Pret. Perfecto		Presente	Pret. Perfecto	
influy-o	he	influido	influy-a	haya	influido
influy-es	has	influido	influy-as	hayas	influido
influy-e	ha	influido	influy-a	haya	influido
influ-imos	hemos	influido	influy-amos	hayamos	influido
influ-ís	habéis	influido	influy-áis	hayáis	influido
influy-en	han	influido	influy-an	hayan	influido

Pret. Imperfecto	Pret. Pluscuamp.		Pret. Imperfecto	Pret. Pluscuamp.	
influ-ía	había	influido	influy-era	hubiera	influido
influ-ías	habías	influido	influy-eras	hubieras	influido
influ-ía	había	influido	influy-era	hubiera	influido
influ-íamos	habíamos	influido	influy-éramos	hubiéramos	influido
influ-íais	habíais	influido	influy-erais	hubierais	influido
influ-ían	habían	influido	influy-eran	hubieran	influido

Pret. Indefinido	Pret. Anterior				
			influy-ese	hubiese	influido
			influy-eses	hubieses	influido
influ-í	hube	influido	influy-ese	hubiese	influido
influ-iste	hubiste	influido	influy-ésemos	hubiésemos	influido
influy-ó	hubo	influido	influy-eseis	hubieseis	influido
influ-imos	hubimos	influido	influy-esen	hubiesen	influido
influ-isteis	hubisteis	influido			
influy-eron	hubieron	influido	Futuro Simple	Futuro Compuesto	

Futuro Simple	Futuro Compuesto				
			influy-ere	hubiere	influido
			influy-eres	hubieres	influido
influir-é	habré	influido	influy-ere	hubiere	influido
influir-ás	habrás	influido	influy-éremos	hubiéremos	influido
influir-á	habrá	influido	influy-ereis	hubiereis	influido
influir-emos	habremos	influido	influy-eren	hubieren	influido
influir-éis	habréis	influido			
influir-án	habrán	influido			

_____ IMPERATIVO _____

Cond. Simple	Cond. Compuesto	

influy-e(tú)   influ-id(vosotros)
influy-a(usted)   influy-an(ustedes)

_____ FORMAS NO PERSONALES _____

influir-ía	habría	influido
influir-ías	habrías	influido
influir-ía	habría	influido
influir-íamos	habríamos	influido
influir-íais	habríais	influido
influir-ían	habrían	influido

Infinitivo: influir
Gerundio: influy-endo
Participio: influ-ido
Infinitivo Comp.: haber influido
Gerundio Comp.: habiendo influido

88. introducir

INDICATIVO		SUBJUNTIVO	

Presente	**Pret. Perfecto**	**Presente**	**Pret. Perfecto**
introduzc-o	he introducido	introduzc-a	haya introducido
introduc-es	has introducido	introduzc-as	hayas introducido
introduc-e	ha introducido	introduzc-a	haya introducido
introduc-imos	hemos introducido	introduzc-amos	hayamos introducido
introduc-ís	habéis introducido	introduzc-áis	hayáis introducido
introduc-en	han introducido	introduzc-an	hayan introducido

Pret. Imperfecto	**Pret. Pluscuamp.**	**Pret. Imperfecto**	**Pret. Pluscuamp.**
introduc-ía	había introducido	introduj-era	hubiera introducido
introduc-ías	habías introducido	introduj-eras	hubieras introducido
introduc-ía	había introducido	introduj-era	hubiera introducido
introduc-íamos	habíamos introducido	introduj-éramos	hubiéramos introducido
introduc-íais	habíais introducido	introduj-erais	hubierais introducido
introduc-ían	habían introducido	introduj-eran	hubieran introducido

Pret. Indefinido	**Pret. Anterior**	introduj-ese	hubiese introducido
		introduj-eses	hubieses introducido
introduj-e	hube introducido	introduj-ese	hubiese introducido
introduj-iste	hubiste introducido	introduj-ésemos	hubiésemos introducido
introduj-o	hubo introducido	introduj-eseis	hubieseis introducido
introduj-imos	hubimos introducido	introduj-esen	hubiesen introducido
introduj-isteis	hubisteis introducido		
introduj-eron	hubieron introducido	**Futuro Simple**	**Futuro Compuesto**

Futuro Simple	**Futuro Compuesto**	introduj-ere	hubiere introducido
		introduj-eres	hubieres introducido
introducir-é	habré introducido	introduj-ere	hubiere introducido
introducir-ás	habrás introducido	introduj-éremos	hubiéremos introducido
introducir-á	habrá introducido	introduj-ereis	hubiereis introducido
introducir-emos	habremos introducido	introduj-eren	hubieren introducido
introducir-éis	habréis introducido		
introducir-án	habrán introducido		

Cond. Simple	**Cond. Compuesto**
introducir-ía	habría introducido
introducir-ías	habrías introducido
introducir-ía	habría introducido
introducir-íamos	habríamos introducido
introducir-íais	habríais introducido
introducir-ían	habrían introducido

IMPERATIVO

introduc-e(tú)   introduc-id(vosotros)
introduzc-a(usted)   introduzc-an(ustedes)

FORMAS NO PERSONALES

Infinitivo: introducir
Gerundio: introduc-iendo
Participio: introduc-ido
Infinitivo Comp.: haber introducido
Gerundio Comp.: habiendo introducido

89. intuir

<table>
<tr><td colspan="4" align="center">INDICATIVO</td><td colspan="4" align="center">SUBJUNTIVO</td></tr>
<tr><td>Presente</td><td colspan="2">Pret. Perfecto</td><td></td><td>Presente</td><td colspan="2">Pret. Perfecto</td></tr>
<tr><td>intuy-o</td><td>he</td><td>intuido</td><td></td><td>intuy-a</td><td>haya</td><td>intuido</td></tr>
<tr><td>intuy-es</td><td>has</td><td>intuido</td><td></td><td>intuy-as</td><td>hayas</td><td>intuido</td></tr>
<tr><td>intuy-e</td><td>ha</td><td>intuido</td><td></td><td>intuy-a</td><td>haya</td><td>intuido</td></tr>
<tr><td>intu-imos</td><td>hemos</td><td>intuido</td><td></td><td>intuy-amos</td><td>hayamos</td><td>intuido</td></tr>
<tr><td>intu-ís</td><td>habéis</td><td>intuido</td><td></td><td>intuy-áis</td><td>hayáis</td><td>intuido</td></tr>
<tr><td>intuy-en</td><td>han</td><td>intuido</td><td></td><td>intuy-an</td><td>hayan</td><td>intuido</td></tr>
<tr><td>Pret. Imperfecto</td><td colspan="2">Pret. Pluscuamp.</td><td></td><td>Pret. Imperfecto</td><td colspan="2">Pret. Pluscuamp.</td></tr>
<tr><td>intu-ía</td><td>había</td><td>intuido</td><td></td><td>intuy-era</td><td>hubiera</td><td>intuido</td></tr>
<tr><td>intu-ías</td><td>habías</td><td>intuido</td><td></td><td>intuy-eras</td><td>hubieras</td><td>intuido</td></tr>
<tr><td>intu-ía</td><td>había</td><td>intuido</td><td></td><td>intuy-era</td><td>hubiera</td><td>intuido</td></tr>
<tr><td>intu-íamos</td><td>habíamos</td><td>intuido</td><td></td><td>intuy-éramos</td><td>hubiéramos</td><td>intuido</td></tr>
<tr><td>intu-íais</td><td>habíais</td><td>intuido</td><td></td><td>intuy-erais</td><td>hubierais</td><td>intuido</td></tr>
<tr><td>intu-ían</td><td>habían</td><td>intuido</td><td></td><td>intuy-eran</td><td>hubieran</td><td>intuido</td></tr>
<tr><td>Pret. Indefinido</td><td colspan="2">Pret. Anterior</td><td></td><td>intuy-ese</td><td>hubiese</td><td>intuido</td></tr>
<tr><td></td><td></td><td></td><td></td><td>intuy-eses</td><td>hubieses</td><td>intuido</td></tr>
<tr><td>intu-í</td><td>hube</td><td>intuido</td><td></td><td>intuy-ese</td><td>hubiese</td><td>intuido</td></tr>
<tr><td>intu-iste</td><td>hubiste</td><td>intuido</td><td></td><td>intuy-ésemos</td><td>hubiésemos</td><td>intuido</td></tr>
<tr><td>intuy-ó</td><td>hubo</td><td>intuido</td><td></td><td>intuy-eseis</td><td>hubieseis</td><td>intuido</td></tr>
<tr><td>intu-imos</td><td>hubimos</td><td>intuido</td><td></td><td>intuy-esen</td><td>hubiesen</td><td>intuido</td></tr>
<tr><td>intu-isteis</td><td>hubisteis</td><td>intuido</td><td></td><td></td><td></td><td></td></tr>
<tr><td>intuy-eron</td><td>hubieron</td><td>intuido</td><td></td><td>Futuro Simple</td><td colspan="2">Futuro Compuesto</td></tr>
<tr><td>Futuro Simple</td><td colspan="2">Futuro Compuesto</td><td></td><td>intuy-ere</td><td>hubiere</td><td>intuido</td></tr>
<tr><td></td><td></td><td></td><td></td><td>intuy-eres</td><td>hubieres</td><td>intuido</td></tr>
<tr><td>intuir-é</td><td>habré</td><td>intuido</td><td></td><td>intuy-ere</td><td>hubiere</td><td>intuido</td></tr>
<tr><td>intuir-ás</td><td>habrás</td><td>intuido</td><td></td><td>intuy-éremos</td><td>hubiéremos</td><td>intuido</td></tr>
<tr><td>intuir-á</td><td>habrá</td><td>intuido</td><td></td><td>intuy-ereis</td><td>hubiereis</td><td>intuido</td></tr>
<tr><td>intuir-emos</td><td>habremos</td><td>intuido</td><td></td><td>intuy-eren</td><td>hubieren</td><td>intuido</td></tr>
<tr><td>intuir-éis</td><td>habréis</td><td>intuido</td><td></td><td></td><td></td><td></td></tr>
<tr><td>intuir-án</td><td>habrán</td><td>intuido</td><td></td><td colspan="3" align="center">IMPERATIVO</td></tr>
<tr><td>Cond. Simple</td><td colspan="2">Cond. Compuesto</td><td></td><td>intuy-e(tú)</td><td colspan="2">intu-id(vosotros)</td></tr>
<tr><td></td><td></td><td></td><td></td><td>intuy-a(usted)</td><td colspan="2">intuy-an(ustedes)</td></tr>
<tr><td>intuir-ía</td><td>habría</td><td>intuido</td><td></td><td colspan="3"></td></tr>
<tr><td>intuir-ías</td><td>habrías</td><td>intuido</td><td></td><td colspan="3" align="center">FORMAS NO PERSONALES</td></tr>
<tr><td>intuir-ía</td><td>habría</td><td>intuido</td><td></td><td colspan="3"></td></tr>
<tr><td>intuir-íamos</td><td>habríamos</td><td>intuido</td><td></td><td>Infinitivo:</td><td colspan="2">intuir</td></tr>
<tr><td>intuir-íais</td><td>habríais</td><td>intuido</td><td></td><td>Gerundio:</td><td colspan="2">intuy-endo</td></tr>
<tr><td>intuir-ían</td><td>habrían</td><td>intuido</td><td></td><td>Participio:</td><td colspan="2">intu-ido</td></tr>
<tr><td></td><td></td><td></td><td></td><td>Infinitivo Comp.:</td><td colspan="2">haber intuido</td></tr>
<tr><td></td><td></td><td></td><td></td><td>Gerundio Comp.:</td><td colspan="2">habiendo intuido</td></tr>
</table>

INDICATIVO — SUBJUNTIVO

Presente	Pret. Perfecto		Presente	Pret. Perfecto	
voy	he	ido	·vaya	haya	ido
vas	has	ido	·vayas	hayas	ido
va	ha	ido	·vaya	haya	ido
vamos	hemos	ido	.vayamos	hayamos	ido
vais	habéis	ido	vayáis	hayáis	ido
van	han	ido	vayan	hayan	ido

Pret. Imperfecto	Pret. Pluscuamp.		Pret. Imperfecto	Pret. Pluscuamp.	
iba	había	ido	fuera	hubiera	ido
ibas	habías	ido	fueras	hubieras	ido
iba	había	ido	fuera	hubiera	ido
íbamos	habíamos	ido	fuéramos	hubiéramos	ido
ibais	habíais	ido	fuerais	hubierais	ido
iban	habían	ido	fueran	hubieran	ido

Pret. Indefinido	Pret. Anterior				
			fuese	hubiese	ido
			fueses	hubieses	ido
fui	hube	ido	fuese	hubiese	ido
fuiste	hubiste	ido	fuésemos	hubiésemos ido	
fue	hubo	ido	fueseis	hubieseis	ido
fuimos	hubimos	ido	fuesen	hubiesen	ido
fuisteis	hubisteis	ido			
fueron	hubieron	ido	**Futuro Simple**	**Futuro Compuesto**	

Futuro Simple	Futuro Compuesto				
			fuere	hubiere	ido
			fueres	hubieres	ido
ir-é	habré	ido	fuere	hubiere	ido
ir-ás	habrás	ido	fuéremos	hubiéremos	ido
ir-á	habrá	ido	fuereis	hubiereis	ido
ir-emos	habremos	ido	fueren	hubieren	ido
ir-éis	habréis	ido			
ir-án	habrán	ido			

IMPERATIVO

ve(tú)	id(vosotros)
vaya(usted)	vayan(ustedes)

Cond. Simple	Cond. Compuesto	
ir-ía	habría	ido
ir-ías	habrías	ido
ir-ía	habría	ido
ir-íamos	habríamos	ido
ir-íais	habríais	ido
ir-ían	habrían	ido

FORMAS NO PERSONALES

Infinitivo: ir
Gerundio: yendo
Participio: ido
Infinitivo Comp.: haber ido
Gerundio Comp.: habiendo ido

91. jugar

	INDICATIVO			SUBJUNTIVO	
Presente	**Pret. Perfecto**		**Presente**	**Pret. Perfecto**	
jueg-o	he	jugado	juegu-e	haya	jugado
jueg-as	has	jugado	juegu-es	hayas	jugado
jueg-a	ha	jugado	juegu-e	haya	jugado
jug-amos	hemos	jugado	jugu-emos	hayamos	jugado
jug-áis	habéis	jugado	jugu-éis	hayáis	jugado
jueg-an	han	jugado	juegu-en	hayan	jugado
Pret. Imperfecto	**Pret. Pluscuamp.**		**Pret. Imperfecto**	**Pret. Pluscuamp.**	
jug-aba	había	jugado	jug-ara	hubiera	jugado
jug-abas	habías	jugado	jug-aras	hubieras	jugado
jug-aba	había	jugado	jug-ara	hubiera	jugado
jug-ábamos	habíamos	jugado	jug-áramos	hubiéramos	jugado
jug-abais	habíais	jugado	jug-arais	hubierais	jugado
jug-aban	habían	jugado	jug-aran	hubieran	jugado
Pret. Indefinido	**Pret. Anterior**		jug-ase	hubiese	jugado
			jug-ases	hubieses	jugado
jugu-é	hube	jugado	jug-ase	hubiese	jugado
jug-aste	hubiste	jugado	jug-ásemos	hubiésemos	jugado
jug-ó	hubo	jugado	jug-aseis	hubieseis	jugado
jug-amos	hubimos	jugado	jug-asen	hubiesen	jugado
jug-asteis	hubisteis	jugado			
jug-aron	hubieron	jugado	**Futuro Simple**	**Futuro Compuesto**	
Futuro Simple	**Futuro Compuesto**		jug-are	hubiere	jugado
			jug-ares	hubieres	jugado
jugar-é	habré	jugado	jug-are	hubiere	jugado
jugar-ás	habrás	jugado	jug-áremos	hubiéremos	jugado
jugar-á	habrá	jugado	jug-areis	hubiereis	jugado
jugar-emos	habremos	jugado	jug-aren	hubieren	jugado
jugar-éis	habréis	jugado			
jugar-án	habrán	jugado			

	IMPERATIVO	
jueg-a(tú)	jug-ad(vosotros)	
juegu-e(usted)	juegu-en(ustedes)	

Cond. Simple	**Cond. Compuesto**	
jugar-ía	habría	jugado
jugar-ías	habrías	jugado
jugar-ía	habría	jugado
jugar-íamos	habríamos	jugado
jugar-íais	habríais	jugado
jugar-ían	habrían	jugado

FORMAS NO PERSONALES

Infinitivo:	jugar
Gerundio:	jug-ando
Participio:	jug-ado
Infinitivo Comp.:	haber jugado
Gerundio Comp.:	habiendo jugado

92. juzgar

INDICATIVO				SUBJUNTIVO		
Presente	**Pret. Perfecto**			**Presente**	**Pret. Perfecto**	
juzg-o	he	juzgado		juzgu-e	haya	juzgado
juzg-as	has	juzgado		juzgu-es	hayas	juzgado
juzg-a	ha	juzgado		juzgu-e	haya	juzgado
juzg-amos	hemos	juzgado		juzgu-emos	hayamos	juzgado
juzg-áis	habéis	juzgado		juzgu-éis	hayáis	juzgado
juzg-an	han	juzgado		juzgu-en	hayan	juzgado
Pret. Imperfecto	**Pret. Pluscuamp.**			**Pret. Imperfecto**	**Pret. Pluscuamp.**	
juzg-aba	había	juzgado		juzg-ara	hubiera	juzgado
juzg-abas	habías	juzgado		juzg-aras	hubieras	juzgado
juzg-aba	había	juzgado		juzg-ara	hubiera	juzgado
juzg-ábamos	habíamos	juzgado		juzg-áramos	hubiéramos	juzgado
juzg-abais	habíais	juzgado		juzg-arais	hubierais	juzgado
juzg-aban	habían	juzgado		juzg-aran	hubieran	juzgado
Pret. Indefinido	**Futuro Compuesto**			juzg-ase	hubiese	juzgado
				juzg-ases	hubieses	juzgado
juzgu-é	hube	juzgado		juzg-ase	hubiese	juzgado
juzg-aste	hubiste	juzgado		juzg-ásemos	hubiésemos	juzgado
juzg-ó	hubo	juzgado		juzg-aseis	hubieseis	juzgado
juzg-amos	hubimos	juzgado		juzg-asen	hubiesen	juzgado
juzg-asteis	hubisteis	juzgado				
juzg-aron	hubieron	juzgado		**Futuro Simple**	**Futuro Compuesto**	
Futuro Simple	**Pret. Anterior**			juzg-are	hubiere	juzgado
				juzg-ares	hubieres	juzgado
juzgar-é	habré	juzgado		juzg-are	hubiere	juzgado
juzgar-ás	habrás	juzgado		juzg-áremos	hubiéremos	juzgado
juzgar-á	habrá	juzgado		juzg-areis	hubiereis	juzgado
juzgar-emos	habremos	juzgado		juzg-aren	hubieren	juzgado
juzgar-éis	habréis	juzgado				
juzgar-án	habrán	juzgado				

	IMPERATIVO	
juzg-a(tú)	juzg-ad(vosotros)	
juzgu-e(usted)	juzgu-en(ustedes)	

Cond. Simple	**Cond. Compuesto**	
juzgar-ía	habría	juzgado
juzgar-ías	habrías	juzgado
juzgar-ía	habría	juzgado
juzgar-íamos	habríamos	juzgado
juzgar-íais	habríais	juzgado
juzgar-ían	habrían	juzgado

FORMAS NO PERSONALES

Infinitivo: juzgar
Gerundio: juzg-ando
Participio: juzg-ado
Infinitivo Comp.: haber juzgado
Gerundio Comp.: habiendo juzgado

93. leer

<table>
<tr><td colspan="3">INDICATIVO</td><td colspan="3">SUBJUNTIVO</td></tr>
<tr><td>Presente</td><td colspan="2">Pret. Perfecto</td><td>Presente</td><td colspan="2">Pret. Perfecto</td></tr>
<tr><td>le-o</td><td>he</td><td>leido</td><td>le-a</td><td>haya</td><td>leido</td></tr>
<tr><td>le-es</td><td>has</td><td>leido</td><td>le-as</td><td>hayas</td><td>leido</td></tr>
<tr><td>le-e</td><td>ha</td><td>leido</td><td>le-a</td><td>haya</td><td>leido</td></tr>
<tr><td>le-emos</td><td>hemos</td><td>leido</td><td>le-amos</td><td>hayamos</td><td>leido</td></tr>
<tr><td>le-éis</td><td>habéis</td><td>leido</td><td>le-áis</td><td>hayáis</td><td>leido</td></tr>
<tr><td>le-en</td><td>han</td><td>leido</td><td>le-an</td><td>hayan</td><td>leido</td></tr>
<tr><td>Pret. Imperfecto</td><td colspan="2">Pret. Pluscuamp.</td><td>Pret. Imperfecto</td><td colspan="2">Pret. Pluscuamp.</td></tr>
<tr><td>le-ía</td><td>había</td><td>leido</td><td>ley-era</td><td>hubiera</td><td>leido</td></tr>
<tr><td>le-ías</td><td>habías</td><td>leido</td><td>ley-eras</td><td>hubieras</td><td>leido</td></tr>
<tr><td>le-ía</td><td>había</td><td>leido</td><td>ley-era</td><td>hubiera</td><td>leido</td></tr>
<tr><td>le-íamos</td><td>habíamos</td><td>leido</td><td>ley-éramos</td><td>hubiéramos</td><td>leido</td></tr>
<tr><td>le-íais</td><td>habíais</td><td>leido</td><td>ley-erais</td><td>hubierais</td><td>leido</td></tr>
<tr><td>le-ían</td><td>habían</td><td>leido</td><td>ley-eran</td><td>hubieran</td><td>leido</td></tr>
<tr><td>Pret. Indefinido</td><td colspan="2">Pret. Anterior</td><td>ley-ese</td><td>hubiese</td><td>leido</td></tr>
<tr><td></td><td></td><td></td><td>ley-eses</td><td>hubieses</td><td>leido</td></tr>
<tr><td>le-í</td><td>hube</td><td>leido</td><td>ley-ese</td><td>hubiese</td><td>leido</td></tr>
<tr><td>le-iste</td><td>hubiste</td><td>leido</td><td>ley-ésemos</td><td>hubiésemos</td><td>leido</td></tr>
<tr><td>ley-ó</td><td>hubo</td><td>leido</td><td>ley-eseis</td><td>hubieseis</td><td>leido</td></tr>
<tr><td>le-imos</td><td>hubimos</td><td>leido</td><td>ley-esen</td><td>hubiesen</td><td>leido</td></tr>
<tr><td>le-isteis</td><td>hubisteis</td><td>leido</td><td colspan="3"></td></tr>
<tr><td>ley-eron</td><td>hubieron</td><td>leido</td><td>Futuro Simple</td><td colspan="2">Futuro Compuesto</td></tr>
<tr><td>Futuro Simple</td><td colspan="2">Futuro Compuesto</td><td>ley-ere</td><td>hubiere</td><td>leido</td></tr>
<tr><td></td><td></td><td></td><td>ley-eres</td><td>hubieres</td><td>leido</td></tr>
<tr><td>leer-é</td><td>habré</td><td>leido</td><td>ley-ere</td><td>hubiere</td><td>leido</td></tr>
<tr><td>leer-ás</td><td>habrás</td><td>leido</td><td>ley-éremos</td><td>hubiéremos</td><td>leido</td></tr>
<tr><td>leer-á</td><td>habrá</td><td>leido</td><td>ley-ereis</td><td>hubiereis</td><td>leido</td></tr>
<tr><td>leer-emos</td><td>habremos</td><td>leido</td><td>ley-eren</td><td>hubieren</td><td>leido</td></tr>
<tr><td>leer-éis</td><td>habréis</td><td>leido</td><td colspan="3"></td></tr>
<tr><td>leer-án</td><td>habrán</td><td>leido</td><td colspan="3" align="center">IMPERATIVO</td></tr>
<tr><td>Cond. Simple</td><td colspan="2">Cond. Compuesto</td><td>le-e(tú)</td><td colspan="2">le-ed(vosotros)</td></tr>
<tr><td></td><td></td><td></td><td>le-a(usted)</td><td colspan="2">le-an(ustedes)</td></tr>
<tr><td>leer-ía</td><td>habría</td><td>leido</td><td colspan="3" align="center">FORMAS NO PERSONALES</td></tr>
<tr><td>leer-ías</td><td>habrías</td><td>leido</td><td colspan="3"></td></tr>
<tr><td>leer-ía</td><td>habría</td><td>leido</td><td>Infinitivo:</td><td colspan="2">leer</td></tr>
<tr><td>leer-íamos</td><td>habríamos</td><td>leido</td><td>Gerundio:</td><td colspan="2">ley-endo</td></tr>
<tr><td>leer-íais</td><td>habríais</td><td>leido</td><td>Participio:</td><td colspan="2">le-ido</td></tr>
<tr><td>leer-ían</td><td>habrían</td><td>leido</td><td>Infinitivo Comp.:</td><td colspan="2">haber leido</td></tr>
<tr><td colspan="3"></td><td>Gerundio Comp.:</td><td colspan="2">habiendo leido</td></tr>
</table>

94. lucir

Presente	Pret. Perfecto		Presente	Pret. Perfecto	
luzc-o	he	lucido	luzc-a	haya	lucido
luc-es	has	lucido	luzc-as	hayas	lucido
luc-e	ha	lucido	luzc-a	haya	lucido
luc-imos	hemos	lucido	luzc-amos	hayamos	lucido
luc-ís	habéis	lucido	luzc-áis	hayáis	lucido
luc-en	han	lucido	luzc-an	hayan	lucido

Pret. Imperfecto	Pret. Pluscuamp.		Pret. Imperfecto	Pret. Pluscuamp.	
luc-ía	había	lucido	luc-iera	hubiera	lucido
luc-ías	habías	lucido	luc-ieras	hubieras	lucido
luc-ía	había	lucido	luc-iera	hubiera	lucido
luc-íamos	habíamos	lucido	luc-iéramos	hubiéramos	lucido
luc-íais	habíais	lucido	luc-ierais	hubierais	lucido
luc-ían	habían	lucido	luc-ieran	hubieran	lucido

Pret. Indefinido	Pret. Anterior				
			luc-iese	hubiese	lucido
			luc-ieses	hubieses	lucido
luc-í	hube	lucido	luc-iese	hubiese	lucido
luc-iste	hubiste	lucido	luc-iésemos	hubiésemos	lucido
luc-ió	hubo	lucido	luc-ieseis	hubieseis	lucido
luc-imos	hubimos	lucido	luc-iesen	hubiesen	lucido
luc-isteis	hubisteis	lucido			
luc-ieron	hubieron	lucido	**Futuro Simple**	**Futuro Compuesto**	

Futuro Simple	Futuro Compuesto				
			luc-iere	hubiere	lucido
			luc-ieres	hubieres	lucido
lucir-é	habré	lucido	luc-iere	hubiere	lucido
lucir-ás	habrás	lucido	luc-iéremos	hubiéremos	lucido
lucir-á	habrá	lucido	luc-iereis	hubiereis	lucido
lucir-emos	habremos	lucido	luc-ieren	hubieren	lucido
lucir-éis	habréis	lucido			
lucir-án	habrán	lucido			

IMPERATIVO

luc-e(tú)	luc-id(vosotros)
luzc-a(usted)	luzc-an(ustedes)

Cond. Simple	Cond. Compuesto	
lucir-ía	habría	lucido
lucir-ías	habrías	lucido
lucir-ía	habría	lucido
lucir-íamos	habríamos	lucido
lucir-íais	habríais	lucido
lucir-ían	habrían	lucido

FORMAS NO PERSONALES

Infinitivo: lucir
Gerundio: luc-iendo
Participio: luc-ido
Infinitivo Comp.: haber lucido
Gerundio Comp.: habiendo lucido

95. manifestar

Presente	Pret. Perfecto		Presente	Pret. Perfecto	
manifiest-o	he	manifestado	manifiest-e	haya	manifestado
manifiest-as	has	manifestado	manifiest-es	hayas	manifestado
manifiest-a	ha	manifestado	manifiest-e	haya	manifestado
manifest-amos	hemos	manifestado	manifest-emos	hayamos	manifestado
manifest-áis	habéis	manifestado	manifest-éis	hayáis	manifestado
manifiest-an	han	manifestado	manifiest-en	hayan	manifestado

Pret. Imperfecto	Pret. Pluscuamp.		Pret. Imperfecto	Pret. Pluscuamp.	
manifest-aba	había	manifestado	manifest-ara	hubiera	manifestado
manifest-abas	habías	manifestado	manifest-aras	hubieras	manifestado
manifest-aba	había	manifestado	manifest-ara	hubiera	manifestado
manifest-ábamos	habíamos	manifestado	manifest-áramos	hubiéramos	manifestado
manifest-abais	habíais	manifestado	manifest-arais	hubierais	manifestado
manifest-aban	habían	manifestado	manifest-aran	hubieran	manifestado
			manifest-ase	hubiese	manifestado
			manifest-ases	hubieses	manifestado

Pret. Indefinido	Pret. Anterior				
			manifest-ase	hubiese	manifestado
manifest-é	hube	manifestado	manifest-ásemos	hubiésemos	manifestado
manifest-aste	hubiste	manifestado	manifest-aseis	hubieseis	manifestado
manifest-ó	hubo	manifestado	manifest-asen	hubiesen	manifestado
manifest-amos	hubimos	manifestado			
manifest-asteis	hubisteis	manifestado	**Futuro Simple**	**Futuro Compuesto**	
manifest-aron	hubieron	manifestado	manifest-are	hubiere	manifestado
			manifest-ares	hubieres	manifestado
Futuro Simple	**Futuro Compuesto**		manifest-are	hubiere	manifestado
manifestar-é	habré	manifestado	manifest-áremos	hubiéremos	manifestado
manifestar-ás	habrás	manifestado	manifest-areis	hubiereis	manifestado
manifestar-á	habrá	manifestado	manifest-aren	hubieren	manifestado
manifestar-emos	habremos	manifestado			
manifestar-éis	habréis	manifestado			
manifestar-án	habrán	manifestado			

━━━━━━━━ IMPERATIVO ━━━━━━━━

Cond. Simple	Cond. Compuesto	

manifiest-a(tú)   manifest-ad(vosotros)
manifiest-e(usted) manifiest-en(ustedes)

manifestar-ía	habría	manifestado
manifestar-ías	habrías	manifestado
manifestar-ía	habría	manifestado
manifestar-íamos	habríamos	manifestado
manifestar-íais	habríais	manifestado
manifestar-ían	habrían	manifestado

━━━━ FORMAS NO PERSONALES ━━━━

Infinitivo: manifestar
Gerundio: manifest-ando
Participio: manifest-ado
Infinitivo Comp.: haber manifestado
Gerundio Comp.: habiendo manifestado

96. mantener

INDICATIVO		SUBJUNTIVO	
Presente	**Pret. Perfecto**	**Presente**	**Pret. Perfecto**
manteng-o	he mantenido	manteng-a	haya mantenido
mantien-es	has mantenido	manteng-as	hayas mantenido
mantien-e	ha mantenido	manteng-a	haya mantenido
manten-emos	hemos mantenido	manteng-amos	hayamos mantenido
manten-éis	habéis mantenido	manteng-áis	hayáis mantenido
mantien-en	han mantenido	manteng-an	hayan mantenido
Pret. Imperfecto	**Pret. Pluscuamp.**	**Pret. Imperfecto**	**Pret. Pluscuamp.**
manten-ía	había mantenido	mantuv-iera	hubiera mantenido
manten-ías	habías mantenido	mantuv-ieras	hubieras mantenido
manten-ía	había mantenido	mantuv-iera	hubiera mantenido
manten-íamos	habíamos mantenido	mantuv-iéramos	hubiéramos mantenido
manten-íais	habíais mantenido	mantuv-ierais	hubierais mantenido
manten-ían	habían mantenido	mantuv-ieran	hubieran mantenido
Pret. Indefinido	**Pret. Anterior**	mantuv-iese	hubiese mantenido
		mantuv-ieses	hubieses mantenido
mantuv-e	hube mantenido	mantuv-iese	hubiese mantenido
mantuv-iste	hubiste mantenido	mantuv-iésemos	hubiésemos mantenido
mantuv-o	hubo mantenido	mantuv-ieseis	hubieseis mantenido
mantuv-imos	hubimos mantenido	mantuv-iesen	hubiesen mantenido
mantuv-isteis	hubisteis mantenido		
mantuv-ieron	hubieron mantenido	**Futuro Simple**	**Futuro Compuesto**
Futuro Simple	**Futuro Compuesto**	mantuv-iere	hubiere mantenido
		mantuv-ieres	hubieres mantenido
mantendr-é	habré mantenido	mantuv-iere	hubiere mantenido
mantendr-ás	habrás mantenido	mantuv-iéremos	hubiéremos mantenido
mantendr-á	habrá mantenido	mantuv-iereis	hubiereis mantenido
mantendr-emos	habremos mantenido	mantuv-ieren	hubieren mantenido
mantendr-éis	habréis mantenido		
mantendr-án	habrán mantenido		

IMPERATIVO

manten(tú)   manten-ed(vosotros)
manteng-a(usted) manteng-an(ustedes)

Cond. Simple	Cond. Compuesto
mantendr-ía	habría mantenido
mantendr-ías	habrías mantenido
mantendr-ía	habría mantenido
mantendr-íamos	habríamos mantenido
mantendr-íais	habríais mantenido
mantendr-ían	habrían mantenido

FORMAS NO PERSONALES

Infinitivo: mantener
Gerundio: manten-iendo
Participio: manten-ido
Infinitivo Comp.: haber mantenido
Gerundio Comp.: habiendo mantenido

97. mecer

	INDICATIVO			SUBJUNTIVO	

Presente	**Pret. Perfecto**		**Presente**	**Pret. Perfecto**	
mez-o	he	mecido	mez-a	haya	mecido
mec-es	has	mecido	mez-as	hayas	mecido
mec-e	ha	mecido	mez-a	haya	mecido
mec-emos	hemos	mecido	mez-amos	hayamos	mecido
mec-éis	habéis	mecido	mez-áis	hayáis	mecido
mec-en	han	mecido	mez-an	hayan	mecido

Pret. Imperfecto	**Pret. Pluscuamp.**		**Pret. Imperfecto**	**Pret. Pluscuamp.**	
mec-ía	había	mecido	mec-iera	hubiera	mecido
mec-ías	habías	mecido	mec-ieras	hubieras	mecido
mec-ía	había	mecido	mec-iera	hubiera	mecido
mec-íamos	habíamos	mecido	mec-iéramos	hubiéramos	mecido
mec-íais	habíais	mecido	mec-ierais	hubierais	mecido
mec-ían	habían	mecido	mec-ieran	hubieran	mecido

Pret. Indefinido	**Pret. Anterior**				
mec-í	hube	mecido	mec-iese	hubiese	mecido
mec-iste	hubiste	mecido	mec-ieses	hubieses	mecido
mec-ió	hubo	mecido	mec-iese	hubiese	mecido
mec-imos	hubimos	mecido	mec-iésemos	hubiésemos	mecido
mec-isteis	hubisteis	mecido	mec-ieseis	hubieseis	mecido
mec-ieron	hubieron	mecido	mec-iesen	hubiesen	mecido

Futuro Simple	**Futuro Compuesto**		**Futuro Simple**	**Futuro Compuesto**	
mecer-é	habré	mecido	mec-iere	hubiere	mecido
mecer-ás	habrás	mecido	mec-ieres	hubieres	mecido
mecer-á	habrá	mecido	mec-iere	hubiere	mecido
mecer-emos	habremos	mecido	mec-iéremos	hubiéremos	mecido
mecer-éis	habréis	mecido	mec-iereis	hubiereis	mecido
mecer-án	habrán	mecido	mec-ieren	hubieren	mecido

Cond. Simple	**Cond. Compuesto**	
mecer-ía	habría	mecido
mecer-ías	habrías	mecido
mecer-ía	habría	mecido
mecer-íamos	habríamos	mecido
mecer-íais	habríais	mecido
mecer-ían	habrían	mecido

IMPERATIVO

mec-e(tú)	mec-ed(vosotros)
mez-a(usted)	mez-an(ustedes)

FORMAS NO PERSONALES

Infinitivo: mecer
Gerundio: mec-iendo
Participio: mec-ido
Infinitivo Comp.: haber mecido
Gerundio Comp.: habiendo mecido

98. mentir

INDICATIVO			SUBJUNTIVO		
Presente	**Pret. Perfecto**		**Presente**	**Pret. Perfecto**	
mient-o	he	mentido	mient-a	haya	mentido
mient-es	has	mentido	mient-as	hayas	mentido
mient-e	ha	mentido	mient-a	haya	mentido
ment-imos	hemos	mentido	mint-amos	hayamos	mentido
ment-ís	habéis	mentido	mint-áis	hayáis	mentido
mient-en	han	mentido	mient-an	hayan	mentido
Pret. Imperfecto	**Pret. Pluscuamp.**		**Pret. Imperfecto**	**Pret. Pluscuamp.**	
ment-ía	había	mentido	mint-iera	hubiera	mentido
ment-ías	habías	mentido	mint-ieras	hubieras	mentido
ment-ía	había	mentido	mint-iera	hubiera	mentido
ment-íamos	habíamos	mentido	mint-iéramos	hubiéramos	mentido
ment-íais	habíais	mentido	mint-ierais	hubierais	mentido
ment-ían	habían	mentido	mint-ieran	hubieran	mentido
Pret. Indefinido	**Pret. Anterior**		mint-iese	hubiese	mentido
			mint-ieses	hubieses	mentido
ment-í	hube	mentido	mint-iese	hubiese	mentido
ment-iste	hubiste	mentido	mint-iésemos	hubiésemos	mentido
mint-ió	hubo	mentido	mint-ieseis	hubieseis	mentido
ment-imos	hubimos	mentido	mint-iesen	hubiesen	mentido
ment-isteis	hubisteis	mentido			
mint-ieron	hubieron	mentido	**Futuro Simple**	**Futuro Compuesto**	
Futuro Simple	**Futuro Compuesto**		mint-iere	hubiere	mentido
			mint-ieres	hubieres	mentido
mentir-é	habré	mentido	mint-iere	hubiere	mentido
mentir-ás	habrás	mentido	mint-iéremos	hubiéremos	mentido
mentir-á	habrá	mentido	mint-iereis	hubiereis	mentido
mentir-emos	habremos	mentido	mint-ieren	hubieren	mentido
mentir-éis	habréis	mentido			
mentir-án	habrán	mentido			

IMPERATIVO

mient-e(tú)	ment-id(vosotros)
mient-a(usted)	mient-an(ustedes)

Cond. Simple	**Cond. Compuesto**	
mentir-ía	habría	mentido
mentir-ías	habrías	mentido
mentir-ía	habría	mentido
mentir-íamos	habríamos	mentido
mentir-íais	habríais	mentido
mentir-ían	habrían	mentido

FORMAS NO PERSONALES

Infinitivo: mentir
Gerundio: mint-iendo
Participio: ment-ido
Infinitivo Comp.: haber mentido
Gerundio Comp.: habiendo mentido

99. merecer

INDICATIVO			SUBJUNTIVO		

Presente	**Pret. Perfecto**		**Presente**	**Pret. Perfecto**	
merezc-o	he	merecido	merezc-a	haya	merecido
merec-es	has	merecido	merezc-as	hayas	merecido
merec-e	ha	merecido	merezc-a	haya	merecido
merec-emos	hemos	merecido	merezc-amos	hayamos	merecido
merec-éis	habéis	merecido	merezc-áis	hayáis	merecido
merec-en	han	merecido	merezc-an	hayan	merecido

Pret. Imperfecto	**Pret. Pluscuamp.**		**Pret. Imperfecto**	**Pret. Pluscuamp.**	
merec-ía	había	merecido	merec-iera	hubiera	merecido
merec-ías	habías	merecido	merec-ieras	hubieras	merecido
merec-ía	había	merecido	merec-iera	hubiera	merecido
merec-íamos	habíamos	merecido	merec-iéramos	hubiéramos	merecido
merec-íais	habíais	merecido	merec-ierais	hubierais	merecido
merec-ían	habían	merecido	merec-ieran	hubieran	merecido

Pret. Indefinido	**Pret. Anterior**				
			merec-iese	hubiese	merecido
			merec-ieses	hubieses	merecido
merec-í	hube	merecido	merec-iese	hubiese	merecido
merec-iste	hubiste	merecido	merec-iésemos	hubiésemos	merecido
merec-ió	hubo	merecido	merec-ieseis	hubieseis	merecido
merec-imos	hubimos	merecido	merec-iesen	hubiesen	merecido
merec-isteis	hubisteis	merecido			
merec-ieron	hubieron	merecido	**Futuro Simple**	**Futuro Compuesto**	

Futuro Simple	**Futuro Compuesto**				
			merec-iere	hubiere	merecido
			merec-ieres	hubieres	merecido
merecer-é	habré	merecido	merec-iere	hubiere	merecido
merecer-ás	habrás	merecido	merec-iéremos	hubiéremos	merecido
merecer-á	habrá	merecido	merec-iereis	hubiereis	merecido
merecer-emos	habremos	merecido	merec-ieren	hubieren	merecido
merecer-éis	habréis	merecido			
merecer-án	habrán	merecido			

Cond. Simple	**Cond. Compuesto**	
merecer-ía	habría	merecido
merecer-ías	habrías	merecido
merecer-ía	habría	merecido
merecer-íamos	habríamos	merecido
merecer-íais	habríais	merecido
merecer-ían	habrían	merecido

IMPERATIVO

merec-e(tú) merec-ed(vosotros)
merezc-a(usted) merezc-an(ustedes)

FORMAS NO PERSONALES

Infinitivo: merecer
Gerundio: merec-iendo
Participio: merec-ido
Infinitivo Comp.: haber merecido
Gerundio Comp.: habiendo merecido

100. merendar

<table>
<tr><td colspan="4" align="center">INDICATIVO</td><td colspan="4" align="center">SUBJUNTIVO</td></tr>
<tr><td colspan="2">Presente</td><td colspan="2">Pret. Perfecto</td><td colspan="2">Presente</td><td colspan="2">Pret. Perfecto</td></tr>
<tr><td>meriend-o</td><td></td><td>he</td><td>merendado</td><td>meriend-e</td><td></td><td>haya</td><td>merendado</td></tr>
<tr><td>meriend-as</td><td></td><td>has</td><td>merendado</td><td>meriend-es</td><td></td><td>hayas</td><td>merendado</td></tr>
<tr><td>meriend-a</td><td></td><td>ha</td><td>merendado</td><td>meriend-e</td><td></td><td>haya</td><td>merendado</td></tr>
<tr><td>merend-amos</td><td></td><td>hemos</td><td>merendado</td><td>merend-emos</td><td></td><td>hayamos</td><td>merendado</td></tr>
<tr><td>merend-áis</td><td></td><td>habéis</td><td>merendado</td><td>merend-éis</td><td></td><td>hayáis</td><td>merendado</td></tr>
<tr><td>meriend-an</td><td></td><td>han</td><td>merendado</td><td>meriend-en</td><td></td><td>hayan</td><td>merendado</td></tr>
<tr><td colspan="2">Pret. Imperfecto</td><td colspan="2">Pret. Pluscuamp.</td><td colspan="2">Pret. Imperfecto</td><td colspan="2">Pret. Pluscuamp.</td></tr>
<tr><td>merend-aba</td><td></td><td>había</td><td>merendado</td><td>merend-ara</td><td></td><td>hubiera</td><td>merendado</td></tr>
<tr><td>merend-abas</td><td></td><td>habías</td><td>merendado</td><td>merend-aras</td><td></td><td>hubieras</td><td>merendado</td></tr>
<tr><td>merend-aba</td><td></td><td>había</td><td>merendado</td><td>merend-ara</td><td></td><td>hubiera</td><td>merendado</td></tr>
<tr><td>merend-ábamos</td><td></td><td>habíamos</td><td>merendado</td><td>merend-áramos</td><td></td><td>hubiéramos</td><td>merendado</td></tr>
<tr><td>merend-abais</td><td></td><td>habíais</td><td>merendado</td><td>merend-arais</td><td></td><td>hubierais</td><td>merendado</td></tr>
<tr><td>merend-aban</td><td></td><td>habían</td><td>merendado</td><td>merend-aran</td><td></td><td>hubieran</td><td>merendado</td></tr>
<tr><td colspan="2">Pret. Indefinido</td><td colspan="2">Pret. Anterior</td><td>merend-ase</td><td></td><td>hubiese</td><td>merendado</td></tr>
<tr><td colspan="4"></td><td>merend-ases</td><td></td><td>hubieses</td><td>merendado</td></tr>
<tr><td>merend-é</td><td></td><td>hube</td><td>merendado</td><td>merend-ase</td><td></td><td>hubiese</td><td>merendado</td></tr>
<tr><td>merend-aste</td><td></td><td>hubiste</td><td>merendado</td><td>merend-ásemos</td><td></td><td>hubiésemos</td><td>merendado</td></tr>
<tr><td>merend-ó</td><td></td><td>hubo</td><td>merendado</td><td>merend-aseis</td><td></td><td>hubieseis</td><td>merendado</td></tr>
<tr><td>merend-amos</td><td></td><td>hubimos</td><td>merendado</td><td>merend-asen</td><td></td><td>hubiesen</td><td>merendado</td></tr>
<tr><td>merend-asteis</td><td></td><td>hubisteis</td><td>merendado</td><td colspan="4"></td></tr>
<tr><td>merend-aron</td><td></td><td>hubieron</td><td>merendado</td><td colspan="2">Futuro Simple</td><td colspan="2">Futuro Compuesto</td></tr>
<tr><td colspan="2">Futuro Simple</td><td colspan="2">Futuro Compuesto</td><td>merend-are</td><td></td><td>hubiere</td><td>merendado</td></tr>
<tr><td colspan="4"></td><td>merend-ares</td><td></td><td>hubieres</td><td>merendado</td></tr>
<tr><td>merendar-é</td><td></td><td>habré</td><td>merendado</td><td>merend-are</td><td></td><td>hubiere</td><td>merendado</td></tr>
<tr><td>merendar-ás</td><td></td><td>habrás</td><td>merendado</td><td>merend-áremos</td><td></td><td>hubiéremos</td><td>merendado</td></tr>
<tr><td>merendar-á</td><td></td><td>habrá</td><td>merendado</td><td>merend-areis</td><td></td><td>hubiereis</td><td>merendado</td></tr>
<tr><td>merendar-emos</td><td></td><td>habremos</td><td>merendado</td><td>merend-aren</td><td></td><td>hubieren</td><td>merendado</td></tr>
<tr><td>merendar-éis</td><td></td><td>habréis</td><td>merendado</td><td colspan="4"></td></tr>
<tr><td>merendar-án</td><td></td><td>habrán</td><td>merendado</td><td colspan="4" align="center">IMPERATIVO</td></tr>
<tr><td colspan="2">Cond. Simple</td><td colspan="2">Cond. Compuesto</td><td colspan="2">meriend-a(tú)</td><td colspan="2">merend-ad(vosotros)</td></tr>
<tr><td colspan="4"></td><td colspan="2">meriend-e(usted)</td><td colspan="2">meriend-en(ustedes)</td></tr>
<tr><td>merendar-ía</td><td></td><td>habría</td><td>merendado</td><td colspan="4" align="center">FORMAS NO PERSONALES</td></tr>
<tr><td>merendar-ías</td><td></td><td>habrías</td><td>merendado</td><td colspan="4"></td></tr>
<tr><td>merendar-ía</td><td></td><td>habría</td><td>merendado</td><td colspan="2">Infinitivo:</td><td colspan="2">merendar</td></tr>
<tr><td>merendar-íamos</td><td></td><td>habríamos</td><td>merendado</td><td colspan="2">Gerundio:</td><td colspan="2">merend-ando</td></tr>
<tr><td>merendar-íais</td><td></td><td>habríais</td><td>merendado</td><td colspan="2">Participio:</td><td colspan="2">merend-ado</td></tr>
<tr><td>merendar-ían</td><td></td><td>habrían</td><td>merendado</td><td colspan="2">Infinitivo Comp.:</td><td colspan="2">haber merendado</td></tr>
<tr><td colspan="4"></td><td colspan="2">Gerundio Comp.:</td><td colspan="2">habiendo merendado</td></tr>
</table>

101. morder

INDICATIVO			SUBJUNTIVO		

Presente	**Pret. Perfecto**		**Presente**	**Pret. Perfecto**	
muerd-o	he	mordido	muerd-a	haya	mordido
muerd-es	has	mordido	muerd-as	hayas	mordido
muerd-e	ha	mordido	muerd-a	haya	mordido
mord-emos	hemos	mordido	mord-amos	hayamos	mordido
mord-éis	habéis	mordido	mord-áis	hayáis	mordido
muerd-en	han	mordido	muerd-an	hayan	mordido

Pret. Imperfecto	**Pret. Pluscuamp.**		**Pret. Imperfecto**	**Pret. Pluscuamp.**	
mord-ía	había	mordido	mord-iera	hubiera	mordido
mord-ías	habías	mordido	mord-ieras	hubieras	mordido
mord-ía	había	mordido	mord-iera	hubiera	mordido
mord-íamos	habíamos	mordido	mord-iéramos	hubiéramos	mordido
mord-íais	habíais	mordido	mord-ierais	hubierais	mordido
mord-ían	habían	mordido	mord-ieran	hubieran	mordido

Pret. Indefinido	**Pret. Anterior**		mord-iese	hubiese	mordido
			mord-ieses	hubieses	mordido
mord-í	hube	mordido	mord-iese	hubiese	mordido
mord-iste	hubiste	mordido	mord-iésemos	hubiésemos	mordido
mord-ió	hubo	mordido	mord-ieseis	hubieseis	mordido
mord-imos	hubimos	mordido	mord-iesen	hubiesen	mordido
mord-isteis	hubisteis	mordido			
mord-ieron	hubieron	mordido	**Futuro Simple**	**Futuro Compuesto**	

Futuro Simple	**Futuro Compuesto**		mord-iere	hubiere	mordido
			mord-ieres	hubieres	mordido
morder-é	habré	mordido	mord-iere	hubiere	mordido
morder-ás	habrás	mordido	mord-iéremos	hubiéremos	mordido
morder-á	habrá	mordido	mord-iereis	hubiereis	mordido
morder-emos	habremos	mordido	mord-ieren	hubieren	mordido
morder-éis	habréis	mordido			
morder-án	habrán	mordido			

Cond. Simple	**Cond. Compuesto**	
morder-ía	habría	mordido
morder-ías	habrías	mordido
morder-ía	habría	mordido
morder-íamos	habríamos	mordido
morder-íais	habríais	mordido
morder-ían	habrían	mordido

IMPERATIVO

muerd-e(tú)   mord-ed(vosotros)
muerd-a(usted)   muerd-an(ustedes)

FORMAS NO PERSONALES

Infinitivo:	morder
Gerundio:	mord-iendo
Participio:	mord-ido
Infinitivo Comp.:	haber mordido
Gerundio Comp.:	habiendo mordido

102. morir

	INDICATIVO				SUBJUNTIVO		

Presente	Pret. Perfecto		Presente	Pret. Perfecto	
muer-o	he	muerto	muer-a	haya	muerto
muer-es	has	muerto	muer-as	hayas	muerto
muer-e	ha	muerto	muer-a	haya	muerto
mor-imos	hemos	muerto	mur-amos	hayamos	muerto
mor-ís	habéis	muerto	mur-áis	hayáis	muerto
muer-en	han	muerto	muer-an	hayan	muerto

Pret. Imperfecto	Pret. Pluscuamp.		Pret. Imperfecto	Pret. Pluscuamp.	
mor-ía	había	muerto	mur-iera	hubiera	muerto
mor-ías	habías	muerto	mur-ieras	hubieras	muerto
mor-ía	había	muerto	mur-iera	hubiera	muerto
mor-íamos	habíamos	muerto	mur-iéramos	hubiéramos	muerto
mor-íais	habíais	muerto	mur-ierais	hubierais	muerto
mor-ían	habían	muerto	mur-ieran	hubieran	muerto

Pret. Indefinido	Pret. Anterior				
			mur-iese	hubiese	muerto
			mur-ieses	hubieses	muerto
mor-í	hube	muerto	mur-iese	hubiese	muerto
mor-iste	hubiste	muerto	mur-iésemos	hubiésemos	muerto
mur-ió	hubo	muerto	mur-ieseis	hubieseis	muerto
mor-imos	hubimos	muerto	mur-iesen	hubiesen	muerto
mor-isteis	hubisteis	muerto			
mur-ieron	hubieron	muerto	Futuro Simple	Futuro Compuesto	

Futuro Simple	Futuro Compuesto				
			mur-iere	hubiere	muerto
			mur-ieres	hubieres	muerto
morir-é	habré	muerto	mur-iere	hubiere	muerto
morir-ás	habrás	muerto	mur-iéremos	hubiéremos	muerto
morir-á	habrá	muerto	mur-iereis	hubiereis	muerto
morir-emos	habremos	muerto	mur-ieren	hubieren	muerto
morir-éis	habréis	muerto			
morir-án	habrán	muerto			

IMPERATIVO

Cond. Simple	Cond. Compuesto		muer-e(tú)	mor-id(vosotros)
			muer-a(usted)	muer-an(ustedes)

FORMAS NO PERSONALES

morir-ía	habría	muerto
morir-ías	habrías	muerto
morir-ía	habría	muerto
morir-íamos	habríamos	muerto
morir-íais	habríais	muerto
morir-ían	habrían	muerto

Infinitivo: morir
Gerundio: mur-iendo
Participio: muerto
Infinitivo Comp.: haber muerto
Gerundio Comp.: habiendo muerto

103. mostrar

INDICATIVO			SUBJUNTIVO		
Presente	**Pret. Perfecto**		**Presente**	**Pret. Perfecto**	
muestr-o	he	mostrado	muestr-e	haya	mostrado
muestr-as	has	mostrado	muestr-es	hayas	mostrado
muestr-a	ha	mostrado	muestr-e	haya	mostrado
mostr-amos	hemos	mostrado	mostr-emos	hayamos	mostrado
mostr-áis	habéis	mostrado	mostr-éis	hayáis	mostrado
muestr-an	han	mostrado	muestr-en	hayan	mostrado
Pret. Imperfecto	**Pret. Pluscuamp.**		**Pret. Imperfecto**	**Pret. Pluscuamp.**	
mostr-aba	había	mostrado	mostr-ara	hubiera	mostrado
mostr-abas	habías	mostrado	mostr-aras	hubieras	mostrado
mostr-aba	había	mostrado	mostr-ara	hubiera	mostrado
mostr-ábamos	habíamos	mostrado	mostr-áramos	hubiéramos	mostrado
mostr-abais	habíais	mostrado	mostr-arais	hubierais	mostrado
mostr-aban	habían	mostrado	mostr-aran	hubieran	mostrado
Pret. Indefinido	**Pret. Anterior**		mostr-ase	hubiese	mostrado
			mostr-ases	hubieses	mostrado
mostr-é	hube	mostrado	mostr-ase	hubiese	mostrado
mostr-aste	hubiste	mostrado	mostr-ásemos	hubiésemos	mostrado
mostr-ó	hubo	mostrado	mostr-aseis	hubieseis	mostrado
mostr-amos	hubimos	mostrado	mostr-asen	hubiesen	mostrado
mostr-asteis	hubisteis	mostrado			
mostr-aron	hubieron	mostrado	**Futuro Simple**	**Futuro Compuesto**	
Futuro Simple	**Futuro Compuesto**		mostr-are	hubiere	mostrado
			mostr-ares	hubieres	mostrado
mostrar-é	habré	mostrado	mostr-are	hubiere	mostrado
mostrar-ás	habrás	mostrado	mostr-áremos	hubiéremos	mostrado
mostrar-á	habrá	mostrado	mostr-areis	hubiereis	mostrado
mostrar-emos	habremos	mostrado	mostr-aren	hubieren	mostrado
mostrar-éis	habréis	mostrado			
mostrar-án	habrán	mostrado			

IMPERATIVO

muestr-a(tú)   mostr-ad(vosotros)
muestr-e(usted)   muestr-en(ustedes)

Cond. Simple	**Cond. Compuesto**	
mostrar-ía	habría	mostrado
mostrar-ías	habrías	mostrado
mostrar-ía	habría	mostrado
mostrar-íamos	habríamos	mostrado
mostrar-íais	habríais	mostrado
mostrar-ían	habrían	mostrado

FORMAS NO PERSONALES

Infinitivo: mostrar
Gerundio: mostr-ando
Participio: mostr-ado
Infinitivo Comp.: haber mostrado
Gerundio Comp.:   habiendo mostrado

104. mover

INDICATIVO

Presente	Pret. Perfecto	
muev-o	he	movido
muev-es	has	movido
muev-e	ha	movido
mov-emos	hemos	movido
mov-éis	habéis	movido
muev-en	han	movido

Pret. Imperfecto	Pret. Pluscuamp.	
mov-ía	había	movido
mov-ías	habías	movido
mov-ía	había	movido
mov-íamos	habíamos	movido
mov-íais	habíais	movido
mov-ían	habían	movido

Pret. Indefinido	Pret. Anterior	
mov-í	hube	movido
mov-iste	hubiste	movido
mov-ió	hubo	movido
mov-imos	hubimos	movido
mov-isteis	hubisteis	movido
mov-ieron	hubieron	movido

Futuro Simple	Futuro Compuesto	
mover-é	habré	movido
mover-ás	habrás	movido
mover-á	habrá	movido
mover-emos	habremos	movido
mover-éis	habréis	movido
mover-án	habrán	movido

Cond. Simple	Cond. Compuesto	
mover-ía	habría	movido
mover-ías	habrías	movido
mover-ía	habría	movido
mover-íamos	habríamos	movido
mover-íais	habríais	movido
mover-ían	habrían	movido

SUBJUNTIVO

Presente	Pret. Perfecto	
muev-a	haya	movido
muev-as	hayas	movido
muev-a	haya	movido
mov-amos	hayamos	movido
mov-áis	hayáis	movido
muev-an	hayan	movido

Pret. Imperfecto	Pret. Pluscuamp.	
mov-iera	hubiera	movido
mov-ieras	hubieras	movido
mov-iera	hubiera	movido
mov-iéramos	hubiéramos	movido
mov-ierais	hubierais	movido
mov-ieran	hubieran	movido
mov-iese	hubiese	movido
mov-ieses	hubieses	movido
mov-iese	hubiese	movido
mov-iésemos	hubiésemos	movido
mov-ieseis	hubieseis	movido
mov-iesen	hubiesen	movido

Futuro Simple	Futuro Compuesto	
mov-iere	hubiere	movido
mov-ieres	hubieres	movido
mov-iere	hubiere	movido
mov-iéremos	hubiéremos	movido
mov-iereis	hubiereis	movido
mov-ieren	hubieren	movido

IMPERATIVO

muev-e(tú)	mov-ed(vosotros)
muev-a(usted)	muev-an(ustedes)

FORMAS NO PERSONALES

Infinitivo: mover
Gerundio: mov-iendo
Participio: mov-ido
Infinitivo Comp.: haber movido
Gerundio Comp.: habiendo movido

105. nacer

INDICATIVO			SUBJUNTIVO		

Presente — **Pret. Perfecto** — **Presente** — **Pret. Perfecto**

Presente	Pret. Perfecto		Presente	Pret. Perfecto	
nazc-o	he	nacido	nazc-a	haya	nacido
nac-es	has	nacido	nazc-as	hayas	nacido
nac-e	ha	nacido	nazc-a	haya	nacido
nac-emos	hemos	nacido	nazc-amos	hayamos	nacido
nac-éis	habéis	nacido	nazc-áis	hayáis	nacido
nac-en	han	nacido	nazc-an	hayan	nacido

Pret. Imperfecto	Pret. Pluscuamp.		Pret. Imperfecto	Pret. Pluscuamp.	
nac-ía	había	nacido	nac-iera	hubiera	nacido
nac-ías	habías	nacido	nac-ieras	hubieras	nacido
nac-ía	había	nacido	nac-iera	hubiera	nacido
nac-íamos	habíamos	nacido	nac-iéramos	hubiéramos	nacido
nac-íais	habíais	nacido	nac-ierais	hubierais	nacido
nac-ían	habían	nacido	nac-ieran	hubieran	nacido

Pret. Indefinido	Pret. Anterior				
			nac-iese	hubiese	nacido
			nac-ieses	hubieses	nacido
nac-í	hube	nacido	nac-iese	hubiese	nacido
nac-iste	hubiste	nacido	nac-iésemos	hubiésemos	nacido
nac-ió	hubo	nacido	nac-ieseis	hubieseis	nacido
nac-imos	hubimos	nacido	nac-iesen	hubiesen	nacido
nac-isteis	hubisteis	nacido			
nac-ieron	hubieron	nacido	**Futuro Simple**	**Futuro Compuesto**	

Futuro Simple	Futuro Compuesto				
			nac-iere	hubiere	nacido
			nac-ieres	hubieres	nacido
nacer-é	habré	nacido	nac-iere	hubiere	nacido
nacer-ás	habrás	nacido	nac-iéremos	hubiéremos	nacido
nacer-á	habrá	nacido	nac-iereis	hubiereis	nacido
nacer-emos	habremos	nacido	nac-ieren	hubieren	nacido
nacer-éis	habréis	nacido			
nacer-án	habrán	nacido			

Cond. Simple	Cond. Compuesto	

IMPERATIVO

nac-e(tú)   nac-ed(vosotros)
nazc-a(usted)   nazc-an(ustedes)

Cond. Simple	Cond. Compuesto	
nacer-ía	habría	nacido
nacer-ías	habrías	nacido
nacer-ía	habría	nacido
nacer-íamos	habríamos	nacido
nacer-íais	habríais	nacido
nacer-ían	habrían	nacido

FORMAS NO PERSONALES

Infinitivo: nacer
Gerundio: nac-iendo
Participio: nac-ido
Infinitivo Comp.: haber nacido
Gerundio Comp.: habiendo nacido

106. negar

INDICATIVO		SUBJUNTIVO	

Presente	Pret. Perfecto		Presente	Pret. Perfecto	
nieg-o	he	negado	niegu-e	haya	negado
nieg-as	has	negado	niegu-es	hayas	negado
nieg-a	ha	negado	niegu-e	haya	negado
neg-amos	hemos	negado	negu-emos	hayamos	negado
neg-áis	habéis	negado	negu-éis	hayáis	negado
nieg-an	han	negado	niegu-en	hayan	negado

Pret. Imperfecto	Pret. Pluscuamp.		Pret. Imperfecto	Pret. Pluscuamp.	
neg-aba	había	negado	neg-ara	hubiera	negado
neg-abas	habías	negado	neg-aras	hubieras	negado
neg-aba	había	negado	neg-ara	hubiera	negado
neg-ábamos	habíamos	negado	neg-áramos	hubiéramos	negado
neg-abais	habíais	negado	neg-arais	hubierais	negado
neg-aban	habían	negado	neg-aran	hubieran	negado

Pret. Indefinido	Pret. Anterior				
			neg-ase	hubiese	negado
			neg-ases	hubieses	negado
negu-é	hube	negado	neg-ase	hubiese	negado
neg-aste	hubiste	negado	neg-ásemos	hubiésemos	negado
neg-ó	hubo	negado	neg-aseis	hubieseis	negado
neg-amos	hubimos	negado	neg-asen	hubiesen	negado
neg-asteis	hubisteis	negado			
neg-aron	hubieron	negado	Futuro Simple	Futuro Compuesto	

Futuro Simple	Futuro Compuesto				
			neg-are	hubiere	negado
			neg-ares	hubieres	negado
negar-é	habré	negado	neg-are	hubiere	negado
negar-ás	habrás	negado	neg-áremos	hubiéremos	negado
negar-á	habrá	negado	neg-areis	hubiereis	negado
negar-emos	habremos	negado	neg-aren	hubieren	negado
negar-éis	habréis	negado			
negar-án	habrán	negado			

Cond. Simple	Cond. Compuesto	

			IMPERATIVO	

nieg-a(tú)   neg-ad(vosotros)
niegu-e(usted) niegu-en(ustedes)

negar-ía	habría	negado
negar-ías	habrías	negado
negar-ía	habría	negado
negar-íamos	habríamos	negado
negar-íais	habríais	negado
negar-ían	habrían	negado

FORMAS NO PERSONALES

Infinitivo: negar
Gerundio: neg-ando
Participio: neg-ado
Infinitivo Comp.: haber negado
Gerundio Comp.: habiendo negado

107. obtener

INDICATIVO			SUBJUNTIVO		
Presente	**Pret. Perfecto**		**Presente**	**Pret. Perfecto**	
obteng-o	he	obtenido	obteng-a	haya	obtenido
obtien-es	has	obtenido	obteng-as	hayas	obtenido
obtien-e	ha	obtenido	obteng-a	haya	obtenido
obten-emos	hemos	obtenido	obteng-amos	hayamos	obtenido
obten-éis	habéis	obtenido	obteng-áis	hayáis	obtenido
obtien-en	han	obtenido	obteng-an	hayan	obtenido
Pret. Imperfecto	**Pret. Pluscuamp.**		**Pret. Imperfecto**	**Pret. Pluscuamp.**	
obten-ía	había	obtenido	obtuv-iera	hubiera	obtenido
obten-ías	habías	obtenido	obtuv-ieras	hubieras	obtenido
obten-ía	había	obtenido	obtuv-iera	hubiera	obtenido
obten-íamos	habíamos	obtenido	obtuv-iéramos	hubiéramos	obtenido
obten-íais	habíais	obtenido	obtuv-ierais	hubierais	obtenido
obten-ían	habían	obtenido	obtuv-ieran	hubieran	obtenido
Pret. Indefinido	**Pret. Anterior**		obtuv-iese	hubiese	obtenido
			obtuv-ieses	hubieses	obtenido
obtuv-e	hube	obtenido	obtuv-iese	hubiese	obtenido
obtuv-iste	hubiste	obtenido	obtuv-iésemos	hubiésemos	obtenido
obtuv-o	hubo	obtenido	obtuv-ieseis	hubieseis	obtenido
obtuv-imos	hubimos	obtenido	obtuv-iesen	hubiesen	obtenido
obtuv-isteis	hubisteis	obtenido	**Futuro Simple**	**Futuro Compuesto**	
obtuv-ieron	hubieron	obtenido			
Futuro Simple	**Futuro Compuesto**		obtuv-iere	hubiere	obtenido
			obtuv-ieres	hubieres	obtenido
obtendr-é	habré	obtenido	obtuv-iere	hubiere	obtenido
obtendr-ás	habrás	obtenido	obtuv-iéremos	hubiéremos	obtenido
obtendr-á	habrá	obtenido	obtuv-iereis	hubiereis	obtenido
obtendr-emos	habremos	obtenido	obtuv-ieren	hubieren	obtenido
obtendr-éis	habréis	obtenido			
obtendr-án	habrán	obtenido			

Cond. Simple	Cond. Compuesto	
obtendr-ía	habría	obtenido
obtendr-ías	habrías	obtenido
obtendr-ía	habría	obtenido
obtendr-íamos	habríamos	obtenido
obtendr-íais	habríais	obtenido
obtendr-ían	habrían	obtenido

IMPERATIVO
---

obten(tú) obten-ed(vosotros)
obteng-a(usted) obteng-an(ustedes)

--- FORMAS NO PERSONALES ---

Infinitivo: obtener
Gerundio: obten-iendo
Participio: obten-ido
Infinitivo Comp.: haber obtenido
Gerundio Comp.: habiendo obtenido

108. ofrecer

INDICATIVO

Presente	Pret. Perfecto	
ofrezc-o	he	ofrecido
ofrec-es	has	ofrecido
ofrec-e	ha	ofrecido
ofrec-emos	hemos	ofrecido
ofrec-éis	habéis	ofrecido
ofrec-en	han	ofrecido

Pret. Imperfecto	Pret. Pluscuamp.	
ofrec-ía	había	ofrecido
ofrec-ías	habías	ofrecido
ofrec-ía	había	ofrecido
ofrec-íamos	habíamos	ofrecido
ofrec-íais	habíais	ofrecido
ofrec-ían	habían	ofrecido

Pret. Indefinido	Pret. Anterior	
ofrec-í	hube	ofrecido
ofrec-iste	hubiste	ofrecido
ofrec-ió	hubo	ofrecido
ofrec-imos	hubimos	ofrecido
ofrec-isteis	hubisteis	ofrecido
ofrec-ieron	hubieron	ofrecido

Futuro Simple	Futuro Compuesto	
ofrecer-é	habré	ofrecido
ofrecer-ás	habrás	ofrecido
ofrecer-á	habrá	ofrecido
ofrecer-emos	habremos	ofrecido
ofrecer-éis	habréis	ofrecido
ofrecer-án	habrán	ofrecido

Cond. Simple	Cond. Compuesto	
ofrecer-ía	habría	ofrecido
ofrecer-ías	habrías	ofrecido
ofrecer-ía	habría	ofrecido
ofrecer-íamos	habríamos	ofrecido
ofrecer-íais	habríais	ofrecido
ofrecer-ían	habrían	ofrecido

SUBJUNTIVO

Presente	Pret. Perfecto	
ofrezc-a	haya	ofrecido
ofrezc-as	hayas	ofrecido
ofrezc-a	haya	ofrecido
ofrezc-amos	hayamos	ofrecido
ofrezc-áis	hayáis	ofrecido
ofrezc-an	hayan	ofrecido

Pret. Imperfecto	Pret. Pluscuamp.	
ofrec-iera	hubiera	ofrecido
ofrec-ieras	hubieras	ofrecido
ofrec-iera	hubiera	ofrecido
ofrec-iéramos	hubiéramos	ofrecido
ofrec-ierais	hubierais	ofrecido
ofrec-ieran	hubieran	ofrecido
ofrec-iese	hubiese	ofrecido
ofrec-ieses	hubieses	ofrecido
ofrec-iese	hubiese	ofrecido
ofrec-iésemos	hubiésemos	ofrecido
ofrec-ieseis	hubieseis	ofrecido
ofrec-iesen	hubiesen	ofrecido

Futuro Simple	Futuro Compuesto	
ofrec-iere	hubiere	ofrecido
ofrec-ieres	hubieres	ofrecido
ofrec-iere	hubiere	ofrecido
ofrec-iéremos	hubiéremos	ofrecido
ofrec-iereis	hubiereis	ofrecido
ofrec-ieren	hubieren	ofrecido

IMPERATIVO

ofrec-e(tú) ofrec-ed(vosotros)
ofrezc-a(usted) ofrezc-an(ustedes)

FORMAS NO PERSONALES

Infinitivo: ofrecer
Gerundio: ofrec-iendo
Participio: ofrec-ido
Infinitivo Comp.: haber ofrecido
Gerundio Comp.: habiendo ofrecido

109. oir

INDICATIVO				SUBJUNTIVO		

INDICATIVO

Presente	Pret. Perfecto	
oig-o	he	**oído**
oy-es	has	oído
oy-e	ha	oído
o-ímos	hemos	oído
o-ís	habéis	oído
oy-en	han	oído

Pret. Imperfecto	Pret. Pluscuamp.	
o-ía	había	oído
o-ías	habías	oído
o-ía	había	oído
o-íamos	habíamos	oído
o-íais	habíais	oído
o-ían	habían	oído

Pret. Indefinido	Pret. Anterior	
o-í	hube	oído
o-iste	hubiste	oído
oy-ó	hubo	oído
o-ímos	hubimos	oído
o-ísteis	hubisteis	oído
oy-eron	hubieron	oído

Futuro Simple	Futuro Compuesto	
oir-é	habré	oído
oir-ás	habrás	oído
oir-á	habrá	oído
oir-emos	habremos	oído
oir-éis	habréis	oído
oir-án	habrán	oído

Cond. Simple	Cond. Compuesto	
oir-ía	habría	oído
oir-ías	habrías	oído
oir-ía	habría	oído
oir-íamos	habríamos	oído
oir-íais	habríais	oído
oir-ían	habrían	oído

SUBJUNTIVO

Presente	Pret. Perfecto	
oig-a	haya	oído
oig-as	hayas	oído
oig-a	haya	oído
oig-amos	hayamos	oído
oig-áis	hayáis	oído
oig-an	hayan	oído

Pret. Imperfecto	Pret. Pluscuamp.	
oy-era	hubiera	oído
oy-eras	hubieras	oído
oy-era	hubiera	oído
oy-éramos	hubiéramos	oído
oy-erais	hubierais	oído
oy-eran	hubieran	oído
oy-ese	hubiese	oído
oy-eses	hubieses	oído
oy-ese	hubiese	oído
oy-ésemos	hubiésemos	oído
oy-eseis	hubieseis	oído
oy-esen	hubiesen	oído

Futuro Simple	Futuro Compuesto	
oy-ere	hubiere	oído
oy-eres	hubieres	oído
oy-ere	hubiere	oído
oy-éremos	hubiéremos	oído
oy-ereis	hubiereis	oído
oy-eren	hubieren	oído

IMPERATIVO

oy-e(tú)	o-id(vosotros)
oig-a(usted)	oig-an(ustedes)

FORMAS NO PERSONALES

Infinitivo: oir
Gerundio: oy-endo
Participio: o-ído
Infinitivo Comp.: haber oído
Gerundio Comp.: habiendo oído

110. oler

	INDICATIVO	
Presente	**Pret. Perfecto**	
huel-o	he	olido
huel-es	has	olido
huel-e	ha	olido
ol-emos	hemos	olido
ol-éis	habéis	olido
huel-en	han	olido

Pret. Imperfecto	**Pret. Pluscuamp.**	
ol-ía	había	olido
ol-ías	habías	olido
ol-ía	había	olido
ol-íamos	habíamos	olido
ol-íais	habíais	olido
ol-ían	habían	olido

Pret. Indefinido	**Pret. Anterior**	
ol-í	hube	olido
ol-iste	hubiste	olido
ol-ió	hubo	olido
ol-imos	hubimos	olido
ol-isteis	hubisteis	olido
ol-ieron	hubieron	olido

Futuro Simple	**Futuro Compuesto**	
oler-é	habré	olido
oler-ás	habrás	olido
oler-á	habrá	olido
oler-emos	habremos	olido
oler-éis	habréis	olido
oler-án	habrán	olido

Cond. Simple	**Cond. Compuesto**	
oler-ía	habría	olido
oler-ías	habrías	olido
oler-ía	habría	olido
oler-íamos	habríamos	olido
oler-íais	habríais	olido
oler-ían	habrían	olido

	SUBJUNTIVO	
Presente	**Pret. Perfecto**	
huel-a	haya	olido
huel-as	hayas	olido
huel-a	haya	olido
ol-amos	hayamos	olido
ol-áis	hayáis	olido
huel-an	hayan	olido

Pret. Imperfecto	**Pret. Pluscuamp.**	
ol-iera	hubiera	olido
ol-ieras	hubieras	olido
ol-iera	hubiera	olido
ol-iéramos	hubiéramos	olido
ol-ierais	hubierais	olido
ol-ieran	hubieran	olido
ol-iese	hubiese	olido
ol-ieses	hubieses	olido
ol-iese	hubiese	olido
ol-iésemos	hubiésemos	olido
ol-ieseis	hubieseis	olido
ol-iesen	hubiesen	olido

Futuro Simple	**Futuro Compuesto**	
ol-iere	hubiere	olido
ol-ieres	hubieres	olido
ol-iere	hubiere	olido
ol-iéremos	hubiéremos	olido
ol-iereis	hubiereis	olido
ol-ieren	hubieren	olido

IMPERATIVO

huele(tú)	ol-ed(vosotros)
huela(usted)	huelan(ustedes)

FORMAS NO PERSONALES

Infinitivo: oler
Gerundio: ol-iendo
Participio: ol-ido
Infinitivo Comp.: haber olido
Gerundio Comp.: habiendo olido

111. pagar

INDICATIVO

Presente	Pret. Perfecto	
pag-o	he	pagado
pag-as	has	pagado
pag-a	ha	pagado
pag-amos	hemos	pagado
pag-áis	habéis	pagado
pag-an	han	pagado

Pret. Imperfecto	Pret. Pluscuamp.	
pag-aba	había	pagado
pag-abas	habías	pagado
pag-aba	había	pagado
pag-ábamos	habíamos	pagado
pag-abais	habíais	pagado
pag-aban	habían	pagado

Pret. Indefinido	Pret. Anterior	
pagu-é	hube	pagado
pag-aste	hubiste	pagado
pag-ó	hubo	pagado
pag-amos	hubimos	pagado
pag-asteis	hubisteis	pagado
pag-aron	hubieron	pagado

Futuro Simple	Futuro Compuesto	
pagar-é	habré	pagado
pagar-ás	habrás	pagado
pagar-á	habrá	pagado
pagar-emos	habremos	pagado
pagar-éis	habréis	pagado
pagar-án	habrán	pagado

Cond. Simple	Cond. Compuesto	
pagar-ía	habría	pagado
pagar-ías	habrías	pagado
pagar-ía	habría	pagado
pagar-íamos	habríamos	pagado
pagar-íais	habríais	pagado
pagar-ían	habrían	pagado

SUBJUNTIVO

Presente	Pret. Perfecto	
pagu-e	haya	pagado
pagu-es	hayas	pagado
pagu-e	haya	pagado
pagu-emos	hayamos	pagado
pagu-éis	hayáis	pagado
pagu-en	hayan	pagado

Pret. Imperfecto	Pret. Pluscuamp.	
pag-ara	hubiera	pagado
pag-aras	hubieras	pagado
pag-ara	hubiera	pagado
pag-áramos	hubiéramos	pagado
pag-arais	hubierais	pagado
pag-aran	hubieran	pagado
pag-ase	hubiese	pagado
pag-ases	hubieses	pagado
pag-ase	hubiese	pagado
pag-ásemos	hubiésemos	pagado
pag-aseis	hubieseis	pagado
pag-asen	hubiesen	pagado

Futuro Simple	Futuro Compuesto	
pag-are	hubiere	pagado
pag-ares	hubieres	pagado
pag-are	hubiere	pagado
pag-áremos	hubiéremos	pagado
pag-areis	hubiereis	pagado
pag-aren	hubieren	pagado

IMPERATIVO

pag-a(tú)   pag-ad(vosotros)
pagu-e(usted)   pagu-en(ustedes)

FORMAS NO PERSONALES

Infinitivo: pagar
Gerundio: pag-ando
Participio: pag-ado
Infinitivo Comp.: haber pagado
Gerundio Comp.: habiendo pagado

112. parecer

INDICATIVO		SUBJUNTIVO	
Presente	**Pret. Perfecto**	**Presente**	**Pret. Perfecto**
parezc-o	he parecido	parezc-a	haya parecido
parec-es	has parecido	parezc-as	hayas parecido
parec-e	ha parecido	parezc-a	haya parecido
parec-emos	hemos parecido	parezc-amos	hayamos parecido
parec-éis	habéis parecido	parezc-áis	hayáis parecido
parec-en	han parecido	parezc-an	hayan parecido
Pret. Imperfecto	**Pret. Pluscuamp.**	**Pret. Imperfecto**	**Pret. Pluscuamp.**
parec-ía	había parecido	parec-iera	hubiera parecido
parec-ías	habías parecido	parec-ieras	hubieras parecido
parec-ía	había parecido	parec-iera	hubiera parecido
parec-íamos	habíamos parecido	parec-iéramos	hubiéramos parecido
parec-íais	habíais parecido	parec-ierais	hubierais parecido
parec-ían	habían parecido	parec-ieran	hubieran parecido
Pret. Indefinido	**Pret. Anterior**	parec-iese	hubiese parecido
		parec-ieses	hubieses parecido
parec-í	hube parecido	parec-iese	hubiese parecido
parec-iste	hubiste parecido	parec-iésemos	hubiésemos parecido
parec-ió	hubo parecido	parec-ieseis	hubieseis parecido
parec-imos	hubimos parecido	parec-iesen	hubiesen parecido
parec-isteis	hubisteis parecido		
parec-ieron	hubieron parecido	**Futuro Simple**	**Futuro Compuesto**
Futuro Simple	**Futuro Compuesto**	parec-iere	hubiere parecido
		parec-ieres	hubieres parecido
parecer-é	habré parecido	parec-iere	hubiere parecido
parecer-ás	habrás parecido	parec-iéremos	hubiéremos parecido
parecer-á	habrá parecido	parec-iereis	hubiereis parecido
parecer-emos	habremos parecido	parec-ieren	hubieren parecido
parecer-éis	habréis parecido		
parecer-án	habrán parecido		

IMPERATIVO

parezc-as(tú)   parec-ed(vosotros)
parezc-a(usted)   parezc-an(ustedes)

Cond. Simple	Cond. Compuesto
parecer-ía	habría parecido
parecer-ías	habrías parecido
parecer-ía	habría parecido
parecer-íamos	habríamos parecido
parecer-íais	habríais parecido
parecer-ían	habrían parecido

FORMAS NO PERSONALES

Infinitivo: parecer
Gerundio: parec-iendo
Participio: parec-ido
Infinitivo Comp.: haber parecido
Gerundio Comp.: habiendo parecido

113. pedir

INDICATIVO			SUBJUNTIVO		
Presente	**Pret. Perfecto**		**Presente**	**Pret. Perfecto**	
pid-o	he	pedido	pid-a	haya	pedido
pid-es	has	pedido	pid-as	hayas	pedido
pid-e	ha	pedido	pid-a	haya	pedido
ped-imos	hemos	pedido	pid-amos	hayamos	pedido
ped-ís	habéis	pedido	pid-áis	hayáis	pedido
pid-en	han	pedido	pid-an	hayan	pedido
Pret. Imperfecto	**Pret. Pluscuamp.**		**Pret. Imperfecto**	**Pret. Pluscuamp.**	
ped-ía	había	pedido	pid-iera	hubiera	pedido
ped-ías	habías	pedido	pid-ieras	hubieras	pedido
ped-ía	había	pedido	pid-iera	hubiera	pedido
ped-íamos	habíamos	pedido	pid-iéramos	hubiéramos	pedido
ped-íais	habíais	pedido	pid-ierais	hubierais	pedido
ped-ían	habían	pedido	pid-ieran	hubieran	pedido
Pret. Indefinido	**Pret. Anterior**		pid-iese	hubiese	pedido
			pid-ieses	hubieses	pedido
ped-í	hube	pedido	pid-iese	hubiese	pedido
ped-iste	hubiste	pedido	pid-iésemos	hubiésemos	pedido
pid-ió	hubo	pedido	pid-ieseis	hubieseis	pedido
ped-imos	hubimos	pedido	pid-iesen	hubiesen	pedido
ped-isteis	hubisteis	pedido			
pid-ieron	hubieron	pedido	**Futuro Simple**	**Futuro Compuesto**	
Futuro Simple	**Futuro Compuesto**		pid-iere	hubiere	pedido
			pid-ieres	hubieres	pedido
pedir-é	habré	pedido	pid-iere	hubiere	pedido
pedir-ás	habrás	pedido	pid-iéremos	hubiéremos	pedido
pedir-á	habrá	pedido	pid-iereis	hubiereis	pedido
pedir-emos	habremos	pedido	pid-ieren	hubieren	pedido
pedir-éis	habréis	pedido			
pedir-án	habrán	pedido			

IMPERATIVO

pid-e(tú)   ped-id(vosotros)
pid-a(usted)   pid-an(ustedes)

Cond. Simple	**Cond. Compuesto**	
pedir-ía	habría	pedido
pedir-ías	habrías	pedido
pedir-ía	habría	pedido
pedir-íamos	habríamos	pedido
pedir-íais	habríais	pedido
pedir-ían	habrían	pedido

FORMAS NO PERSONALES

Infinitivo: pedir
Gerundio: pid-iendo
Participio: ped-ido
Infinitivo Comp.: haber pedido
Gerundio Comp.: habiendo pedido

114. pensar

Presente	Pret. Perfecto		Presente	Pret. Perfecto	
piens-o	he	pensado	piens-e	haya	pensado
piens-as	has	pensado	piens-es	hayas	pensado
piens-a	ha	pensado	piens-e	haya	pensado
pens-amos	hemos	pensado	pens-emos	hayamos	pensado
pens-áis	habéis	pensado	pens-éis	hayáis	pensado
piens-an	han	pensado	piens-en	hayan	pensado

Pret. Imperfecto	Pret. Pluscuamp.		Pret. Imperfecto	Pret. Pluscuamp.	
pens-aba	había	pensado	pens-ara	hubiera	pensado
pens-abas	habías	pensado	pens-aras	hubieras	pensado
pens-aba	había	pensado	pens-ara	hubiera	pensado
pens-ábamos	habíamos	pensado	pens-áramos	hubiéramos	pensado
pens-abais	habíais	pensado	pens-arais	hubierais	pensado
pens-aban	habían	pensado	pens-aran	hubieran	pensado

Pret. Indefinido	Pret. Anterior				
			pens-ase	hubiese	pensado
			pens-ases	hubieses	pensado
pens-é	hube	pensado	pens-ase	hubiese	pensado
pens-aste	hubiste	pensado	pens-ásemos	hubiésemos	pensado
pens-ó	hubo	pensado	pens-aseis	hubieseis	pensado
pens-amos	hubimos	pensado	pens-asen	hubiesen	pensado
pens-asteis	hubisteis	pensado			
pens-aron	hubieron	pensado			

Futuro Simple	Futuro Compuesto		Futuro Simple	Futuro Compuesto	
			pens-are	hubiere	pensado
			pens-ares	hubieres	pensado
pensar-é	habré	pensado	pens-are	hubiere	pensado
pensar-ás	habrás	pensado	pens-áremos	hubiéremos	pensado
pensar-á	habrá	pensado	pens-areis	hubiereis	pensado
pensar-emos	habremos	pensado	pens-aren	hubieren	pensado
pensar-éis	habréis	pensado			
pensar-án	habrán	pensado			

Cond. Simple	Cond. Compuesto	
pensar-ía	habría	pensado
pensar-ías	habrías	pensado
pensar-ía	habría	pensado
pensar-íamos	habríamos	pensado
pensar-íais	habríais	pensado
pensar-ían	habrían	pensado

IMPERATIVO

piens-a(tú)	pens-ad(vosotros)
piens-e(usted)	piens-en(ustedes)

FORMAS NO PERSONALES

Infinitivo: pensar
Gerundio: pens-ando
Participio: pens-ado
Infinitivo Comp.: haber pensado
Gerundio Comp.: habiendo pensado

115. perder

INDICATIVO

Presente	Pret. Perfecto	
pierd-o	he	perdido
pierd-es	has	perdido
pierd-e	ha	perdido
perd-emos	hemos	perdido
perd-éis	habéis	perdido
pierd-en	han	perdido

Pret. Imperfecto	Pret. Pluscuamp.	
perd-ía	había	perdido
perd-ías	habías	perdido
perd-ía	había	perdido
perd-íamos	habíamos	perdido
perd-íais	habíais	perdido
perd-ían	habían	perdido

Pret. Indefinido	Pret. Anterior	
perd-í	hube	perdido
perd-iste	hubiste	perdido
perd-ió	hubo	perdido
perd-imos	hubimos	perdido
perd-isteis	hubisteis	perdido
perd-ieron	hubieron	perdido

Futuro Simple	Futuro Compuesto	
perder-é	habré	perdido
perder-ás	habrás	perdido
perder-á	habrá	perdido
perder-emos	habremos	perdido
perder-éis	habréis	perdido
perder-án	habrán	perdido

Cond. Simple	Cond. Compuesto	
perder-ía	habría	perdido
perder-ías	habrías	perdido
perder-ía	habría	perdido
perder-íamos	habríamos	perdido
perder-íais	habríais	perdido
perder-ían	habrían	perdido

SUBJUNTIVO

Presente	Pret. Perfecto	
pierd-a	haya	perdido
pierd-as	hayas	perdido
pierd-a	haya	perdido
perd-amos	hayamos	perdido
perd-áis	hayáis	perdido
pierd-an	hayan	perdido

Pret. Imperfecto	Pret. Pluscuamp.	
perd-iera	hubiera	perdido
perd-ieras	hubieras	perdido
perd-iera	hubiera	perdido
perd-iéramos	hubiéramos	perdido
perd-ierais	hubierais	perdido
perd-ieran	hubieran	perdido
perd-iese	hubiese	perdido
perd-ieses	hubieses	perdido
perd-iese	hubiese	perdido
perd-iésemos	hubiésemos	perdido
perd-ieseis	hubieseis	perdido
perd-iesen	hubiesen	perdido

Futuro Simple	Futuro Compuesto	
perd-iere	hubiere	perdido
perd-ieres	hubieres	perdido
perd-iere	hubiere	perdido
perd-iéremos	hubiéremos	perdido
perd-iereis	hubiereis	perdido
perd-ieren	hubieren	perdido

IMPERATIVO

pierd-e(tú)	perd-ed(vosotros)
pierd-a(usted)	pierd-an(ustedes)

FORMAS NO PERSONALES

Infinitivo:	perder
Gerundio:	perd-iendo
Participio:	perd-ido
Infinitivo Comp.:	haber perdido
Gerundio Comp.:	habiendo perdido

116. placer

INDICATIVO				SUBJUNTIVO		

Presente	**Pret. Perfecto**			**Presente**	**Pret. Perfecto**	
plazc-o	he	placido		plazc-a	haya	placido
plac-es	has	placido		plazc-as	hayas	placido
plac-e	ha	placido		plazc-a	haya	placido
plac-emos	hemos	placido		plazc-amos	hayamos	placido
plac-éis	habéis	placido		plazc-áis	hayáis	placido
plac-en	han	placido		plazc-an	hayan	placido

Pret. Imperfecto	**Pret. Pluscuamp.**			**Pret. Imperfecto**	**Pret. Pluscuamp.**	
plac-ía	había	placido		plac-iera	hubiera	placido
plac-ías	habías	placido		plac-ieras	hubieras	placido
plac-ía	había	placido		plac-iera	hubiera	placido
plac-íamos	habíamos	placido		plac-iéramos	hubiéramos	placido
plac-íais	habíais	placido		plac-ierais	hubierais	placido
plac-ían	habían	placido		plac-ieran	hubieran	placido

Pret. Indefinido	**Pret. Anterior**			plac-iese	hubiese	placido
				plac-ieses	hubieses	placido
plac-í	hube	placido		plac-iese	hubiese	placido
plac-iste	hubiste	placido		plac-iésemos	hubiésemos	placido
plac-ió	hubo	placido		plac-ieseis	hubieseis	placido
plac-imos	hubimos	placido		plac-iesen	hubiesen	placido
plac-isteis	hubisteis	placido				
plac-ieron	hubieron	placido		**Futuro Simple**	**Futuro Compuesto**	

Futuro Simple	**Futuro Compuesto**			plac-iere	hubiere	placido
				plac-ieres	hubieres	placido
placer-é	habré	placido		plac-iere	hubiere	placido
placer-ás	habrás	placido		plac-iéremos	hubiéremos	placido
placer-á	habrá	placido		plac-iereis	hubiereis	placido
placer-emos	habremos	placido		plac-ieren	hubieren	placido
placer-éis	habréis	placido				
placer-án	habrán	placido				

IMPERATIVO

plac-e(tú)   plac-ed(vosotros)
plazc-a(usted)   plazc-an(ustedes)

Cond. Simple	**Cond. Compuesto**	
placer-ía	habría	placido
placer-ías	habrías	placido
placer-ía	habría	placido
placer-íamos	habríamos	placido
placer-íais	habríais	placido
placer-ían	habrían	placido

FORMAS NO PERSONALES

Infinitivo: placer
Gerundio: plac-iendo
Participio: plac-ido
Infinitivo Comp.: haber placido
Gerundio Comp.: habiendo placido

117. poder

INDICATIVO				SUBJUNTIVO		
Presente	**Pret. Perfecto**			**Presente**	**Pret. Perfecto**	
pued-o	he	podido		pued-a	haya	podido
pued-es	has	podido		pued-as	hayas	podido
pued-e	ha	podido		pued-a	haya	podido
pod-emos	hemos	podido		pod-amos	hayamos	podido
pod-éis	habéis	podido		pod-áis	hayáis	podido
pued-en	han	podido		pued-an	hayan	podido
Pret. Imperfecto	**Pret. Pluscuamp.**			**Pret. Imperfecto**	**Pret. Pluscuamp.**	
pod-ía	había	podido		pud-iera	hubiera	podido
pod-ías	habías	podido		pud-ieras	hubieras	podido
pod-ía	había	podido		pud-iera	hubiera	podido
pod-íamos	habíamos	podido		pud-iéramos	hubiéramos	podido
pod-íais	habíais	podido		pud-ierais	hubierais	podido
pod-ían	habían	podido		pud-ieran	hubieran	podido
Pret. Indefinido	**Pret. Anterior**			pud-iese	hubiese	podido
				pud-ieses	hubieses	podido
pud-e	hube	podido		pud-iese	hubiese	podido
pud-iste	hubiste	podido		pud-iésemos	hubiésemos	podido
pud-o	hubo	podido		pud-ieseis	hubieseis	podido
pud-imos	hubimos	podido		pud-iesen	hubiesen	podido
pud-isteis	hubisteis	podido		**Futuro Simple**	**Futuro Compuesto**	
pud-ieron	hubieron	podido				
Futuro Simple	**Futuro Compuesto**			pud-iere	hubiere	podido
				pud-ieres	hubieres	podido
podr-é	habré	podido		pud-iere	hubiere	podido
podr-ás	habrás	podido		pud-iéremos	hubiéremos	podido
podr-á	habrá	podido		pud-iereis	hubiereis	podido
podr-emos	habremos	podido		pud-ieren	hubieren	podido
podr-éis	habréis	podido				
podr-án	habrán	podido				

Cond. Simple	**Cond. Compuesto**	
podr-ía	habría	podido
podr-ías	habrías	podido
podr-ía	habría	podido
podr-íamos	habríamos	podido
podr-íais	habríais	podido
podr-ían	habrían	podido

IMPERATIVO

pued-e(tú) pod-ed(vosotros)
pued-a(usted) pued-an(ustedes)

FORMAS NO PERSONALES

Infinitivo: poder
Gerundio: pud-iendo
Participio: pod-ido
Infinitivo Comp.: haber podido
Gerundio Comp.: habiendo podido

118. poner

INDICATIVO

Presente	Pret. Perfecto	
pon g-o	he	puesto
pon-es	has	puesto
pon-e	ha	puesto
pon-emos	hemos	puesto
pon-éis	habéis	puesto
pon-en	han	puesto

Pret. Imperfecto	Pret. Pluscuamp.	
pon-ía	había	puesto
pon-ías	habías	puesto
pon-ía	había	puesto
pon-íamos	habíamos	puesto
pon-íais	habíais	puesto
pon-ían	habían	puesto

Pret. Indefinido	Pret. Anterior	
pus-e	hube	puesto
pus-iste	hubiste	puesto
pus-o	hubo	puesto
pus-imos	hubimos	puesto
pus-isteis	hubisteis	puesto
pus-ieron	hubieron	puesto

Futuro Simple	Futuro Compuesto	
pondr-é	habré	puesto
pondr-ás	habrás	puesto
pondr-á	habrá	puesto
pondr-emos	habremos	puesto
pondr-éis	habréis	puesto
pondr-án	habrán	puesto

Cond. Simple	Cond. Compuesto	
pondr-ía	habría	puesto
pondr-ías	habrías	puesto
pondr-ía	habría	puesto
pondr-íamos	habríamos	puesto
pondr-íais	habríais	puesto
pondr-ían	habrían	puesto

SUBJUNTIVO

Presente	Pret. Perfecto	
pon g-a	haya	puesto
pon g-as	hayas	puesto
pon g-a	haya	puesto
pon g-amos	hayamos	puesto
pon g-áis	hayáis	puesto
pon g-an	hayan	puesto

Pret. Imperfecto	Pret. Pluscuamp.	
pus-iera	hubiera	puesto
pus-ieras	hubieras	puesto
pus-iera	hubiera	puesto
pus-iéramos	hubiéramos	puesto
pus-ierais	hubierais	puesto
pus-ieran	hubieran	puesto
pus-iese	hubiese	puesto
pus-ieses	hubieses	puesto
pus-iese	hubiese	puesto
pus-iésemos	hubiésemos	puesto
pus-ieseis	hubieseis	puesto
pus-iesen	hubiesen	puesto

Futuro Simple	Futuro Compuesto	
pus-iere	hubiere	puesto
pus-ieres	hubieres	puesto
pus-iere	hubiere	puesto
pus-iéremos	hubiéremos	puesto
pus-iereis	hubiereis	puesto
pus-ieren	hubieren	puesto

IMPERATIVO

pon(tú)	pon-ed(vosotros)
pong-a(usted)	pong-an(ustedes)

FORMAS NO PERSONALES

Infinitivo: poner
Gerundio: pon-iendo
Participio: puesto
Infinitivo Comp.: haber puesto
Gerundio Comp.: habiendo puesto

119. preferir

INDICATIVO

Presente	Pret. Perfecto	
prefier-o	he	preferido
prefier-es	has	preferido
prefier-e	ha	preferido
prefer-imos	hemos	preferido
prefer-ís	habéis	preferido
prefier-en	han	preferido

Pret. Imperfecto	Pret. Pluscuamp.	
prefer-ía	había	preferido
prefer-ías	habías	preferido
prefer-ía	había	preferido
prefer-íamos	habíamos	preferido
prefer-íais	habíais	preferido
prefer-ían	habían	preferido

Pret. Indefinido	Pret. Anterior	
prefer-í	hube	preferido
prefer-iste	hubiste	preferido
prefir-ió	hubo	preferido
prefer-imos	hubimos	preferido
prefer-isteis	hubisteis	preferido
prefir-ieron	hubieron	preferido

Futuro Simple	Futuro Compuesto	
preferir-é	habré	preferido
preferir-ás	habrás	preferido
preferir-á	habrá	preferido
preferir-emos	habremos	preferido
preferir-éis	habréis	preferido
preferir-án	habrán	preferido

Cond. Simple	Cond. Compuesto	
preferir-ía	habría	preferido
preferir-ías	habrías	preferido
preferir-ía	habría	preferido
preferir-íamos	habríamos	preferido
preferir-íais	habríais	preferido
preferir-ían	habrían	preferido

SUBJUNTIVO

Presente	Pret. Perfecto	
prefier-a	haya	preferido
prefier-as	hayas	preferido
prefier-a	haya	preferido
prefir-amos	hayamos	preferido
prefir-áis	hayáis	preferido
prefier-an	hayan	preferido

Pret. Imperfecto	Pret. Pluscuamp.	
prefir-iera	hubiera	preferido
prefir-ieras	hubieras	preferido
prefir-iera	hubiera	preferido
prefir-iéramos	hubiéramos	preferido
prefir-ierais	hubierais	preferido
prefir-ieran	hubieran	preferido
prefir-iese	hubiese	preferido
prefir-ieses	hubieses	preferido
prefir-iese	hubiese	preferido
prefir-iésemos	hubiésemos	preferido
prefir-ieseis	hubieseis	preferido
prefir-iesen	hubiesen	preferido

Futuro Simple	Futuro Compuesto	
prefir-iere	hubiere	preferido
prefir-ieres	hubieres	preferido
prefir-iere	hubiere	preferido
prefir-iéremos	hubiéremos	preferido
prefir-iereis	hubiereis	preferido
prefir-ieren	hubieren	preferido

IMPERATIVO

prefier-e(tú)   prefer-id(vosotros)
prefier-a(usted)   prefier-an(ustedes)

FORMAS NO PERSONALES

Infinitivo: preferir
Gerundio: prefir-iendo
Participio: prefer-ido
Infinitivo Comp.: haber preferido
Gerundio Comp.: habiendo preferido

120. prevenir

INDICATIVO

Presente	Pret. Perfecto	
preveng-o	he	prevenido
previen-es	has	prevenido
previen-e	ha	prevenido
preven-imos	hemos	prevenido
preven-ís	habéis	prevenido
previen-en	han	prevenido

Pret. Imperfecto	Pret. Pluscuamp.	
preven-ía	había	prevenido
preven-ías	habías	prevenido
preven-ía	había	prevenido
preven-íamos	habíamos	prevenido
preven-íais	habíais	prevenido
preven-ían	habían	prevenido

Pret. Indefinido	Pret. Anterior	
previn-e	hube	prevenido
previn-iste	hubiste	prevenido
previn-o	hubo	prevenido
previn-imos	hubimos	prevenido
previn-isteis	hubisteis	prevenido
previn-ieron	hubieron	prevenido

Futuro Simple	Futuro Compuesto	
prevendr-é	habré	prevenido
prevendr-ás	habrás	prevenido
prevendr-á	habrá	prevenido
prevendr-emos	habremos	prevenido
prevendr-éis	habréis	prevenido
prevendr-án	habrán	prevenido

Cond. Simple	Cond. Compuesto	
prevendr-ía	habría	prevenido
prevendr-ías	habrías	prevenido
prevendr-ía	habría	prevenido
prevendr-íamos	habríamos	prevenido
prevendr-íais	habríais	prevenido
prevendr-ían	habrían	prevenido

SUBJUNTIVO

Presente	Pret. Perfecto	
preveng-a	haya	prevenido
preveng-as	hayas	prevenido
preveng-a	haya	prevenido
preveng-amos	hayamos	prevenido
preveng-áis	hayáis	prevenido
preveng-an	hayan	prevenido

Pret.Imperfecto	Pret. Pluscuamp.	
previn-iera	hubiera	prevenido
previn-ieras	hubieras	prevenido
previn-iera	hubiera	prevenido
previn-iéramos	hubiéramos	prevenido
previn-ierais	hubierais	prevenido
previn-ieran	hubieran	prevenido
previn-iese	hubiese	prevenido
previn-ieses	hubieses	prevenido
previn-iese	hubiese	prevenido
previn-iésemos	hubiésemos	prevenido
previn-ieseis	hubieseis	prevenido
previn-iesen	hubiesen	prevenido

Futuro Simple	Futuro Compuesto	
previn-iere	hubiere	prevenido
previn-ieres	hubieres	prevenido
previn-iere	hubiere	prevenido
previn-iéremos	hubiéremos	prevenido
previn-iereis	hubiereis	prevenido
previn-ieren	hubieren	prevenido

IMPERATIVO

preven(tú)	preven-id(vosotros)
preveng-a(usted)	preveng-an(ustedes)

FORMAS NO PERSONALES

Infinitivo:	prevenir
Gerundio:	previn-iendo
Participio:	preven-ido
Infinitivo Comp.:	haber prevenido
Gerundio Comp.:	habiendo prevenido

121. probar

INDICATIVO			SUBJUNTIVO		
Presente	**Pret. Perfecto**		**Presente**	**Pret. Perfecto**	
prueb-o	he	probado	prueb-e	haya	probado
prueb-as	has	probado	prueb-es	hayas	probado
prueb-a	ha	probado	prueb-e	haya	probado
prob-amos	hemos	probado	prob-emos	hayamos	probado
prob-áis	habéis	probado	prob-éis	hayáis	probado
prueb-an	han	probado	prueb-en	hayan	probado
Pret. Imperfecto	**Pret. Pluscuamp.**		**Pret. Imperfecto**	**Pret. Pluscuamp.**	
prob-aba	había	probado	prob-ara	hubiera	probado
prob-abas	habías	probado	prob-aras	hubieras	probado
prob-aba	había	probado	prob-ara	hubiera	probado
prob-ábamos	habíamos	probado	prob-áramos	hubiéramos	probado
prob-abais	habíais	probado	prob-arais	hubierais	probado
prob-aban	habían	probado	prob-aran	hubieran	probado
Pret. Indefinido	**Pret. Anterior**		prob-ase	hubiese	probado
			prob-ases	hubieses	probado
prob-é	hube	probado	prob-ase	hubiese	probado
prob-aste	hubiste	probado	prob-ásemos	hubiésemos	probado
prob-ó	hubo	probado	prob-aseis	hubieseis	probado
prob-amos	hubimos	probado	prob-asen	hubiesen	probado
prob-asteis	hubisteis	probado	**Futuro Simple**	**Futuro Compuesto**	
prob-aron	hubieron	probado			
Futuro Simple	**Futuro Compuesto**		prob-are	hubiere	probado
			prob-ares	hubieres	probado
probar-é	habré	probado	prob-are	hubiere	probado
probar-ás	habrás	probado	prob-áremos	hubiéremos	probado
probar-á	habrá	probado	prob-areis	hubiereis	probado
probar-emos	habremos	probado	prob-aren	hubieren	probado
probar-éis	habréis	probado			
probar-án	habrán	probado			

			IMPERATIVO		
Cond. Simple	**Cond. Compuesto**		prueb-a(tú)	prob-ad(vosotros)	
			prueb-e(usted)	prueb-en(ustedes)	
probar-ía	habría	probado			

FORMAS NO PERSONALES

probar-ía	habría	probado
probar-ías	habrías	probado
probar-ía	habría	probado
probar-íamos	habríamos	probado
probar-íais	habríais	probado
probar-ían	habrían	probado

Infinitivo: probar
Gerundio: prob-ando
Participio: prob-ado
Infinitivo Comp.: haber probado
Gerundio Comp.: habiendo probado

122. producir

INDICATIVO		SUBJUNTIVO	

Presente — **Pret. Perfecto** / **Presente** — **Pret. Perfecto**

Presente	Pret. Perfecto		Presente	Pret. Perfecto	
produzc-o	he	producido	produzc-a	haya	producido
produc-es	has	producido	produzc-as	hayas	producido
produc-e	ha	producido	produzc-a	haya	producido
produc-imos	hemos	producido	produzc-amos	hayamos	producido
produc-ís	habéis	producido	produzc-áis	hayáis	producido
produc-en	han	producido	produzc-an	hayan	producido

Pret. Imperfecto	Pret. Pluscuamp.		Pret. Imperfecto	Pret. Pluscuamp.	
produc-ía	había	producido	produj-era	hubiera	producido
produc-ías	habías	producido	produj-eras	hubieras	producido
produc-ía	había	producido	produj-era	hubiera	producido
produc-íamos	habíamos	producido	produj-éramos	hubiéramos	producido
produc-íais	habíais	producido	produj-erais	hubierais	producido
produc-ían	habían	producido	produj-eran	hubieran	producido

Pret. Indefinido	Pret. Anterior				
			produj-ese	hubiese	producido
			produj-eses	hubieses	producido
produj-e	hube	producido	produj-ese	hubiese	producido
produj-iste	hubiste	producido	produj-ésemos	hubiésemos	producido
produj-o	hubo	producido	produj-eseis	hubieseis	producido
produj-imos	hubimos	producido	produj-esen	hubiesen	producido
produj-isteis	hubisteis	producido			
produj-eron	hubieron	producido	**Futuro Simple**	**Futuro Compuesto**	

Futuro Simple	Futuro Compuesto		Futuro Simple	Futuro Compuesto	
			produj-ere	hubiere	producido
			produj-eres	hubieres	producido
producir-é	habré	producido	produj-ere	hubiere	producido
producir-ás	habrás	producido	produj-éremos	hubiéremos	producido
producir-á	habrá	producido	produj-ereis	hubiereis	producido
producir-emos	habremos	producido	produj-eren	hubieren	producido
producir-éis	habréis	producido			
producir-án	habrán	producido			

Cond. Simple	Cond. Compuesto	
producir-ía	habría	producido
producir-ías	habrías	producido
producir-ía	habría	producido
producir-íamos	habríamos	producido
producir-íais	habríais	producido
producir-ían	habrían	producido

IMPERATIVO

produc-e(tú)	produc-id(vosotros)
produzc-a(usted)	produzc-an(ustedes)

FORMAS NO PERSONALES

Infinitivo:	producir
Gerundio:	produc-iendo
Participio:	produc-ido
Infinitivo Comp.:	haber producido
Gerundio Comp.:	habiendo producido

123. prohibir

INDICATIVO		SUBJUNTIVO	

Presente	Pret. Perfecto		Presente	Pret. Perfecto	
prohíb-o	he	prohibido	prohíb-a	haya	prohibido
prohíb-es	has	prohibido	prohíb-as	hayas	prohibido
prohíb-e	ha	prohibido	prohíb-a	haya	prohibido
prohib-imos	hemos	prohibido	prohib-amos	hayamos	prohibido
prohib-ís	habéis	prohibido	prohib-áis	hayáis	prohibido
prohíb-en	han	prohibido	prohíb-an	hayan	prohibido

Pret. Imperfecto	Pret. Pluscuamp.		Pret. Imperfecto	Pret. Pluscuamp.	
prohib-ía	había	prohibido	prohib-iera	hubiera	prohibido
prohib-ías	habías	prohibido	prohib-ieras	hubieras	prohibido
prohib-ía	había	prohibido	prohib-iera	hubiera	prohibido
prohib-íamos	habíamos	prohibido	prohib-iéramos	hubiéramos	prohibido
prohib-íais	habíais	prohibido	prohib-ierais	hubierais	prohibido
prohib-ían	habían	prohibido	prohib-ieran	hubieran	prohibido

Pret. Indefinido	Pret. Anterior				
			prohib-iese	hubiese	prohibido
			prohib-ieses	hubieses	prohibido
prohib-í	hube	prohibido	prohib-iese	hubiese	prohibido
prohib-iste	hubiste	prohibido	prohib-iésemos	hubiésemos	prohibido
prohib-ió	hubo	prohibido	prohib-ieseis	hubieseis	prohibido
prohib-imos	hubimos	prohibido	prohib-iesen	hubiesen	prohibido
prohib-isteis	hubisteis	prohibido			
prohib-ieron	hubieron	prohibido	Futuro Simple	Futuro Compuesto	

Futuro Simple	Futuro Compuesto				
			prohib-iere	hubiere	prohibido
			prohib-ieres	hubieres	prohibido
prohibir-é	habré	prohibido	prohib-iere	hubiere	prohibido
prohibir-ás	habrás	prohibido	prohib-iéremos	hubiéremos	prohibido
prohibir-á	habrá	prohibido	prohib-iereis	hubiereis	prohibido
prohibir-emos	habremos	prohibido	prohib-ieren	hubieren	prohibido
prohibir-éis	habréis	prohibido			
prohibir-án	habrán	prohibido			

Cond. Simple	Cond. Compuesto	
prohibir-ía	habría	prohibido
prohibir-ías	habrías	prohibido
prohibir-ía	habría	prohibido
prohibir-íamos	habríamos	prohibido
prohibir-íais	habríais	prohibido
prohibir-ían	habrían	prohibido

IMPERATIVO

prohíb-e(tú)	prohib-id(vosotros)
prohíb-a(usted)	prohíb-an(ustedes)

FORMAS NO PERSONALES

Infinitivo:	prohibir
Gerundio:	prohib-iendo
Participio:	prohib-ido
Infinitivo Comp.:	haber prohibido
Gerundio Comp.:	habiendo prohibido

124. proponer

INDICATIVO

Presente	Pret. Perfecto	
propong-o	he	propuesto
propon-es	has	propuesto
propon-e	ha	propuesto
propon-emos	hemos	propuesto
propon-éis	habéis	propuesto
propon-en	han	propuesto

Pret. Imperfecto	Pret. Pluscuamp.	
propon-ía	había	propuesto
propon-ías	habías	propuesto
propon-ía	había	propuesto
propon-íamos	habíamos	propuesto
propon-íais	habíais	propuesto
propon-ían	habían	propuesto

Pret. Indefinido	Pret. Anterior	
propus-e	hube	propuesto
propus-iste	hubiste	propuesto
propus-o	hubo	propuesto
propus-imos	hubimos	propuesto
propus-isteis	hubisteis	propuesto
propus-ieron	hubieron	propuesto

Futuro Simple	Futuro Compuesto	
propondr-é	habré	propuesto
propondr-ás	habrás	propuesto
propondr-á	habrá	propuesto
propondr-emos	habremos	propuesto
propondr-éis	habréis	propuesto
propondr-án	habrán	propuesto

Cond. Simple	Cond. Compuesto	
propondr-ía	habría	propuesto
propondr-ías	habrías	propuesto
propondr-ía	habría	propuesto
propondr-íamos	habríamos	propuesto
propondr-íais	habríais	propuesto
propondr-ían	habrían	propuesto

SUBJUNTIVO

Presente	Pret. Perfecto	
propong-a	haya	propuesto
propong-as	hayas	propuesto
propong-a	haya	propuesto
propong-amos	hayamos	propuesto
propong-áis	hayáis	propuesto
propong-an	hayan	propuesto

Pret. Imperfecto	Pret. Pluscuamp.	
propus-iera	hubiera	propuesto
propus-ieras	hubieras	propuesto
propus-iera	hubiera	propuesto
propus-iéramos	hubiéramos	propuesto
propus-ierais	hubierais	propuesto
propus-ieran	hubieran	propuesto
propus-iese	hubiese	propuesto
propus-ieses	hubieses	propuesto
propus-iese	hubiese	propuesto
propus-iésemos	hubiésemos	propuesto
propus-ieseis	hubieseis	propuesto
propus-iesen	hubiesen	propuesto

Futuro Simple	Futuro Compuesto	
propus-iere	hubiere	propuesto
propus-ieres	hubieres	propuesto
propus-iere	hubiere	propuesto
propus-iéremos	hubiéremos	propuesto
propus-iereis	hubiereis	propuesto
propus-ieren	hubieren	propuesto

IMPERATIVO

propon(tú)	propon-ed(vosotros)
propong-a(usted)	propong-an(ustedes)

FORMAS NO PERSONALES

Infinitivo:	proponer
Gerundio:	propon-iendo
Participio:	propuesto
Infinitivo Comp.:	haber propuesto
Gerundio Comp.:	habiendo propuesto

125. pudrir/podrir

	INDICATIVO			SUBJUNTIVO	
Presente	**Pret. Perfecto**		**Presente**	**Pret. Perfecto**	
pudr-o	he	**podrido**	pudr-a	haya	podrido
pudr-es	has	podrido	pudr-as	hayas	podrido
pudr-e	ha	podrido	pudr-a	haya	podrido
pudr-imos	hemos	podrido	pudr-amos	hayamos	podrido
pudr-ís	habéis	podrido	pudr-áis	hayáis	podrido
pudr-en	han	podrido	pudr-an	hayan	podrido
Pret. Imperfecto	**Pret. Pluscuamp.**		**Pret. Imperfecto**	**Pret. Pluscuamp.**	
pudr-ía	había	podrido	pudr-iera	hubiera	podrido
pudr-ías	habías	podrido	pudr-ieras	hubieras	podrido
pudr-ía	había	podrido	pudr-iera	hubiera	podrido
pudr-íamos	habíamos	podrido	pudr-iéramos	hubiéramos	podrido
pudr-íais	habíais	podrido	pudr-ierais	hubierais	podrido
pudr-ían	habían	podrido	pudr-ieran	hubieran	podrido
Pret. Indefinido	**Pret. Anterior**		pudr-iese	hubiese	podrido
			pudr-ieses	hubieses	podrido
pudr-í	hube	podrido	pudr-iese	hubiese	podrido
pudr-iste	hubiste	podrido	pudr-iésemos	hubiésemos	podrido
pudr-ió	hubo	podrido	pudr-ieseis	hubieseis	podrido
pudr-imos	hubimos	podrido	pudr-iesen	hubiesen	podrido
pudr-isteis	hubisteis	podrido			
pudr-ieron	hubieron	podrido	**Futuro Simple**	**Futuro Compuesto**	
Futuro Simple	**Futuro Compuesto**		pudr-iere	hubiere	podrido
			pudr-ieres	hubieres	podrido
pudrir-é	habré	podrido	pudr-iere	hubiere	podrido
pudrir-ás	habrás	podrido	pudr-iéremos	hubiéremos	podrido
pudrir-á	habrá	podrido	pudr-iereis	hubiereis	podrido
pudrir-emos	habremos	podrido	pudr-ieren	hubieren	podrido
pudrir-éis	habréis	podrido			
pudrir-án	habrán	podrido			

Cond. Simple	**Cond. Compuesto**	
pudrir-ía	habría	podrido
pudrir-ías	habrías	podrido
pudrir-ía	habría	podrido
pudrir-íamos	habríamos	podrido
pudrir-íais	habríais	podrido
pudrir-ían	habrían	podrido

IMPERATIVO
pudr-e(tú)   pudr-id(vosotros)
pudr-a(usted)   pudr-an(ustedes)

FORMAS NO PERSONALES

Infinitivo: pudrir/podrir
Gerundio: pudr-iendo
Participio: **podrido**
Infinitivo Comp.: haber podrido
Gerundio Comp.: habiendo podrido

126. querer

<table>
<tr><td colspan="3" align="center">INDICATIVO</td><td colspan="3" align="center">SUBJUNTIVO</td></tr>
<tr><td>Presente</td><td colspan="2">Pret. Perfecto</td><td>Presente</td><td colspan="2">Pret. Perfecto</td></tr>
<tr><td>quier-o</td><td>he</td><td>querido</td><td>quier-a</td><td>haya</td><td>querido</td></tr>
<tr><td>quier-es</td><td>has</td><td>querido</td><td>quier-as</td><td>hayas</td><td>querido</td></tr>
<tr><td>quier-e</td><td>ha</td><td>querido</td><td>quier-a</td><td>haya</td><td>querido</td></tr>
<tr><td>quer-emos</td><td>hemos</td><td>querido</td><td>quer-amos</td><td>hayamos</td><td>querido</td></tr>
<tr><td>quer-éis</td><td>habéis</td><td>querido</td><td>quer-áis</td><td>hayáis</td><td>querido</td></tr>
<tr><td>quier-en</td><td>han</td><td>querido</td><td>quier-an</td><td>hayan</td><td>querido</td></tr>
<tr><td>Pret. Imperfecto</td><td colspan="2">Pret. Pluscuamp.</td><td>Pret. Imperfecto</td><td colspan="2">Pret. Pluscuamp.</td></tr>
<tr><td>quer-ía</td><td>había</td><td>querido</td><td>quis-iera</td><td>hubiera</td><td>querido</td></tr>
<tr><td>quer-ías</td><td>habías</td><td>querido</td><td>quis-ieras</td><td>hubieras</td><td>querido</td></tr>
<tr><td>quer-ía</td><td>había</td><td>querido</td><td>quis-iera</td><td>hubiera</td><td>querido</td></tr>
<tr><td>quer-íamos</td><td>habíamos</td><td>querido</td><td>quis-iéramos</td><td>hubiéramos</td><td>querido</td></tr>
<tr><td>quer-íais</td><td>habíais</td><td>querido</td><td>quis-ierais</td><td>hubierais</td><td>querido</td></tr>
<tr><td>quer-ían</td><td>habían</td><td>querido</td><td>quis-ieran</td><td>hubieran</td><td>querido</td></tr>
<tr><td>Pret. Indefinido</td><td colspan="2">Pret. Anterior</td><td>quis-iese</td><td>hubiese</td><td>querido</td></tr>
<tr><td></td><td></td><td></td><td>quis-ieses</td><td>hubieses</td><td>querido</td></tr>
<tr><td>quis-e</td><td>hube</td><td>querido</td><td>quis-iese</td><td>hubiese</td><td>querido</td></tr>
<tr><td>quis-iste</td><td>hubiste</td><td>querido</td><td>quis-iésemos</td><td>hubiésemos</td><td>querido</td></tr>
<tr><td>quis-o</td><td>hubo</td><td>querido</td><td>quis-ieseis</td><td>hubieseis</td><td>querido</td></tr>
<tr><td>quis-imos</td><td>hubimos</td><td>querido</td><td>quis-iesen</td><td>hubiesen</td><td>querido</td></tr>
<tr><td>quis-isteis</td><td>hubisteis</td><td>querido</td><td></td><td></td><td></td></tr>
<tr><td>quis-ieron</td><td>hubieron</td><td>querido</td><td>Futuro Simple</td><td colspan="2">Futuro Compuesto</td></tr>
<tr><td>Futuro Simple</td><td colspan="2">Futuro Compuesto</td><td>quis-iere</td><td>hubiere</td><td>querido</td></tr>
<tr><td></td><td></td><td></td><td>quis-ieres</td><td>hubieres</td><td>querido</td></tr>
<tr><td>querr-é</td><td>habré</td><td>querido</td><td>quis-iere</td><td>hubiere</td><td>querido</td></tr>
<tr><td>querr-ás</td><td>habrás</td><td>querido</td><td>quis-iéremos</td><td>hubiéremos</td><td>querido</td></tr>
<tr><td>querr-á</td><td>habrá</td><td>querido</td><td>quis-iereis</td><td>hubiereis</td><td>querido</td></tr>
<tr><td>querr-emos</td><td>habremos</td><td>querido</td><td>quis-ieren</td><td>hubieren</td><td>querido</td></tr>
<tr><td>querr-éis</td><td>habréis</td><td>querido</td><td colspan="3"></td></tr>
<tr><td>querr-án</td><td>habrán</td><td>querido</td><td colspan="3" align="center">IMPERATIVO</td></tr>
<tr><td>Cond. Simple</td><td colspan="2">Cond. Compuesto</td><td>quier-e(tú)</td><td colspan="2">quer-ed(vosotros)</td></tr>
<tr><td></td><td></td><td></td><td>quier-a(usted)</td><td colspan="2">quier-an(ustedes)</td></tr>
<tr><td>querr-ía</td><td>habría</td><td>querido</td><td colspan="3" align="center">FORMAS NO PERSONALES</td></tr>
<tr><td>querr-ías</td><td>habrías</td><td>querido</td><td colspan="3"></td></tr>
<tr><td>querr-ía</td><td>habría</td><td>querido</td><td>Infinitivo:</td><td colspan="2">querer</td></tr>
<tr><td>querr-íamos</td><td>habríamos</td><td>querido</td><td>Gerundio:</td><td colspan="2">quer-iendo</td></tr>
<tr><td>querr-íais</td><td>habríais</td><td>querido</td><td>Participio:</td><td colspan="2">quer-ido</td></tr>
<tr><td>querr-ían</td><td>habrían</td><td>querido</td><td>Infinitivo Comp.:</td><td colspan="2">haber querido</td></tr>
<tr><td></td><td></td><td></td><td>Gerundio Comp.:</td><td colspan="2">habiendo querido</td></tr>
</table>

127. raer

INDICATIVO

Presente | Pret. Perfecto

ra-o/raig-o	he	raído
ra-es	has	raído
ra-e	ha	raído
ra-emos	hemos	raído
ra-éis	habéis	raído
ra-en	han	raído

Pret. Imperfecto | Pret. Pluscuamp.

ra-ía	había	raído
ra-ías	habías	raído
ra-ía	había	raído
ra-íamos	habíamos	raído
ra-íais	habíais	raído
ra-ían	habían	raído

Pret. Indefinido | Pret. Anterior

ra-í	hube	raído
ra-iste	hubiste	raído
ray-ó	hubo	raído
ra-ímos	hubimos	raído
ra-ísteis	hubisteis	raído
ray-eron	hubieron	raído

Futuro Simple | Futuro Compuesto

raer-é	habré	raído
raer-ás	habrás	raído
raer-á	habrá	raído
raer-emos	habremos	raído
raer-éis	habréis	raído
raer-án	habrán	raído

Cond. Simple | Cond. Compuesto

raer-ía	habría	raído
raer-ías	habrías	raído
raer-ía	habría	raído
raer-íamos	habríamos	raído
raer-íais	habríais	raído
raer-ían	habrían	raído

SUBJUNTIVO

Presente | Pret. Perfecto

raig-a	haya	raído
raig-as	hayas	raído
raig-a	haya	raído
raig-amos	hayamos	raído
raig-áis	hayáis	raído
raig-an	hayan	raído

Pret. Imperfecto | Pret. Pluscuamp.

ray-era	hubiera	raído
ray-eras	hubieras	raído
ray-era	hubiera	raído
ray-éramos	hubiéramos	raído
ray-erais	hubierais	raído
ray-eran	hubieran	raído
ray-ese	hubiese	raído
ray-eses	hubieses	raído
ray-ese	hubiese	raído
ray-ésemos	hubiésemos	raído
ray-eseis	hubieseis	raído
ray-esen	hubiesen	raído

Futuro Simple | Futuro Compuesto

ray-ere	hubiere	raído
ray-eres	hubieres	raído
ray-ere	hubiere	raído
ray-éremos	hubiéremos	raído
ray-ereis	hubiereis	raído
ray-eren	hubieren	raído

IMPERATIVO

ra-e(tú)	ra-ed(vosotros)
raig-a(usted)	raig-an(ustedes)

FORMAS NO PERSONALES

Infinitivo: raer
Gerundio: rayendo
Participio: ra-ído
Infinitivo Comp.: haber raído
Gerundio Comp.: habiendo raído

11

128. recordar

INDICATIVO		SUBJUNTIVO	

Presente	**Pret. Perfecto**	**Presente**	**Pret. Perfecto**
recuerd-o	he recordado	recuerd-e	haya recordado
recuerd-as	has recordado	recuerd-es	hayas recordado
recuerd-a	ha recordado	recuerd-e	haya recordado
record-amos	hemos recordado	record-emos	hayamos recordado
record-áis	habéis recordado	record-éis	hayáis recordado
recuerd-an	han recordado	recuerd-en	hayan recordado

Pret. Imperfecto	**Pret. Pluscuamp.**	**Pret. Imperfecto**	**Pret. Pluscuamp.**
record-aba	había recordado	record-ara	hubiera recordado
record-abas	habías recordado	record-aras	hubieras recordado
record-aba	había recordado	record-ara	hubiera recordado
record-ábamos	habíamos recordado	record-áramos	hubiéramos recordado
record-abais	habíais recordado	record-arais	hubierais recordado
record-aban	habían recordado	record-aran	hubieran recordado

Pret. Indefinido	**Pret. Anterior**		
		record-ase	hubiese recordado
		record-ases	hubieses recordado
record-é	hube recordado	record-ase	hubiese recordado
record-aste	hubiste recordado	record-ásemos	hubiésemos recordado
record-ó	hubo recordado	record-aseis	hubieseis recordado
record-amos	hubimos recordado	record-asen	hubiesen recordado
record-asteis	hubisteis recordado		
record-aron	hubieron recordado	**Futuro Simple**	**Futuro Compuesto**

Futuro Simple	**Futuro Compuesto**		
		record-are	hubiere recordado
		record-ares	hubieres recordado
recordar-é	habré recordado	record-are	hubiere recordado
recordar-ás	habrás recordado	record-áremos	hubiéremos recordado
recordar-á	habrá recordado	record-areis	hubiereis recordado
recordar-emos	habremos recordado	record-aren	hubieren recordado
recordar-éis	habréis recordado		
recordar-án	habrán recordado		

— IMPERATIVO —

recuerd-a(tú)   record-ad(vosotros)
recuerd-e(usted)   recuerd-en(ustedes)

Cond. Simple	**Cond. Compuesto**

— FORMAS NO PERSONALES —

recordar-ía	habría recordado
recordar-ías	habrías recordado
recordar-ía	habría recordado
recordar-íamos	habríamos recordado
recordar-íais	habríais recordado
recordar-ían	habrían recordado

Infinitivo: recordar
Gerundio: record-ando
Participio: record-ado
Infinitivo Comp.: haber recordado
Gerundio Comp.: habiendo recordado

129. reir

INDICATIVO			SUBJUNTIVO		
Presente	**Pret. Perfecto**		**Presente**	**Pret. Perfecto**	
rí-o	he	reído	rí-a	haya	reído
rí-es	has	reído	rí-as	hayas	reído
rí-e	ha	reído	rí-a	haya	reído
re-ímos	hemos	reído	rí-amos	hayamos	reído
re-ís	habéis	reído	rí-áis	hayáis	reído
rí-en	han	reído	rí-an	hayan	reído
Pret. Imperfecto	**Pret. Pluscuamp.**		**Pret. Imperfecto**	**Pret. Pluscuamp.**	
re-ía	había	reído	rí-era	hubiera	reído
re-ías	habías	reído	rí-eras	hubieras	reído
re-ía	había	reído	rí-era	hubiera	reído
re-íamos	habíamos	reído	rí-éramos	hubiéramos	reído
re-íais	habíais	reído	rí-erais	hubierais	reído
re-ían	habían	reído	rí-eran	hubieran	reído
Pret. Indefinido	**Pret. Anterior**		rí-ese	hubiese	reído
			rí-eses	hubieses	reído
re-í	hube	reído	rí-ese	hubiese	reído
re-iste	hubiste	reído	rí-ésemos	hubiésemos	reído
rí-ó	hubo	reído	rí-eseis	hubieseis	reído
re-imos	hubimos	reído	rí-esen	hubiesen	reído
re-isteis	hubisteis	reído			
rí-eron	hubieron	reído	**Futuro Simple**	**Futuro Compuesto**	
Futuro Simple	**Futuro Compuesto**		rí-ere	hubiere	reído
			rí-eres	hubieres	reído
reir-é	habré	reído	rí-ere	hubiere	reído
reir-ás	habrás	reído	rí-éremos	hubiéremos	reído
reir-á	habrá	reído	rí-ereis	hubiereis	reído
reir-emos	habremos	reído	rí-eren	hubieren	reído
reir-éis	habréis	reído			
reir-án	habrán	reído			

SUBJUNTIVO (cont.)	
IMPERATIVO	
rí-e(tú)	re-id(vosotros)
rí-a(usted)	rí-an(ustedes)

INDICATIVO (cont.)		
Cond. Simple	**Cond. Compuesto**	
reir-ía	habría	reído
reir-ías	habrías	reído
reir-ía	habría	reído
reir-íamos	habríamos	reído
reir-íais	habríais	reído
reir-ían	habrían	reído

FORMAS NO PERSONALES

Infinitivo: reir
Gerundio: rí-endo
Participio: re-ído
Infinitivo Comp.: haber reído
Gerundio Comp.: habiendo reído

130. reñir

INDICATIVO

Presente	Pret. Perfecto		Presente	Pret. Perfecto	
riñ-o	he	reñido	riñ-a	haya	reñido
riñ-es	has	reñido	riñ-as	hayas	reñido
riñ-e	ha	reñido	riñ-a	haya	reñido
reñ-imos	hemos	reñido	riñ-amos	hayamos	reñido
reñ-ís	habéis	reñido	riñ-áis	hayáis	reñido
riñ-en	han	reñido	riñ-an	hayan	reñido

Pret. Imperfecto	Pret. Pluscuamp.		Pret. Imperfecto	Pret. Pluscuamp.	
reñ-ía	había	reñido	riñ-era	hubiera	reñido
reñ-ías	habías	reñido	riñ-eras	hubieras	reñido
reñ-ía	había	reñido	riñ-era	hubiera	reñido
reñ-íamos	habíamos	reñido	riñ-éramos	hubiéramos	reñido
reñ-íais	habíais	reñido	riñ-erais	hubierais	reñido
reñ-ían	habían	reñido	riñ-eran	hubieran	reñido

Pret. Indefinido	Pret. Anterior				
			riñ-ese	hubiese	reñido
			riñ-eses	hubieses	reñido
reñ-í	hube	reñido	riñ-ese	hubiese	reñido
reñ-iste	hubiste	reñido	riñ-ésemos	hubiésemos	reñido
riñ-ó	hubo	reñido	riñ-eseis	hubieseis	reñido
reñ-imos	hubimos	reñido	riñ-esen	hubiesen	reñido
reñ-isteis	hubisteis	reñido			
riñ-eron	hubieron	reñido	Futuro Simple	Futuro Compuesto	

Futuro Simple	Futuro Compuesto				
			riñ-ere	hubiere	reñido
			riñ-eres	hubieres	reñido
reñir-é	habré	reñido	riñ-ere	hubiere	reñido
reñir-ás	habrás	reñido	riñ-éremos	hubiéremos	reñido
reñir-á	habrá	reñido	riñ-ereis	hubiereis	reñido
reñir-emos	habremos	reñido	riñ-eren	hubieren	reñido
reñir-éis	habréis	reñido			
reñir-án	habrán	reñido			

IMPERATIVO

riñ-e(tú)   reñ-id(vosotros)
riñ-a(usted)   riñ-an(ustedes)

Cond. Simple	Cond. Compuesto	
reñir-ía	habría	reñido
reñir-ías	habrías	reñido
reñir-ía	habría	reñido
reñir-íamos	habríamos	reñido
reñir-íais	habríais	reñido
reñir-ían	habrían	reñido

FORMAS NO PERSONALES

Infinitivo: reñir
Gerundio: riñ-endo
Participio: reñ-ido
Infinitivo Comp.:   haber reñido
Gerundio Comp.:   habiendo reñido

131. repetir

INDICATIVO

Presente	Pret. Perfecto	
repit-o	he	repetido
repit-es	has	repetido
repit-e	ha	repetido
repet-imos	hemos	repetido
repet-ís	habéis	repetido
repit-en	han	repetido

Pret. Imperfecto	Pret. Pluscuamp.	
repet-ía	había	repetido
repet-ías	habías	repetido
repet-ía	había	repetido
repet-íamos	habíamos	repetido
repet-íais	habíais	repetido
repet-ían	habían	repetido

Pret. Indefinido	Pret. Anterior	
repet-í	hube	repetido
repet-iste	hubiste	repetido
repit-ió	hubo	repetido
repet-imos	hubimos	repetido
repet-isteis	hubisteis	repetido
repit-ieron	hubieron	repetido

Futuro Simple	Futuro Compuesto	
repetir-é	habré	repetido
repetir-ás	habrás	repetido
repetir-á	habrá	repetido
repetir-emos	habremos	repetido
repetir-éis	habréis	repetido
repetir-án	habrán	repetido

Cond. Simple	Cond. Compuesto	
repetir-ía	habría	repetido
repetir-ías	habrías	repetido
repetir-ía	habría	repetido
repetir-íamos	habríamos	repetido
repetir-íais	habríais	repetido
repetir-ían	habrían	repetido

SUBJUNTIVO

Presente	Pret. Perfecto	
repit-a	haya	repetido
repit-as	hayas	repetido
repit-a	haya	repetido
repit-amos	hayamos	repetido
repit-áis	hayáis	repetido
repit-an	hayan	repetido

Pret. Imperfecto	Pret. Pluscuamp.	
repit-iera	hubiera	repetido
repit-ieras	hubieras	repetido
repit-iera	hubiera	repetido
repit-iéramos	hubiéramos	repetido
repit-ierais	hubierais	repetido
repit-ieran	hubieran	repetido
repit-iese	hubiese	repetido
repit-ieses	hubieses	repetido
repit-iese	hubiese	repetido
repit-iésemos	hubiésemos	repetido
repit-ieseis	hubieseis	repetido
repit-iesen	hubiesen	repetido

Futuro Simple	Futuro Compuesto	
repit-iere	hubiere	repetido
repit-ieres	hubieres	repetido
repit-iere	hubiere	repetido
repit-iéremos	hubiéremos	repetido
repit-iereis	hubiereis	repetido
repit-ieren	hubieren	repetido

IMPERATIVO

repit-e(tú)	repet-id(vosotros)
repit-a(usted)	repit-an(ustedes)

FORMAS NO PERSONALES

Infinitivo:	repetir
Gerundio:	repit-iendo
Participio:	repet-ido
Infinitivo Comp.:	haber repetido
Gerundio Comp.:	habiendo repetido

132. resolver

<table>
<tr><td colspan="4" align="center">INDICATIVO</td><td colspan="4" align="center">SUBJUNTIVO</td></tr>
<tr><td colspan="2">Presente</td><td colspan="2">Pret. Perfecto</td><td colspan="2">Presente</td><td colspan="2">Pret. Perfecto</td></tr>
<tr><td colspan="2">resuelv-o</td><td>he</td><td>resuelto</td><td colspan="2">resuelv-a</td><td>haya</td><td>resuelto</td></tr>
<tr><td colspan="2">resuelv-es</td><td>has</td><td>resuelto</td><td colspan="2">resuelv-as</td><td>hayas</td><td>resuelto</td></tr>
<tr><td colspan="2">resuelv-e</td><td>ha</td><td>resuelto</td><td colspan="2">resuelv-a</td><td>haya</td><td>resuelto</td></tr>
<tr><td colspan="2">resolv-emos</td><td>hemos</td><td>resuelto</td><td colspan="2">resolv-amos</td><td>hayamos</td><td>resuelto</td></tr>
<tr><td colspan="2">resolv-éis</td><td>habéis</td><td>resuelto</td><td colspan="2">resolv-áis</td><td>hayáis</td><td>resuelto</td></tr>
<tr><td colspan="2">resuelv-en</td><td>han</td><td>resuelto</td><td colspan="2">resuelv-an</td><td>hayan</td><td>resuelto</td></tr>
<tr><td colspan="2">Pret. Imperfecto</td><td colspan="2">Pret. Pluscuamp.</td><td colspan="2">Pret. Imperfecto</td><td colspan="2">Pret. Pluscuamp.</td></tr>
<tr><td colspan="2">resolv-ía</td><td>había</td><td>resuelto</td><td colspan="2">resolv-iera</td><td>hubiera</td><td>resuelto</td></tr>
<tr><td colspan="2">resolv-ías</td><td>habías</td><td>resuelto</td><td colspan="2">resolv-ieras</td><td>hubieras</td><td>resuelto</td></tr>
<tr><td colspan="2">resolv-ía</td><td>había</td><td>resuelto</td><td colspan="2">resolv-iera</td><td>hubiera</td><td>resuelto</td></tr>
<tr><td colspan="2">resolv-íamos</td><td>habíamos</td><td>resuelto</td><td colspan="2">resolv-iéramos</td><td>hubiéramos</td><td>resuelto</td></tr>
<tr><td colspan="2">resolv-íais</td><td>habíais</td><td>resuelto</td><td colspan="2">resolv-ierais</td><td>hubierais</td><td>resuelto</td></tr>
<tr><td colspan="2">resolv-ían</td><td>habían</td><td>resuelto</td><td colspan="2">resolv-ieran</td><td>hubieran</td><td>resuelto</td></tr>
<tr><td colspan="2">Pret. Indefinido</td><td colspan="2">Pret. Anterior</td><td colspan="2">resolv-iese</td><td>hubiese</td><td>resuelto</td></tr>
<tr><td colspan="2"></td><td colspan="2"></td><td colspan="2">resolv-ieses</td><td>hubieses</td><td>resuelto</td></tr>
<tr><td colspan="2">resolv-í</td><td>hube</td><td>resuelto</td><td colspan="2">resolv-iese</td><td>hubiese</td><td>resuelto</td></tr>
<tr><td colspan="2">resolv-iste</td><td>hubiste</td><td>resuelto</td><td colspan="2">resolv-iésemos</td><td>hubiésemos</td><td>resuelto</td></tr>
<tr><td colspan="2">resolv-ió</td><td>hubo</td><td>resuelto</td><td colspan="2">resolv-ieseis</td><td>hubieseis</td><td>resuelto</td></tr>
<tr><td colspan="2">resolv-imos</td><td>hubimos</td><td>resuelto</td><td colspan="2">resolv-iesen</td><td>hubiesen</td><td>resuelto</td></tr>
<tr><td colspan="2">resolv-isteis</td><td>hubisteis</td><td>resuelto</td><td colspan="4"></td></tr>
<tr><td colspan="2">resolv-ieron</td><td>hubieron</td><td>resuelto</td><td colspan="2">Futuro Simple</td><td colspan="2">Futuro Compuesto</td></tr>
<tr><td colspan="4"></td><td colspan="2">resolv-iere</td><td>hubiere</td><td>resuelto</td></tr>
<tr><td colspan="2">Futuro Simple</td><td colspan="2">Futuro Compuesto</td><td colspan="2">resolv-ieres</td><td>hubieres</td><td>resuelto</td></tr>
<tr><td colspan="2">resolver-é</td><td>habré</td><td>resuelto</td><td colspan="2">resolv-iere</td><td>hubiere</td><td>resuelto</td></tr>
<tr><td colspan="2">resolver-ás</td><td>habrás</td><td>resuelto</td><td colspan="2">resolv-iéremos</td><td>hubiéremos</td><td>resuelto</td></tr>
<tr><td colspan="2">resolver-á</td><td>habrá</td><td>resuelto</td><td colspan="2">resolv-iereis</td><td>hubiereis</td><td>resuelto</td></tr>
<tr><td colspan="2">resolver-emos</td><td>habremos</td><td>resuelto</td><td colspan="2">resolv-ieren</td><td>hubieren</td><td>resuelto</td></tr>
<tr><td colspan="2">resolver-éis</td><td>habréis</td><td>resuelto</td><td colspan="4"></td></tr>
<tr><td colspan="2">resolver-án</td><td>habrán</td><td>resuelto</td><td colspan="4" align="center">IMPERATIVO</td></tr>
<tr><td colspan="2">Cond. Simple</td><td colspan="2">Cond. Compuesto</td><td colspan="2">resuelv-e(tú)</td><td colspan="2">resolv-ed(vosotros)</td></tr>
<tr><td colspan="4"></td><td colspan="2">resuelv-a(usted)</td><td colspan="2">resuelv-an(ustedes)</td></tr>
<tr><td colspan="2">resolver-ía</td><td>habría</td><td>resuelto</td><td colspan="4"></td></tr>
<tr><td colspan="2">resolver-ías</td><td>habrías</td><td>resuelto</td><td colspan="4" align="center">FORMAS NO PERSONALES</td></tr>
<tr><td colspan="2">resolver-ía</td><td>habría</td><td>resuelto</td><td colspan="4"></td></tr>
<tr><td colspan="2">resolver-íamos</td><td>habríamos</td><td>resuelto</td><td colspan="2">Infinitivo:</td><td colspan="2">resolver</td></tr>
<tr><td colspan="2">resolver-íais</td><td>habríais</td><td>resuelto</td><td colspan="2">Gerundio:</td><td colspan="2">resolv-iendo</td></tr>
<tr><td colspan="2">resolver-ían</td><td>habrían</td><td>resuelto</td><td colspan="2">Participio:</td><td colspan="2">resuelto</td></tr>
<tr><td colspan="4"></td><td colspan="2">Infinitivo Comp.:</td><td colspan="2">haber resuelto</td></tr>
<tr><td colspan="4"></td><td colspan="2">Gerundio Comp.:</td><td colspan="2">habiendo resuelto</td></tr>
</table>

133. reunir

INDICATIVO			SUBJUNTIVO		
Presente	**Pret. Perfecto**		**Presente**	**Pret. Perfecto**	
reún-o	he	reunido	reún-a	haya	reunido
reún-es	has	reunido	reún-as	hayas	reunido
reún-e	ha	reunido	reún-a	haya	reunido
reun-imos	hemos	reunido	reun-amos	hayamos	reunido
reun-ís	habéis	reunido	reun-áis	hayáis	reunido
reún-en	han	reunido	reún-an	hayan	reunido
Pret. Imperfecto	**Pret. Pluscuamp.**		**Pret. Imperfecto**	**Pret. Pluscuamp.**	
reun-ía	había	reunido	reun-iera	hubiera	reunido
reun-ías	habías	reunido	reun-ieras	hubieras	reunido
reun-ía	había	reunido	reun-iera	hubiera	reunido
reun-íamos	habíamos	reunido	reun-iéramos	hubiéramos	reunido
reun-íais	habíais	reunido	reun-ierais	hubierais	reunido
reun-ían	habían	reunido	reun-ieran	hubieran	reunido
Pret. Indefinido	**Pret. Anterior**		reun-iese	hubiese	reunido
			reun-ieses	hubieses	reunido
reun-í	hube	reunido	reun-iese	hubiese	reunido
reun-iste	hubiste	reunido	reun-iésemos	hubiésemos	reunido
reun-ió	hubo	reunido	reun-ieseis	hubieseis	reunido
reun-imos	hubimos	reunido	reun-iesen	hubiesen	reunido
reun-isteis	hubisteis	reunido	**Futuro Simple**	**Futuro Compuesto**	
reun-ieron	hubieron	reunido			
Futuro Simple	**Futuro Compuesto**		reun-iere	hubiere	reunido
			reun-ieres	hubieres	reunido
reunir-é	habré	reunido	reun-iere	hubiere	reunido
reunir-ás	habrás	reunido	reun-iéremos	hubiéremos	reunido
reunir-á	habrá	reunido	reun-iereis	hubiereis	reunido
reunir-emos	habremos	reunido	reun-ieren	hubieren	reunido
reunir-éis	habréis	reunido			
reunir-án	habrán	reunido			

Cond. Simple	**Cond. Compuesto**	
reunir-ía	habría	reunido
reunir-ías	habrías	reunido
reunir-ía	habría	reunido
reunir-íamos	habríamos	reunido
reunir-íais	habríais	reunido
reunir-ían	habrían	reunido

IMPERATIVO

reún-e(tú)   reun-id(vosotros)
reún-a(usted)   reún-an(ustedes)

FORMAS NO PERSONALES

Infinitivo: reunir
Gerundio: reun-iendo
Participio: reun-ido
Infinitivo Comp.: haber reunido
Gerundio Comp.:   habiendo reunido

134. roer

INDICATIVO			SUBJUNTIVO		
Presente	**Pret. Perfecto**		**Presente**	**Pret. Perfecto**	
ro-o/roig-o	he	roído	ro-a/roig-a	haya	roído
ro-es	has	roído	ro-as/roig-as	hayas	roído
ro-e	ha	roído	ro-a/roig-a	haya	roído
ro-emos	hemos	roído	ro-amos/roig-amos	hayamos	roído
ro-éis	habéis	roído	ro-áis/roig-áis	hayáis	roído
ro-en	han	roído	ro-an/roig-an	hayan	roído
Pret. Imperfecto	**Pret. Pluscuamp.**		**Pret. Imperfecto**	**Pret. Pluscuamp.**	
ro-ía	había	roído	roy-era	hubiera	roído
ro-ías	habías	roído	roy-eras	hubieras	roído
ro-ía	había	roído	roy-era	hubiera	roído
ro-íamos	habíamos	roído	roy-éramos	hubiéramos	roído
ro-íais	habíais	roído	roy-erais	hubierais	roído
ro-ían	habían	roído	roy-eran	hubieran	roído
Pret. Indefinido	**Pret. Anterior**		roy-ese	hubiese	roído
			roy-eses	hubieses	roído
ro-í	hube	roído	roy-ese	hubiese	roído
ro-iste	hubiste	roído	roy-ésemos	hubiésemos	roído
roy-ó	hubo	roído	roy-eseis	hubieseis	roído
ro-imos	hubimos	roído	roy-esen	hubiesen	roído
ro-isteis	hubisteis	roído	**Futuro Simple**	**Futuro Compuesto**	
roy-eron	hubieron	roído			
Futuro Simple	**Futuro Compuesto**		roy-ere	hubiere	roído
			roy-eres	hubieres	roído
roer-é	habré	roído	roy-ere	hubiere	roído
roer-ás	habrás	roído	roy-éremos	hubiéremos	roído
roer-á	habrá	roído	roy-ereis	hubiereis	roído
roer-emos	habremos	roído	roy-eren	hubieren	roído
roer-éis	habréis	roído			
roer-án	habrán	roído			

Cond. Simple   **Cond. Compuesto**

roer-ía	habría	roído
roer-ías	habrías	roído
roer-ía	habría	roído
roer-íamos	habríamos	roído
roer-íais	habríais	roído
roer-ían	habrían	roído

IMPERATIVO

ro-e(tú)   ro-ed(vosotros)
ro-a/roig-a(usted) ro-an/roig-an(ustedes)

FORMAS NO PERSONALES

Infinitivo: roer
Gerundio: roy-endo
Participio: ro-ído
Infinitivo Comp.: haber roído
Gerundio Comp.: habiendo roído

135. rogar

INDICATIVO		SUBJUNTIVO	

INDICATIVO

Presente	Pret. Perfecto	
rueg-o	he	rogado
rueg-as	has	rogado
rueg-a	ha	rogado
rog-amos	hemos	rogado
rog-áis	habéis	rogado
rueg-an	han	rogado

Pret. Imperfecto	Pret. Pluscuamp.	
rog-aba	había	rogado
rog-abas	habías	rogado
rog-aba	había	rogado
rog-ábamos	habíamos	rogado
rog-abais	habíais	rogado
rog-aban	habían	rogado

Pret. Indefinido	Pret. Anterior	
rogu-é	hube	rogado
rog-aste	hubiste	rogado
rog-ó	hubo	rogado
rog-amos	hubimos	rogado
rog-asteis	hubisteis	rogado
rog-aron	hubieron	rogado

Futuro Simple	Futuro Compuesto	
rogar-é	habré	rogado
rogar-ás	habrás	rogado
rogar-á	habrá	rogado
rogar-emos	habremos	rogado
rogar-éis	habréis	rogado
rogar-án	habrán	rogado

Cond. Simple	Cond. Compuesto	
rogar-ía	habría	rogado
rogar-ías	habrías	rogado
rogar-ía	habría	rogado
rogar-íamos	habríamos	rogado
rogar-íais	habríais	rogado
rogar-ían	habrían	rogado

SUBJUNTIVO

Presente	Pret. Perfecto	
ruegu-e	haya	rogado
ruegu-es	hayas	rogado
ruegu-e	haya	rogado
rogu-emos	hayamos	rogado
rogu-éis	hayáis	rogado
ruegu-en	hayan	rogado

Pret. Imperfecto	Pret. Pluscuamp.	
rog-ara	hubiera	rogado
rog-aras	hubieras	rogado
rog-ara	hubiera	rogado
rog-áramos	hubiéramos	rogado
rog-arais	hubierais	rogado
rog-aran	hubieran	rogado
rog-ase	hubiese	rogado
rog-ases	hubieses	rogado
rog-ase	hubiese	rogado
rog-ásemos	hubiésemos	rogado
rog-aseis	hubieseis	rogado
rog-asen	hubiesen	rogado

Futuro Simple	Futuro Compuesto	
rog-are	hubiere	rogado
rog-ares	hubieres	rogado
rog-are	hubiere	rogado
rog-áremos	hubiéremos	rogado
rog-areis	hubiereis	rogado
rog-aren	hubieren	rogado

IMPERATIVO

rueg-a(tú)	rog-ad(vosotros)
ruegu-e(usted)	ruegu-en(ustedes)

FORMAS NO PERSONALES

Infinitivo: rogar
Gerundio: rog-ando
Participio: rog-ado
Infinitivo Comp.: haber rogado
Gerundio Comp.: habiendo rogado

136. saber

INDICATIVO			SUBJUNTIVO		
Presente	**Pret. Perfecto**		**Presente**	**Pret. Perfecto**	
sé	he	sabido	sep-a	haya	sabido
sab-es	has	sabido	sep-as	hayas	sabido
sab-e	ha	sabido	sep-a	haya	sabido
sab-emos	hemos	sabido	sep-amos	hayamos	sabido
sab-éis	habéis	sabido	sep-áis	hayáis	sabido
sab-en	han	sabido	sep-an	hayan	sabido
Pret. Imperfecto	**Pret. Pluscuamp.**		**Pret. Imperfecto**	**Pret. Pluscuamp.**	
sab-ía	había	sabido	sup-iera	hubiera	sabido
sab-ías	habías	sabido	sup-ieras	hubieras	sabido
sab-ía	había	sabido	sup-iera	hubiera	sabido
sab-íamos	habíamos	sabido	sup-iéramos	hubiéramos	sabido
sab-íais	habíais	sabido	sup-ierais	hubierais	sabido
sab-ían	habían	sabido	sup-ieran	hubieran	sabido
Pret. Indefinido	**Pret. Anterior**		sup-iese	hubiese	sabido
			sup-ieses	hubieses	sabido
sup-e	hube	sabido	sup-iese	hubiese	sabido
sup-iste	hubiste	sabido	sup-iésemos	hubiésemos	sabido
sup-o	hubo	sabido	sup-ieseis	hubieseis	sabido
sup-imos	hubimos	sabido	sup-iesen	hubiesen	sabido
sup-isteis	hubisteis	sabido	**Futuro Simple**	**Futuro Compuesto**	
sup-ieron	hubieron	sabido			
Futuro Simple	**Futuro Compuesto**		sup-iere	hubiere	sabido
			sup-ieres	hubieres	sabido
sabr-é	habré	sabido	sup-iere	hubiere	sabido
sabr-ás	habrás	sabido	sup-iéremos	hubiéremos	sabido
sabr-á	habrá	sabido	sup-iereis	hubiereis	sabido
sabr-emos	habremos	sabido	sup-ieren	hubieren	sabido
sabr-éis	habréis	sabido			
sabr-án	habrán	sabido			

IMPERATIVO

sab-e(tú) sab-ed(vosotros)
sep-a(usted) sep-an(ustedes)

Cond. Simple	**Cond. Compuesto**	
sabr-ía	habría	sabido
sabr-ías	habrías	sabido
sabr-ía	habría	sabido
sabr-íamos	habríamos	sabido
sabr-íais	habríais	sabido
sabr-ían	habrían	sabido

FORMAS NO PERSONALES

Infinitivo: saber
Gerundio: sab-iendo
Participio: sab-ido
Infinitivo Comp.: haber sabido
Gerundio Comp.: habiendo sabido

137. sacar

INDICATIVO			SUBJUNTIVO		
Presente	**Pret. Perfecto**		**Presente**	**Pret. Perfecto**	
sac-o	he	sacado	saqu-e	haya	sacado
sac-as	has	sacado	saqu-es	hayas	sacado
sac-a	ha	sacado	saqu-e	haya	sacado
sac-amos	hemos	sacado	saqu-emos	hayamos	sacado
sac-áis	habéis	sacado	saqu-éis	hayáis	sacado
sac-an	han	sacado	saqu-en	hayan	sacado
Pret. Imperfecto	**Pret. Pluscuamp.**		**Pret. Imperfecto**	**Pret. Pluscuamp.**	
sac-aba	había	sacado	sac-ara	hubiera	sacado
sac-abas	habías	sacado	sac-aras	hubieras	sacado
sac-aba	había	sacado	sac-ara	hubiera	sacado
sac-ábamos	habíamos	sacado	sac-áramos	hubiéramos	sacado
sac-abais	habíais	sacado	sac-arais	hubierais	sacado
sac-aban	habían	sacado	sac-aran	hubieran	sacado
Pret. Indefinido	**Pret. Anterior**		sac-ase	hubiese	sacado
			sac-ases	hubieses	sacado
saqu-é	hube	sacado	sac-ase	hubiese	sacado
sac-aste	hubiste	sacado	sac-ásemos	hubiésemos	sacado
sac-ó	hubo	sacado	sac-aseis	hubieseis	sacado
sac-amos	hubimos	sacado	sac-asen	hubiesen	sacado
sac-asteis	hubisteis	sacado	**Futuro Simple**	**Futuro Compuesto**	
sac-aron	hubieron	sacado			
Futuro Simple	**Futuro Compuesto**		sac-are	hubiere	sacado
			sac-ares	hubieres	sacado
sacar-é	habré	sacado	sac-are	hubiere	sacado
sacar-ás	habrás	sacado	sac-áremos	hubiéremos	sacado
sacar-á	habrá	sacado	sac-areis	hubiereis	sacado
sacar-emos	habremos	sacado	sac-aren	hubieren	sacado
sacar-éis	habréis	sacado			
sacar-án	habrán	sacado			

IMPERATIVO

sac-a(tú)	sac-ad(vosotros)
saqu-e(usted)	saqu-en(ustedes)

Cond. Simple   **Cond. Compuesto**

sacar-ía	habría	sacado
sacar-ías	habrías	sacado
sacar-ía	habría	sacado
sacar-íamos	habríamos	sacado
sacar-íais	habríais	sacado
sacar-ían	habrían	sacado

FORMAS NO PERSONALES

Infinitivo: sacar
Gerundio: sac-ando
Participio: sac-ado
Infinitivo Comp.: haber sacado
Gerundio Comp.: habiendo sacado

138. salir

<table>
<tr><td colspan="4">INDICATIVO</td><td colspan="4">SUBJUNTIVO</td></tr>
<tr><td colspan="2">Presente</td><td colspan="2">Pret. Perfecto</td><td colspan="2">Presente</td><td colspan="2">Pret. Perfecto</td></tr>
<tr><td>salg-o</td><td></td><td>he</td><td>salido</td><td>salg-a</td><td></td><td>haya</td><td>salido</td></tr>
<tr><td>sal-es</td><td></td><td>has</td><td>salido</td><td>salg-as</td><td></td><td>hayas</td><td>salido</td></tr>
<tr><td>sal-e</td><td></td><td>ha</td><td>salido</td><td>salg-a</td><td></td><td>haya</td><td>salido</td></tr>
<tr><td>sal-imos</td><td></td><td>hemos</td><td>salido</td><td>salg-amos</td><td></td><td>hayamos</td><td>salido</td></tr>
<tr><td>sal-ís</td><td></td><td>habéis</td><td>salido</td><td>salg-áis</td><td></td><td>hayáis</td><td>salido</td></tr>
<tr><td>sal-en</td><td></td><td>han</td><td>salido</td><td>salg-an</td><td></td><td>hayan</td><td>salido</td></tr>
</table>

Pret. Imperfecto	Pret. Pluscuamp.		Pret. Imperfecto	Pret. Pluscuamp.	
sal-ía	había	salido	sal-iera	hubiera	salido
sal-ías	habías	salido	sal-ieras	hubieras	salido
sal-ía	había	salido	sal-iera	hubiera	salido
sal-íamos	habíamos	salido	sal-iéramos	hubiéramos	salido
sal-íais	habíais	salido	sal-ierais	hubierais	salido
sal-ían	habían	salido	sal-ieran	hubieran	salido

Pret. Indefinido	Pret. Anterior				
sal-í	hube	salido	sal-iese	hubiese	salido
sal-iste	hubiste	salido	sal-ieses	hubieses	salido
sal-ió	hubo	salido	sal-iese	hubiese	salido
sal-imos	hubimos	salido	sal-iésemos	hubiésemos	salido
sal-isteis	hubisteis	salido	sal-ieseis	hubieseis	salido
sal-ieron	hubieron	salido	sal-iesen	hubiesen	salido

Futuro Simple	Futuro Compuesto		Futuro Simple	Futuro Compuesto	
saldr-é	habré	salido	sal-iere	hubiere	salido
saldr-ás	habrás	salido	sal-ieres	hubieres	salido
saldr-á	habrá	salido	sal-iere	hubiere	salido
saldr-emos	habremos	salido	sal-iéremos	hubiéremos	salido
saldr-éis	habréis	salido	sal-iereis	hubiereis	salido
saldr-án	habrán	salido	sal-ieren	hubieren	salido

Cond. Simple	Cond. Compuesto	
saldr-ía	habría	salido
saldr-ías	habrías	salido
saldr-ía	habría	salido
saldr-íamos	habríamos	salido
saldr-íais	habríais	salido
saldr-ían	habrían	salido

IMPERATIVO

sal(tú)	sal-id(vosotros)
salg-a(usted)	salg-an(ustedes)

FORMAS NO PERSONALES

Infinitivo: salir
Gerundio: sal-iendo
Participio: sal-ido
Infinitivo Comp.: haber salido
Gerundio Comp.: habiendo salido

139. satisfacer

INDICATIVO			SUBJUNTIVO		
Presente	**Pret. Perfecto**		**Presente**	**Pret. Perfecto**	
satisfag-o	he	satisfecho	satisfag-a	haya	satisfecho
satisfac-es	has	satisfecho	satisfag-as	hayas	satisfecho
satisfac-e	ha	satisfecho	satisfag-a	haya	satisfecho
satisfac-emos	hemos	satisfecho	satisfag-amos	hayamos	satisfecho
satisfac-éis	habéis	satisfecho	satisfag-áis	hayáis	satisfecho
satisfac-en	han	satisfecho	satisfag-an	hayan	satisfecho
Pret. Imperfecto	**Pret. Pluscuamp.**		**Pret. Imperfecto**	**Pret. Pluscuamp.**	
satisfac-ía	había	satisfecho	satisfic-iera	hubiera	satisfecho
satisfac-ías	habías	satisfecho	satisfic-ieras	hubieras	satisfecho
satisfac-ía	había	satisfecho	satisfic-iera	hubiera	satisfecho
satisfac-íamos	habíamos	satisfecho	satisfic-iéramos	hubiéramos	satisfecho
satisfac-íais	habíais	satisfecho	satisfic-ierais	hubierais	satisfecho
satisfac-ían	habían	satisfecho	satisfic-ieran	hubieran	satisfecho
Pret. Indefinido	**Pret. Anterior**		satisfic-iese	hubiese	satisfecho
			satisfic-ieses	hubieses	satisfecho
satisfic-e	hube	satisfecho	satisfic-iese	hubiese	satisfecho
satisfic-iste	hubiste	satisfecho	satisfic-iésemos	hubiésemos	satisfecho
satisfiz-o	hubo	satisfecho	satisfic-ieseis	hubieseis	satisfecho
satisfic-imos	hubimos	satisfecho	satisfic-iesen	hubiesen	satisfecho
satisfic-isteis	hubisteis	satisfecho			
satisfic-ieron	hubieron	satisfecho	**Futuro Simple**	**Futuro Compuesto**	
Futuro Simple	**Futuro Compuesto**		satisfic-iere	hubiere	satisfecho
			satisfic-ieres	hubieres	satisfecho
satisfar-é	habré	satisfecho	satisfic-iere	hubiere	satisfecho
satisfar-ás	habrás	satisfecho	satisfic-iéremos	hubiéremos	satisfecho
satisfar-á	habrá	satisfecho	satisfic-iereis	hubiereis	satisfecho
satisfar-emos	habremos	satisfecho	satisfic-ieren	hubieren	satisfecho
satisfar-éis	habréis	satisfecho			
satisfar-án	habrán	satisfecho			

IMPERATIVO	
satisfac-e(tú)	satisfac-ed(vosotros)
satisfag-a(usted)	satisfag-an(ustedes)

Cond. Simple

Cond. Compuesto

satisfar-ía	habría	satisfecho
satisfar-ías	habrías	satisfecho
satisfar-ía	habría	satisfecho
satisfar-íamos	habríamos	satisfecho
satisfar-íais	habríais	satisfecho
satisfar-ían	habrían	satisfecho

FORMAS NO PERSONALES

Infinitivo:	satisfacer
Gerundio:	satisfac-iendo
Participio:	satisfecho
Infinitivo Comp.:	haber satisfecho
Gerundio Comp.:	habiendo satisfecho

140. seguir

<table>
<tr><td colspan="2">INDICATIVO</td><td colspan="2">SUBJUNTIVO</td></tr>
<tr><td>**Presente**</td><td>**Pret. Perfecto**</td><td>**Presente**</td><td>**Pret. Perfecto**</td></tr>
<tr><td>sig-o</td><td>he seguido</td><td>sig-a</td><td>haya seguido</td></tr>
<tr><td>sig-es</td><td>has seguido</td><td>sig-as</td><td>hayas seguido</td></tr>
<tr><td>sigu-e</td><td>ha seguido</td><td>sig-a</td><td>haya seguido</td></tr>
<tr><td>segu-imos</td><td>hemos seguido</td><td>sig-amos</td><td>hayamos seguido</td></tr>
<tr><td>segu-ís</td><td>habéis seguido</td><td>sig-áis</td><td>hayáis seguido</td></tr>
<tr><td>sigu-en</td><td>han seguido</td><td>sig-an</td><td>hayan seguido</td></tr>
<tr><td>**Pret. Imperfecto**</td><td>**Pret. Pluscuamp.**</td><td>**Pret. Imperfecto**</td><td>**Pret. Pluscuamp.**</td></tr>
<tr><td>segu-ía</td><td>había seguido</td><td>sigu-iera</td><td>hubiera seguido</td></tr>
<tr><td>segu-ías</td><td>habías seguido</td><td>sigu-ieras</td><td>hubieras seguido</td></tr>
<tr><td>segu-ía</td><td>había seguido</td><td>sigu-iera</td><td>hubiera seguido</td></tr>
<tr><td>segu-íamos</td><td>habíamos seguido</td><td>sigu-iéramos</td><td>hubiéramos seguido</td></tr>
<tr><td>segu-íais</td><td>habíais seguido</td><td>sigu-ierais</td><td>hubierais seguido</td></tr>
<tr><td>segu-ían</td><td>habían seguido</td><td>sigu-ieran</td><td>hubieran seguido</td></tr>
<tr><td>**Pret. Indefinido**</td><td>**Pret. Anterior**</td><td>sigu-iese</td><td>hubiese seguido</td></tr>
<tr><td></td><td></td><td>sigu-ieses</td><td>hubieses seguido</td></tr>
<tr><td>segu-í</td><td>hube seguido</td><td>sigu-iese</td><td>hubiese seguido</td></tr>
<tr><td>segu-iste</td><td>hubiste seguido</td><td>sigu-iésemos</td><td>hubiésemos seguido</td></tr>
<tr><td>sigu-ió</td><td>hubo seguido</td><td>sigu-ieseis</td><td>hubieseis seguido</td></tr>
<tr><td>segu-imos</td><td>hubimos seguido</td><td>sigu-iesen</td><td>hubiesen seguido</td></tr>
<tr><td>segu-isteis</td><td>hubisteis seguido</td><td>**Futuro Simple**</td><td>**Futuro Compuesto**</td></tr>
<tr><td>sigu-ieron</td><td>hubieron seguido</td><td></td><td></td></tr>
<tr><td>**Futuro Simple**</td><td>**Futuro Compuesto**</td><td>sigu-iere</td><td>hubiere seguido</td></tr>
<tr><td></td><td></td><td>sigu-ieres</td><td>hubieres seguido</td></tr>
<tr><td>seguir-é</td><td>habré seguido</td><td>sigu-iere</td><td>hubiere seguido</td></tr>
<tr><td>seguir-ás</td><td>habrás seguido</td><td>sigu-iéremos</td><td>hubiéremos seguido</td></tr>
<tr><td>seguir-á</td><td>habrá seguido</td><td>sigu-iereis</td><td>hubiereis seguido</td></tr>
<tr><td>seguir-emos</td><td>habremos seguido</td><td>sigu-ieren</td><td>hubieren seguido</td></tr>
<tr><td>seguir-éis</td><td>habréis seguido</td><td></td><td></td></tr>
<tr><td>seguir-án</td><td>habrán seguido</td><td colspan="2">IMPERATIVO</td></tr>
<tr><td>**Cond. Simple**</td><td>**Cond. Compuesto**</td><td>sigu-e(tú)</td><td>segu-id(vosotros)</td></tr>
<tr><td></td><td></td><td>sig-a(usted)</td><td>sig-an(ustedes)</td></tr>
<tr><td>seguir-ía</td><td>habría seguido</td><td colspan="2">FORMAS NO PERSONALES</td></tr>
<tr><td>seguir-ías</td><td>habrías seguido</td><td></td><td></td></tr>
<tr><td>seguir-ía</td><td>habría seguido</td><td>**Infinitivo:**</td><td>seguir</td></tr>
<tr><td>seguir-íamos</td><td>habríamos seguido</td><td>**Gerundio:**</td><td>sigu-iendo</td></tr>
<tr><td>seguir-íais</td><td>habríais seguido</td><td>**Participio:**</td><td>segu-ido</td></tr>
<tr><td>seguir-ían</td><td>habrían seguido</td><td>**Infinitivo Comp.:**</td><td>haber seguido</td></tr>
<tr><td></td><td></td><td>**Gerundio Comp.:**</td><td>habiendo seguido</td></tr>
</table>

141. sembrar

INDICATIVO		SUBJUNTIVO	

Presente — Pret. Perfecto

Presente	Pret. Perfecto		Presente	Pret. Perfecto	
siembr-o	he	sembrado	siembr-e	haya	sembrado
siembr-as	has	sembrado	siembr-es	hayas	sembrado
siembr-a	ha	sembrado	siembr-e	haya	sembrado
sembr-amos	hemos	sembrado	sembr-emos	hayamos	sembrado
sembr-áis	habéis	sembrado	sembr-éis	hayáis	sembrado
siembr-an	han	sembrado	siembr-en	hayan	sembrado

Pret. Imperfecto — Pret. Pluscuamp.

Pret. Imperfecto	Pret. Pluscuamp.		Pret. Imperfecto	Pret. Pluscuamp.	
sembr-aba	había	sembrado	sembr-ara	hubiera	sembrado
sembr-abas	habías	sembrado	sembr-aras	hubieras	sembrado
sembr-aba	había	sembrado	sembr-ara	hubiera	sembrado
sembr-ábamos	habíamos	sembrado	sembr-áramos	hubiéramos	sembrado
sembr-abais	habíais	sembrado	sembr-arais	hubierais	sembrado
sembr-aban	habían	sembrado	sembr-aran	hubieran	sembrado
			sembr-ase	hubiese	sembrado
			sembr-ases	hubieses	sembrado

Pret. Indefinido — Pret. Anterior

Pret. Indefinido	Pret. Anterior				
sembr-é	hube	sembrado	sembr-ase	hubiese	sembrado
sembr-aste	hubiste	sembrado	sembr-ásemos	hubiésemos	sembrado
sembr-ó	hubo	sembrado	sembr-aseis	hubieseis	sembrado
sembr-amos	hubimos	sembrado	sembr-asen	hubiesen	sembrado
sembr-asteis	hubisteis	sembrado			
sembr-aron	hubieron	sembrado			

Futuro Simple — Futuro Compuesto

Futuro Simple	Futuro Compuesto		Futuro Simple	Futuro Compuesto	
sembrar-é	habré	sembrado	sembr-are	hubiere	sembrado
sembrar-ás	habrás	sembrado	sembr-ares	hubieres	sembrado
sembrar-á	habrá	sembrado	sembr-are	hubiere	sembrado
sembrar-emos	habremos	sembrado	sembr-áremos	hubiéremos	sembrado
sembrar-éis	habréis	sembrado	sembr-areis	hubiereis	sembrado
sembrar-án	habrán	sembrado	sembr-aren	hubieren	sembrado

Cond. Simple — Cond. Compuesto

Cond. Simple	Cond. Compuesto	
sembrar-ía	habría	sembrado
sembrar-ías	habrías	sembrado
sembrar-ía	habría	sembrado
sembrar-íamos	habríamos	sembrado
sembrar-íais	habríais	sembrado
sembrar-ían	habrían	sembrado

IMPERATIVO

siembr-a(tú)	sembr-ad(vosotros)
siembr-e(usted)	siembr-en(ustedes)

FORMAS NO PERSONALES

Infinitivo:	sembrar
Gerundio:	sembr-ando
Participio:	sembr-ado
Infinitivo Comp.:	haber sembrado
Gerundio Comp.:	habiendo sembrado

142. sentar

INDICATIVO

Presente	Pret. Perfecto	
sient-o	he	sentado
sient-as	has	sentado
sient-a	ha	sentado
sent-amos	hemos	sentado
sent-áis	habéis	sentado
sient-an	han	sentado

Pret. Imperfecto	Pret. Pluscuamp.	
sent-aba	había	sentado
sent-abas	habías	sentado
sent-aba	había	sentado
sent-ábamos	habíamos	sentado
sent-abais	habíais	sentado
sent-aban	habían	sentado

Pret. Indefinido	Pret. Anterior	
sent-é	hube	sentado
sent-aste	hubiste	sentado
sent-ó	hubo	sentado
sent-amos	hubimos	sentado
sent-asteis	hubisteis	sentado
sent-aron	hubieron	sentado

Futuro Simple	Futuro Compuesto	
sentar-é	habré	sentado
sentar-ás	habrás	sentado
sentar-á	habrá	sentado
sentar-emos	habremos	sentado
sentar-éis	habréis	sentado
sentar-án	habrán	sentado

Cond. Simple	Cond. Compuesto	
sentar-ía	habría	sentado
sentar-ías	habrías	sentado
sentar-ía	habría	sentado
sentar-íamos	habríamos	sentado
sentar-íais	habríais	sentado
sentar-ían	habrían	sentado

SUBJUNTIVO

Presente	Pret. Perfecto	
sient-e	haya	sentado
sient-es	hayas	sentado
sient-e	haya	sentado
sent-emos	hayamos	sentado
sent-éis	hayáis	sentado
sient-en	hayan	sentado

Pret. Imperfecto	Pret. Pluscuamp.	
sent-ara	hubiera	sentado
sent-aras	hubieras	sentado
sent-ara	hubiera	sentado
sent-áramos	hubiéramos	sentado
sent-arais	hubierais	sentado
sent-aran	hubieran	sentado
sent-ase	hubiese	sentado
sent-ases	hubieses	sentado
sent-ase	hubiese	sentado
sent-ásemos	hubiésemos	sentado
sent-aseis	hubieseis	sentado
sent-asen	hubiesen	sentado

Futuro Simple	Futuro Compuesto	
sent-are	hubiere	sentado
sent-ares	hubieres	sentado
sent-are	hubiere	sentado
sent-áremos	hubiéremos	sentado
sent-areis	hubiereis	sentado
sent-aren	hubieren	sentado

IMPERATIVO

sient-a(tú)   sent-ad(vosotros)
sient-e(usted)   sient-en(ustedes)

FORMAS NO PERSONALES

Infinitivo: sentar
Gerundio: sent-ando
Participio: sent-ado
Infinitivo Comp.: haber sentado
Gerundio Comp.:   habiendo sentado

143. sentir

Presente	Pret. Perfecto		Presente	Pret. Perfecto	
sient-o	he	sentido	sient-a	haya	sentido
sient-es	has	sentido	sient-as	hayas	sentido
sient-e	ha	sentido	sient-a	haya	sentido
sent-imos	hemos	sentido	sint-amos	hayamos	sentido
sent-ís	habéis	sentido	sint-áis	hayáis	sentido
sient-en	han	sentido	sient-an	hayan	sentido

Pret. Imperfecto	Pret. Pluscuamp.		Pret. Imperfecto	Pret. Pluscuamp.	
sent-ía	había	sentido	sint-iera	hubiera	sentido
sent-ías	habías	sentido	sint-ieras	hubieras	sentido
sent-ía	había	sentido	sint-iera	hubiera	sentido
sent-íamos	habíamos	sentido	sint-iéramos	hubiéramos	sentido
sent-íais	habíais	sentido	sint-ierais	hubierais	sentido
sent-ían	habían	sentido	sint-ieran	hubieran	sentido

Pret. Indefinido	Pret. Anterior				
			sint-iese	hubiese	sentido
			sint-ieses	hubieses	sentido
sent-í	hube	sentido	sint-iese	hubiese	sentido
sent-iste	hubiste	sentido	sint-iésemos	hubiésemos	sentido
sint-ió	hubo	sentido	sint-ieseis	hubieseis	sentido
sent-imos	hubimos	sentido	sint-iesen	hubiesen	sentido
sent-isteis	hubisteis	sentido			
sint-ieron	hubieron	sentido	**Futuro Simple**	**Futuro Compuesto**	

Futuro Simple	Futuro Compuesto				
			sint-iere	hubiere	sentido
			sint-ieres	hubieres	sentido
sentir-é	habré	sentido	sint-iere	hubiere	sentido
sentir-ás	habrás	sentido	sint-iéremos	hubiéremos	sentido
sentir-á	habrá	sentido	sint-iereis	hubiereis	sentido
sentir-emos	habremos	sentido	sint-ieren	hubieren	sentido
sentir-éis	habréis	sentido			
sentir-án	habrán	sentido			

Cond. Simple	Cond. Compuesto	
sentir-ía	habría	sentido
sentir-ías	habrías	sentido
sentir-ía	habría	sentido
sentir-íamos	habríamos	sentido
sentir-íais	habríais	sentido
sentir-ían	habrían	sentido

sient-e(tú)   sent-id(vosotros)
sient-a(usted)   sient-an(ustedes)

Infinitivo: sentir
Gerundio: sint-iendo
Participio: sent-ido
Infinitivo Comp.: haber sentido
Gerundio Comp.: habiendo sentido

12

144. servir

INDICATIVO

Presente / **Pret. Perfecto**

sirv-o	he	servido
sirv-es	has	servido
sirv-e	ha	servido
serv-imos	hemos	servido
serv-ís	habéis	servido
sirv-en	han	servido

Pret. Imperfecto / **Pret. Pluscuamp.**

serv-ía	había	servido
serv-ías	habías	servido
serv-ía	había	servido
serv-íamos	habíamos	servido
serv-íais	habíais	servido
serv-ían	habían	servido

Pret. Indefinido / **Pret. Anterior**

serv-í	hube	servido
serv-iste	hubiste	servido
sirv-ió	hubo	servido
serv-imos	hubimos	servido
serv-isteis	hubisteis	servido
sirv-ieron	hubieron	servido

Futuro Simple / **Futuro Compuesto**

servir-é	habré	servido
servir-ás	habrás	servido
servir-á	habrá	servido
servir-emos	habremos	servido
servir-éis	habréis	servido
servir-án	habrán	servido

Cond. Simple / **Cond. Compuesto**

servir-ía	habría	servido
servir-ías	habrías	servido
servir-ía	habría	servido
servir-íamos	habríamos	servido
servir-íais	habríais	servido
servir-ían	habrían	servido

SUBJUNTIVO

Presente / **Pret. Perfecto**

sirv-a	haya	servido
sirv-as	hayas	servido
sirv-a	haya	servido
sirv-amos	hayamos	servido
sirv-áis	hayáis	servido
sirv-an	hayan	servido

Pret. Imperfecto / **Pret. Pluscuamp.**

sirv-iera	hubiera	servido
sirv-ieras	hubieras	servido
sirv-iera	hubiera	servido
sirv-iéramos	hubiéramos	servido
sirv-ierais	hubierais	servido
sirv-ieran	hubieran	servido
sirv-iese	hubiese	servido
sirv-ieses	hubieses	servido
sirv-iese	hubiese	servido
sirv-iésemos	hubiésemos	servido
sirv-ieseis	hubieseis	servido
sirv-iesen	hubiesen	servido

Futuro Simple / **Futuro Compuesto**

sirv-iere	hubiere	servido
sirv-ieres	hubieres	servido
sirv-iere	hubiere	servido
sirv-iéremos	hubiéremos	servido
sirv-iereis	hubiereis	servido
sirv-ieren	hubieren	servido

IMPERATIVO

sirv-e(tú)	serv-id(vosotros)
sirv-a(usted)	sirv-an(ustedes)

FORMAS NO PERSONALES

Infinitivo: servir
Gerundio: sirv-iendo
Participio: serv-ido
Infinitivo Comp.: haber servido
Gerundio Comp.: habiendo servido

145. soler **

INDICATIVO		SUBJUNTIVO	
Presente	**Pret. Perfecto**	**Presente**	**Pret. Perfecto**
suel-o	–	suel-a	–
suel-es	–	suel-as	–
suel-e	–	suel-a	–
sol-emos	–	sol-amos	–
sol-éis	–	sol-áis	–
suel-en	–	suel-an	–
Pret. Imperfecto	**Pret. Pluscuamp.**	**Pret. Imperfecto**	**Pret. Pluscuamp.**
sol-ía	–	sol-iera	–
sol-ías	–	sol-ieras	–
sol-ía	–	sol-iera	–
sol-íamos	–	sol-iéramos	–
sol-íais	–	sol-ierais	–
sol-ían	–	sol-ieran	–
Pret. Indefinido	**Pret. Anterior**	sol-iese	–
		sol-ieses	–
sol-í	–	sol-iese	–
sol-iste	–	sol-iésemos	–
sol-ió	–	sol-ieseis	–
sol-imos	–	sol-iesen	–
sol-isteis	–	**Futuro Simple**	**Futuro Compuesto**
sol-ieron	–		
Futuro Simple	**Futuro Compuesto**	–	–
		–	–
–	–	–	–
–	–	–	–
–	–	–	–
–	–	–	–
–	–		
–	–		

IMPERATIVO	
–(tú)	–(vosotros)
–(usted)	–(ustedes)

Cond. Simple	Cond. Compuesto
–	–
–	–
–	–
–	–
–	–
–	–

FORMAS NO PERSONALES

Infinitivo: soler
Gerundio: –
Participio: –
Infinitivo Comp.: –
Gerundio Comp.: –

** Verbo defectivo

146. soltar

INDICATIVO			SUBJUNTIVO		
Presente	**Pret. Perfecto**		**Presente**	**Pret. Perfecto**	
suelt-o	he	soltado	suelt-e	haya	soltado
suelt-as	has	soltado	suelt-es	hayas	soltado
suelt-a	ha	soltado	suelt-e	haya	soltado
solt-amos	hemos	soltado	solt-emos	hayamos	soltado
solt-áis	habéis	soltado	solt-éis	hayáis	soltado
suelt-an	han	soltado	suelt-en	hayan	soltado
Pret. Imperfecto	**Pret. Pluscuamp.**		**Pret. Imperfecto**	**Pret. Pluscuamp.**	
solt-aba	había	soltado	solt-ara	hubiera	soltado
solt-abas	habías	soltado	solt-aras	hubieras	soltado
solt-aba	había	soltado	solt-ara	hubiera	soltado
solt-ábamos	habíamos	soltado	solt-áramos	hubiéramos	soltado
solt-abais	habíais	soltado	solt-arais	hubierais	soltado
solt-aban	habían	soltado	solt-aran	hubieran	soltado
Pret. Indefinido	**Pret. Anterior**		solt-ase	hubiese	soltado
			solt-ases	hubieses	soltado
solt-é	hube	soltado	solt-ase	hubiese	soltado
solt-aste	hubiste	soltado	solt-ásemos	hubiésemos	soltado
solt-ó	hubo	soltado	solt-aseis	hubieseis	soltado
solt-amos	hubimos	soltado	solt-asen	hubiesen	soltado
solt-asteis	hubisteis	soltado			
solt-aron	hubieron	soltado	**Futuro Simple**	**Futuro Compuesto**	
Futuro Simple	**Futuro Compuesto**		solt-are	hubiere	soltado
			solt-ares	hubieres	soltado
soltar-é	habré	soltado	solt-are	hubiere	soltado
soltar-ás	habrás	soltado	solt-áremos	hubiéremos	soltado
soltar-á	habrá	soltado	solt-areis	hubiereis	soltado
soltar-emos	habremos	soltado	solt-aren	hubieren	soltado
soltar-éis	habréis	soltado			
soltar-án	habrán	soltado			

Cond. Simple	Cond. Compuesto	

IMPERATIVO

suelt-a(tú)   solt-ad(vosotros)
suelt-e(usted)   suelt-en(ustedes)

soltar-ía	habría	soltado
soltar-ías	habrías	soltado
soltar-ía	habría	soltado
soltar-íamos	habríamos	soltado
soltar-íais	habríais	soltado
soltar-ían	habrían	soltado

FORMAS NO PERSONALES

Infinitivo: soltar
Gerundio: solt-ando
Participio: solt-ado
Infinitivo Comp.: haber soltado
Gerundio Comp.: habiendo soltado

147. sonar

INDICATIVO			SUBJUNTIVO		
Presente	**Pret. Perfecto**		**Presente**	**Pret. Perfecto**	
suen-o	he	sonado	suen-e	haya	sonado
suen-as	has	sonado	suen-es	hayas	sonado
suen-a	ha	sonado	suen-e	haya	sonado
son-amos	hemos	sonado	son-emos	hayamos	sonado
son-áis	habéis	sonado	son-éis	hayáis	sonado
suen-an	han	sonado	suen-en	hayan	sonado
Pret. Imperfecto	**Pret. Pluscuamp.**		**Pret. Imperfecto**	**Pret. Pluscuamp.**	
son-aba	había	sonado	son-ara	hubiera	sonado
son-abas	habías	sonado	son-aras	hubieras	sonado
son-aba	había	sonado	son-ara	hubiera	sonado
son-ábamos	habíamos	sonado	son-áramos	hubiéramos	sonado
son-abais	habíais	sonado	son-arais	hubierais	sonado
son-aban	habían	sonado	son-aran	hubieran	sonado
Pret. Indefinido	**Pret. Anterior**		son-ase	hubiese	sonado
			son-ases	hubieses	sonado
son-é	hube	sonado	son-ase	hubiese	sonado
son-aste	hubiste	sonado	son-ásemos	hubiésemos	sonado
son-ó	hubo	sonado	son-aseis	hubieseis	sonado
son-amos	hubimos	sonado	son-asen	hubiesen	sonado
son-asteis	hubisteis	sonado			
son-aron	hubieron	sonado	**Futuro Simple**	**Futuro Compuesto**	
Futuro Simple	**Futuro Compuesto**		son-are	hubiere	sonado
			son-ares	hubieres	sonado
sonar-é	habré	sonado	son-are	hubiere	sonado
sonar-ás	habrás	sonado	son-áremos	hubiéremos	sonado
sonar-á	habrá	sonado	son-areis	hubiereis	sonado
sonar-emos	habremos	sonado	son-aren	hubieren	sonado
sonar-éis	habréis	sonado			
sonar-án	habrán	sonado			

IMPERATIVO	
suen-a(tú)	son-ad(vosotros)
suen-e(usted)	suen-en(ustedes)

Cond. Simple	Cond. Compuesto	
sonar-ía	habría	sonado
sonar-ías	habrías	sonado
sonar-ía	habría	sonado
sonar-íamos	habríamos	sonado
sonar-íais	habríais	sonado
sonar-ían	habrían	sonado

FORMAS NO PERSONALES

Infinitivo:	sonar
Gerundio:	son-ando
Participio:	son-ado
Infinitivo Comp.:	haber sonado
Gerundio Comp.:	habiendo sonado

148. sostener

INDICATIVO

Presente	Pret. Perfecto	
sosteng-o	he	sostenido
sostien-es	has	sostenido
sostien-e	ha	sostenido
sosten-emos	hemos	sostenido
sosten-éis	habéis	sostenido
sostien-en	han	sostenido

Pret. Imperfecto	Pret. Pluscuamp.	
sosten-ía	había	sostenido
sosten-ías	habías	sostenido
sosten-ía	había	sostenido
sosten-íamos	habíamos	sostenido
sosten-íais	habíais	sostenido
sosten-ían	habían	sostenido

Pret. Indefinido	Pret. Anterior	
sostuv-e	hube	sostenido
sostuv-iste	hubiste	sostenido
sostuv-o	hubo	sostenido
sostuv-imos	hubimos	sostenido
sostuv-isteis	hubisteis	sostenido
sostuv-ieron	hubieron	sostenido

Futuro Simple	Futuro Compuesto	
sostendr-é	habré	sostenido
sostendr-ás	habrás	sostenido
sostendr-á	habrá	sostenido
sostendr-emos	habremos	sostenido
sostendr-éis	habréis	sostenido
sostendr-án	habrán	sostenido

Cond. Simple	Cond. Compuesto	
sostendr-ía	habría	sostenido
sostendr-ías	habrías	sostenido
sostendr-ía	habría	sostenido
sostendr-íamos	habríamos	sostenido
sostendr-íais	habríais	sostenido
sostendr-ían	habrían	sostenido

SUBJUNTIVO

Presente	Pret. Perfecto	
sosteng-a	haya	sostenido
sosteng-as	hayas	sostenido
sosteng-a	haya	sostenido
sosteng-amos	hayamos	sostenido
sosteng-áis	hayáis	sostenido
sosteng-an	hayan	sostenido

Pret. Imperfecto	Pret. Pluscuamp.	
sostuv-iera	hubiera	sostenido
sostuv-ieras	hubieras	sostenido
sostuv-iera	hubiera	sostenido
sostuv-iéramos	hubiéramos	sostenido
sostuv-ierais	hubierais	sostenido
sostuv-ieran	hubieran	sostenido
sostuv-iese	hubiese	sostenido
sostuv-ieses	hubieses	sostenido
sostuv-iese	hubiese	sostenido
sostuv-iésemos	hubiésemos	sostenido
sostuv-ieseis	hubieseis	sostenido
sostuv-iesen	hubiesen	sostenido

Futuro Simple	Futuro Compuesto	
sostuv-iere	hubiere	sostenido
sostuv-ieres	hubieres	sostenido
sostuv-iere	hubiere	sostenido
sostuv-iéremos	hubiéremos	sostenido
sostuv-iereis	hubiereis	sostenido
sostuv-ieren	hubieren	sostenido

IMPERATIVO

sosten(tú) sosten-ed(vosotros)
sosteng-a(usted) sosteng-an(ustedes)

FORMAS NO PERSONALES

Infinitivo: sostener
Gerundio: sosten-iendo
Participio: sosten-ido
Infinitivo Comp.: haber sostenido
Gerundio Comp.: habiendo sostenido

149. sugerir

INDICATIVO			SUBJUNTIVO		
Presente	**Pret. Perfecto**		**Presente**	**Pret. Perfecto**	
sugier-o	he	sugerido	sugier-a	haya	sugerido
sugier-es	has	sugerido	sugier-as	hayas	sugerido
sugier-e	ha	sugerido	sugier-a	haya	sugerido
suger-imos	hemos	sugerido	sugir-amos	hayamos	sugerido
suger-ís	habéis	sugerido	sugir-áis	hayáis	sugerido
sugier-en	han	sugerido	sugier-an	hayan	sugerido
Pret. Imperfecto	**Pret. Pluscuamp.**		**Pret. Imperfecto**	**Pret. Pluscuamp.**	
suger-ía	había	sugerido	sugir-iera	hubiera	sugerido
suger-ías	habías	sugerido	sugir-ieras	hubieras	sugerido
suger-ía	había	sugerido	sugir-iera	hubiera	sugerido
suger-íamos	habíamos	sugerido	sugir-iéramos	hubiéramos	sugerido
suger-íais	habíais	sugerido	sugir-ierais	hubierais	sugerido
suger-ían	habían	sugerido	sugir-ieran	hubieran	sugerido
Pret. Indefinido	**Pret. Anterior**		sugir-iese	hubiese	sugerido
			sugir-ieses	hubieses	sugerido
suger-í	hube	sugerido	sugir-iese	hubiese	sugerido
suger-iste	hubiste	sugerido	sugir-iésemos	hubiésemos	sugerido
sugir-ió	hubo	sugerido	sugir-ieseis	hubieseis	sugerido
suger-imos	hubimos	sugerido	sugir-iesen	hubiesen	sugerido
suger-isteis	hubisteis	sugerido	**Futuro Simple**	**Futuro Compuesto**	
sugir-ieron	hubieron	sugerido			
Futuro Simple	**Futuro Compuesto**		sugir-iere	hubiere	sugerido
			sugir-ieres	hubieres	sugerido
sugerir-é	habré	sugerido	sugir-iere	hubiere	sugerido
sugerir-ás	habrás	sugerido	sugir-iéremos	hubiéremos	sugerido
sugerir-á	habrá	sugerido	sugir-iereis	hubiereis	sugerido
sugerir-emos	habremos	sugerido	sugir-ieren	hubieren	sugerido
sugerir-éis	habréis	sugerido			
sugerir-án	habrán	sugerido			

IMPERATIVO

sugier-e(tú)	suger-id(vosotros)
sugier-a(usted)	sugier-an(ustedes)

Cond. Simple / **Cond. Compuesto**

sugerir-ía	habría	sugerido
sugerir-ías	habrías	sugerido
sugerir-ía	habría	sugerido
sugerir-íamos	habríamos	sugerido
sugerir-íais	habríais	sugerido
sugerir-ían	habrían	sugerido

FORMAS NO PERSONALES

Infinitivo: sugerir
Gerundio: sugir-iendo
Participio: suger-ido
Infinitivo Comp.: haber sugerido
Gerundio Comp.: habiendo sugerido

150. suponer

INDICATIVO

Presente	Pret. Perfecto	
supong-o	he	supuesto
supon-es	has	supuesto
supon-e	ha	supuesto
supon-emos	hemos	supuesto
supon-éis	habéis	supuesto
supon-en	han	supuesto

Pret. Imperfecto	Pret. Pluscuamp.	
supon-ía	había	supuesto
supon-ías	habías	supuesto
supon-ía	había	supuesto
supon-íamos	habíamos	supuesto
supon-íais	habíais	supuesto
supon-ían	habían	supuesto

Pret. Indefinido	Pret. Anterior	
supus-e	hube	supuesto
supus-iste	hubiste	supuesto
supus-o	hubo	supuesto
supus-imos	hubimos	supuesto
supus-isteis	hubisteis	supuesto
supus-ieron	hubieron	supuesto

Futuro Simple	Futuro Compuesto	
supondr-é	habré	supuesto
supondr-ás	habrás	supuesto
supondr-á	habrá	supuesto
supondr-emos	habremos	supuesto
supondr-éis	habréis	supuesto
supondr-án	habrán	supuesto

Cond. Simple	Cond. Compuesto	
supondr-ía	habría	supuesto
supondr-ías	habrías	supuesto
supondr-ía	habría	supuesto
supondr-íamos	habríamos	supuesto
supondr-íais	habríais	supuesto
supondr-ían	habrían	supuesto

SUBJUNTIVO

Presente	Pret. Perfecto	
supong-a	haya	supuesto
supong-as	hayas	supuesto
supong-a	haya	supuesto
supong-amos	hayamos	supuesto
supong-áis	hayáis	supuesto
supong-an	hayan	supuesto

Pret. Imperfecto	Pret. Pluscuamp.	
supus-iera	hubiera	supuesto
supus-ieras	hubieras	supuesto
supus-iera	hubiera	supuesto
supus-iéramos	hubiéramos	supuesto
supus-ierais	hubierais	supuesto
supus-ieran	hubieran	supuesto
supus-iese	hubiese	supuesto
supus-ieses	hubieses	supuesto
supus-iese	hubiese	supuesto
supus-iésemos	hubiésemos	supuesto
supus-ieseis	hubieseis	supuesto
supus-iesen	hubiesen	supuesto

Futuro Simple	Futuro Compuesto	
supus-iere	hubiere	supuesto
supus-ieres	hubieres	supuesto
supus-iere	hubiere	supuesto
supus-iéremos	hubiéremos	supuesto
supus-iereis	hubiereis	supuesto
supus-ieren	hubieren	supuesto

IMPERATIVO

supon(tú) supon-ed(vosotros)
supong-a(usted) supong-an(ustedes)

FORMAS NO PERSONALES

Infinitivo: suponer
Gerundio: supon-iendo
Participio: supuesto
Infinitivo Comp.: haber supuesto
Gerundio Comp.: habiendo supuesto

151. tañer

	INDICATIVO			SUBJUNTIVO	

Presente	Pret. Perfecto		Presente	Pret. Perfecto	
tañ-o	he	tañido	tañ-a	haya	tañido
tañ-es	has	tañido	tañ-as	hayas	tañido
tañ-e	ha	tañido	tañ-a	haya	tañido
tañ-emos	hemos	tañido	tañ-amos	hayamos	tañido
tañ-éis	habéis	tañido	tañ-áis	hayáis	tañido
tañ-en	han	tañido	tañ-an	hayan	tañido

Pret. Imperfecto	Pret. Pluscuamp.		Pret. Imperfecto	Pret. Pluscuamp.	
tañ-ía	había	tañido	tañ-era	hubiera	tañido
tañ-ías	habías	tañido	tañ-eras	hubieras	tañido
tañ-ía	había	tañido	tañ-era	hubiera	tañido
tañ-íamos	habíamos	tañido	tañ-éramos	hubiéramos	tañido
tañ-íais	habíais	tañido	tañ-erais	hubierais	tañido
tañ-ían	habían	tañido	tañ-eran	hubieran	tañido

Pret. Indefinido	Pret. Anterior				
			tañ-ese	hubiese	tañido
			tañ-eses	hubieses	tañido
tañ-í	hube	tañido	tañ-ese	hubiese	tañido
tañ-iste	hubiste	tañido	tañ-ésemos	hubiésemos	tañido
tañ-ó	hubo	tañido	tañ-eseis	hubieseis	tañido
tañ-imos	hubimos	tañido	tañ-esen	hubiesen	tañido
tañ-isteis	hubisteis	tañido			
tañ-ieron	hubieron	tañido	Futuro Simple	Futuro Compuesto	

Futuro Simple	Futuro Compuesto				
			tañ-ere	hubiere	tañido
			tañ-eres	hubieres	tañido
tañer-é	habré	tañido	tañ-ere	hubiere	tañido
tañer-ás	habrás	tañido	tañ-éremos	hubiéremos	tañido
tañer-á	habrá	tañido	tañ-ereis	hubiereis	tañido
tañer-emos	habremos	tañido	tañ-eren	hubieren	tañido
tañer-éis	habréis	tañido			
tañer-án	habrán	tañido			

IMPERATIVO

tañ-e(tú)	tañ-ed(vosotros)
tañ-a(usted)	tañ-an(ustedes)

Cond. Simple	Cond. Compuesto	
tañer-ía	habría	tañido
tañer-ías	habrías	tañido
tañer-ía	habría	tañido
tañer-íamos	habríamos	tañido
tañer-íais	habríais	tañido
tañer-ían	habrían	tañido

FORMAS NO PERSONALES

Infinitivo: tañer
Gerundio: tañ-endo
Participio: tañ-ido
Infinitivo Comp.: haber tañido
Gerundio Comp.: habiendo tañido

152. temblar

INDICATIVO

Presente	Pret. Perfecto	
tiembl-o	he	temblado
tiembl-as	has	temblado
tiembl-a	ha	temblado
tembl-amos	hemos	temblado
tembl-áis	habéis	temblado
tiembl-an	han	temblado

Pret. Imperfecto	Pret. Pluscuamp.	
tembl-aba	había	temblado
tembl-abas	habías	temblado
tembl-aba	había	temblado
tembl-ábamos	habíamos	temblado
tembl-abais	habíais	temblado
tembl-aban	habían	temblado

Pret. Indefinido	Pret. Anterior	
tembl-é	hube	temblado
tembl-aste	hubiste	temblado
tembl-ó	hubo	temblado
tembl-amos	hubimos	temblado
tembl-asteis	hubisteis	temblado
tembl-aron	hubieron	temblado

Futuro Simple	Futuro Compuesto	
temblar-é	habré	temblado
temblar-ás	habrás	temblado
temblar-á	habrá	temblado
temblar-emos	habremos	temblado
temblar-éis	habréis	temblado
temblar-án	habrán	temblado

Cond. Simple	Cond. Compuesto	
temblar-ía	habría	temblado
temblar-ías	habrías	temblado
temblar-ía	habría	temblado
temblar-íamos	habríamos	temblado
temblar-íais	habríais	temblado
temblar-ían	habrían	temblado

SUBJUNTIVO

Presente	Pret. Perfecto	
tiembl-e	haya	temblado
tiembl-es	hayas	temblado
tiembl-e	haya	temblado
tembl-emos	hayamos	temblado
tembl-éis	hayáis	temblado
tiembl-en	hayan	temblado

Pret. Imperfecto	Pret. Pluscuamp.	
tembl-ara	hubiera	temblado
tembl-aras	hubieras	temblado
tembl-ara	hubiera	temblado
tembl-áramos	hubiéramos	temblado
tembl-arais	hubierais	temblado
tembl-aran	hubieran	temblado
tembl-ase	hubiese	temblado
tembl-ases	hubieses	temblado
tembl-ase	hubiese	temblado
tembl-ásemos	hubiésemos	temblado
tembl-aseis	hubieseis	temblado
tembl-asen	hubiesen	temblado

Futuro Simple	Futuro Compuesto	
tembl-are	hubiere	temblado
tembl-ares	hubieres	temblado
tembl-are	hubiere	temblado
tembl-áremos	hubiéremos	temblado
tembl-areis	hubiereis	temblado
tembl-aren	hubieren	temblado

IMPERATIVO

tiembl-a(tú)	tembl-ad(vosotros)
tiembl-e(usted)	tiembl-en(ustedes)

FORMAS NO PERSONALES

Infinitivo:	temblar
Gerundio:	tembl-ando
Participio:	tembl-ado
Infinitivo Comp.:	haber temblado
Gerundio Comp.:	habiendo temblado

153. tocar

INDICATIVO			SUBJUNTIVO		
Presente	**Pret. Perfecto**		**Presente**	**Pret. Perfecto**	
toc-o	he	tocado	toqu-e	haya	tocado
toc-as	has	tocado	toqu-es	hayas	tocado
toc-a	ha	tocado	toqu-e	haya	tocado
toc-amos	hemos	tocado	toqu-emos	hayamos	tocado
toc-áis	habéis	tocado	toqu-éis	hayáis	tocado
toc-an	han	tocado	toqu-en	hayan	tocado
Pret. Imperfecto	**Pret. Pluscuamp.**		**Pret. Imperfecto**	**Pret. Pluscuamp.**	
toc-aba	había	tocado	toc-ara	hubiera	tocado
toc-abas	habías	tocado	toc-aras	hubieras	tocado
toc-aba	había	tocado	toc-ara	hubiera	tocado
toc-ábamos	habíamos	tocado	toc-áramos	hubiéramos	tocado
toc-abais	habíais	tocado	toc-arais	hubierais	tocado
toc-aban	habían	tocado	toc-aran	hubieran	tocado
Pret. Indefinido	**Pret. Anterior**		toc-ase	hubiese	tocado
			toc-ases	hubieses	tocado
toqu-é	hube	tocado	toc-ase	hubiese	tocado
toc-aste	hubiste	tocado	toc-ásemos	hubiésemos	tocado
toc-ó	hubo	tocado	toc-aseis	hubieseis	tocado
toc-amos	hubimos	tocado	toc-asen	hubiesen	tocado
toc-asteis	hubisteis	tocado			
toc-aron	hubieron	tocado	**Futuro Simple**	**Futuro Compuesto**	
Futuro Simple	**Futuro Compuesto**		toc-are	hubiere	tocado
			toc-ares	hubieres	tocado
tocar-é	habré	tocado	toc-are	hubiere	tocado
tocar-ás	habrás	tocado	toc-áremos	hubiéremos	tocado
tocar-á	habrá	tocado	toc-areis	hubiereis	tocado
tocar-emos	habremos	tocado	toc-aren	hubieren	tocado
tocar-éis	habréis	tocado			
tocar-án	habrán	tocado			

IMPERATIVO

toc-a(tú)	toc-ad(vosotros)
toqu-e(usted)	toqu-en(ustedes)

INDICATIVO		
Cond. Simple	**Cond. Compuesto**	
tocar-ía	habría	tocado
tocar-ías	habrías	tocado
tocar-ía	habría	tocado
tocar-íamos	habríamos	tocado
tocar-íais	habríais	tocado
tocar-ían	habrían	tocado

FORMAS NO PERSONALES

Infinitivo: tocar
Gerundio: toc-ando
Participio: toc-ado
Infinitivo Comp.: haber tocado
Gerundio Comp.: habiendo tocado

154. torcer

INDICATIVO			SUBJUNTIVO		
Presente	**Pret. Perfecto**		**Presente**	**Pret. Perfecto**	
tuerz-o	he	torcido	tuerz-a	haya	torcido
tuerc-es	has	torcido	tuerz-as	hayas	torcido
tuerc-e	ha	torcido	tuerz-a	haya	torcido
torc-emos	hemos	torcido	torz-amos	hayamos	torcido
torc-éis	habéis	torcido	torz-áis	hayáis	torcido
tuerc-en	han	torcido	tuerz-an	hayan	torcido
Pret. Imperfecto	**Pret. Pluscuamp.**		**Pret. Imperfecto**	**Pret. Pluscuamp.**	
torc-ía	había	torcido	torc-iera	hubiera	torcido
torc-ías	habías	torcido	torc-ieras	hubieras	torcido
torc-ía	había	torcido	torc-iera	hubiera	torcido
torc-íamos	habíamos	torcido	torc-iéramos	hubiéramos	torcido
torc-íais	habíais	torcido	torc-ierais	hubierais	torcido
torc-ían	habían	torcido	torc-ieran	hubieran	torcido
Pret. Indefinido	**Pret. Anterior**		torc-iese	hubiese	torcido
			torc-ieses	hubieses	torcido
torc-í	hube	torcido	torc-iese	hubiese	torcido
torc-iste	hubiste	torcido	torc-iésemos	hubiésemos	torcido
torc-ió	hubo	torcido	torc-ieseis	hubieseis	torcido
torc-imos	hubimos	torcido	torc-iesen	hubiesen	torcido
torc-isteis	hubisteis	torcido	**Futuro Simple**	**Futuro Compuesto**	
torc-ieron	hubieron	torcido			
Futuro Simple	**Futuro Compuesto**		torc-iere	hubiere	torcido
			torc-ieres	hubieres	torcido
torcer-é	habré	torcido	torc-iere	hubiere	torcido
torcer-ás	habrás	torcido	torc-iéremos	hubiéremos	torcido
torcer-á	habrá	torcido	torc-iereis	hubiereis	torcido
torcer-emos	habremos	torcido	torc-ieren	hubieren	torcido
torcer-éis	habréis	torcido			
torcer-án	habrán	torcido			

<hr>

IMPERATIVO

tuerc-e(tú)   torc-ed(vosotros)
tuerz-a(usted)   tuerz-an(ustedes)

Cond. Simple	**Cond. Compuesto**	
torcer-ía	habría	torcido
torcer-ías	habrías	torcido
torcer-ía	habría	torcido
torcer-íamos	habríamos	torcido
torcer-íais	habríais	torcido
torcer-ían	habrían	torcido

FORMAS NO PERSONALES

Infinitivo: torcer
Gerundio: torc-iendo
Participio: torc-ido
Infinitivo Comp.: haber torcido
Gerundio Comp.: habiendo torcido

155. traer

INDICATIVO

Presente	Pret. Perfecto	
traig-o	he	traído
tra-es	has	traído
tra-e	ha	traído
tra-emos	hemos	traído
tra-éis	habéis	traído
tra-en	han	traído

Pret. Imperfecto	Pret. Pluscuamp.	
tra-ía	había	traído
tra-ías	habías	traído
tra-ía	había	traído
tra-íamos	habíamos	traído
tra-íais	habíais	traído
tra-ían	habían	traído

Pret. Indefinido	Pret. Anterior	
traj-e	hube	traído
traj-iste	hubiste	traído
traj-o	hubo	traído
traj-imos	hubimos	traído
traj-isteis	hubisteis	traído
traj-eron	hubieron	traído

Futuro Simple	Futuro Compuesto	
traer-é	habré	traído
traer-ás	habrás	traído
traer-á	habrá	traído
traer-emos	habremos	traído
traer-éis	habréis	traído
traer-án	habrán	traído

Cond. Simple	Cond. Compuesto	
traer-ía	habría	traído
traer-ías	habrías	traído
traer-ía	habría	traído
traer-íamos	habríamos	traído
traer-íais	habríais	traído
traer-ían	habrían	traído

SUBJUNTIVO

Presente	Pret. Perfecto	
traig-a	haya	traído
traig-as	hayas	traído
traig-a	haya	traído
traig-amos	hayamos	traído
traig-áis	hayáis	traído
traig-an	hayan	traído

Pret. Imperfecto	Pret. Pluscuamp.	
traj-era	hubiera	traído
traj-eras	hubieras	traído
traj-era	hubiera	traído
traj-éramos	hubiéramos	traído
traj-erais	hubierais	traído
traj-eran	hubieran	traído
traj-ese	hubiese	traído
traj-eses	hubieses	traído
traj-ese	hubiese	traído
traj-ésemos	hubiésemos	traído
traj-eseis	hubieseis	traído
traj-esen	hubiesen	traído

Futuro Simple	Futuro Compuesto	
traj-ere	hubiere	traído
traj-eres	hubieres	traído
traj-ere	hubiere	traído
traj-éremos	hubiéremos	traído
traj-ereis	hubiereis	traído
traj-eren	hubieren	traído

IMPERATIVO

tra-e(tú)   tra-ed(vosotros)
traig-a(usted)   traig-an(ustedes)

FORMAS NO PERSONALES

Infinitivo: traer
Gerundio: tray-endo
Participio: tra-ído
Infinitivo Comp.: haber traído
Gerundio Comp.: habiendo traído

156. trocar

INDICATIVO				SUBJUNTIVO		

INDICATIVO

Presente / **Pret. Perfecto**

Presente	Pret. Perfecto	
truec-o	he	trocado
truec-as	has	trocado
truec-a	ha	trocado
troc-amos	hemos	trocado
troc-áis	habéis	trocado
truec-an	han	trocado

Pret. Imperfecto / **Pret. Pluscuamp.**

Pret. Imperfecto	Pret. Pluscuamp.	
troc-aba	había	trocado
troc-abas	habías	trocado
troc-aba	había	trocado
troc-ábamos	habíamos	trocado
troc-abais	habíais	trocado
troc-aban	habían	trocado

Pret. Indefinido / **Pret. Anterior**

Pret. Indefinido	Pret. Anterior	
troqu-é	hube	trocado
troc-aste	hubiste	trocado
troc-ó	hubo	trocado
troc-amos	hubimos	trocado
troc-asteis	hubisteis	trocado
troc-aron	hubieron	trocado

Futuro Simple / **Futuro Compuesto**

Futuro Simple	Futuro Compuesto	
trocar-é	habré	trocado
trocar-ás	habrás	trocado
trocar-á	habrá	trocado
trocar-emos	habremos	trocado
trocar-éis	habréis	trocado
trocar-án	habrán	trocado

Cond. Simple / **Cond. Compuesto**

Cond. Simple	Cond. Compuesto	
trocar-ía	habría	trocado
trocar-ías	habrías	trocado
trocar-ía	habría	trocado
trocar-íamos	habríamos	trocado
trocar-íais	habríais	trocado
trocar-ían	habrían	trocado

SUBJUNTIVO

Presente / **Pret. Perfecto**

Presente	Pret. Perfecto	
troqu-e	haya	trocado
troqu-es	hayas	trocado
troqu-e	haya	trocado
troqu-emos	hayamos	trocado
troqu-éis	hayáis	trocado
troqu-en	hayan	trocado

Pret. Imperfecto / **Pret. Pluscuamp.**

Pret. Imperfecto	Pret. Pluscuamp.	
troc-ara	hubiera	trocado
troc-aras	hubieras	trocado
troc-ara	hubiera	trocado
troc-áramos	hubiéramos	trocado
troc-arais	hubierais	trocado
troc-aran	hubieran	trocado
troc-ase	hubiese	trocado
troc-ases	hubieses	trocado
troc-ase	hubiese	trocado
troc-ásemos	hubiésemos	trocado
troc-aseis	hubieseis	trocado
troc-asen	hubiesen	trocado

Futuro Simple / **Futuro Compuesto**

Futuro Simple	Futuro Compuesto	
troc-are	hubiere	trocado
troc-ares	hubieres	trocado
troc-are	hubiere	trocado
troc-áremos	hubiéremos	trocado
troc-areis	hubiereis	trocado
troc-aren	hubieren	trocado

IMPERATIVO

truec-a(tú)	troc-ad(vosotros)
troqu-e(usted)	troqu-en(ustedes)

FORMAS NO PERSONALES

Infinitivo:	trocar
Gerundio:	troc-ando
Participio:	troc-ado
Infinitivo Comp.:	haber trocado
Gerundio Comp.:	habiendo trocado

157. vaciar

INDICATIVO

Presente / Pret. Perfecto

Presente	Pret. Perfecto	
vací-o	he	vaciado
vací-as	has	vaciado
vací-a	ha	vaciado
vaci-amos	hemos	vaciado
vaci-áis	habéis	vaciado
vací-an	han	vaciado

Pret. Imperfecto / Pret. Pluscuamp.

Pret. Imperfecto	Pret. Pluscuamp.	
vaci-aba	había	vaciado
vaci-abas	habías	vaciado
vaci-aba	había	vaciado
vaci-ábamos	habíamos	vaciado
vaci-abais	habíais	vaciado
vaci-aban	habían	vaciado

Pret. Indefinido / Pret. Anterior

Pret. Indefinido	Pret. Anterior	
vaci-é	hube	vaciado
vaci-aste	hubiste	vaciado
vaci-ó	hubo	vaciado
vaci-amos	hubimos	vaciado
vaci-asteis	hubisteis	vaciado
vaci-aron	hubieron	vaciado

Futuro Simple / Futuro Compuesto

Futuro Simple	Futuro Compuesto	
vaciar-é	habré	vaciado
vaciar-ás	habrás	vaciado
vaciar-á	habrá	vaciado
vaciar-emos	habremos	vaciado
vaciar-éis	habréis	vaciado
vaciar-án	habrán	vaciado

Cond. Simple / Cond. Compuesto

Cond. Simple	Cond. Compuesto	
vaciar-ía	habría	vaciado
vaciar-ías	habrías	vaciado
vaciar-ía	habría	vaciado
vaciar-íamos	habríamos	vaciado
vaciar-íais	habríais	vaciado
vaciar-ían	habrían	vaciado

SUBJUNTIVO

Presente / Pret. Perfecto

Presente	Pret. Perfecto	
vací-e	haya	vaciado
vací-es	hayas	vaciado
vací-e	haya	vaciado
vaci-emos	hayamos	vaciado
vaci-éis	hayáis	vaciado
vací-en	hayan	vaciado

Pret. Imperfecto / Pret. Pluscuamp.

Pret. Imperfecto	Pret. Pluscuamp.	
vaci-ara	hubiera	vaciado
vaci-aras	hubieras	vaciado
vaci-ara	hubiera	vaciado
vaci-áramos	hubiéramos	vaciado
vaci-arais	hubierais	vaciado
vaci-aran	hubieran	vaciado
vaci-ase	hubiese	vaciado
vaci-ases	hubieses	vaciado
vaci-ase	hubiese	vaciado
vaci-ásemos	hubiésemos	vaciado
vaci-aseis	hubieseis	vaciado
vaci-asen	hubiesen	vaciado

Futuro Simple / Futuro Compuesto

Futuro Simple	Futuro Compuesto	
vaci-are	hubiere	vaciado
vaci-ares	hubieres	vaciado
vaci-are	hubiere	vaciado
vaci-áremos	hubiéremos	vaciado
vaci-areis	hubiereis	vaciado
vaci-aren	hubieren	vaciado

IMPERATIVO

vací-a(tú)	vaci-ad(vosotros)
vací-e(usted)	vací-en(ustedes)

FORMAS NO PERSONALES

Infinitivo:	vaciar
Gerundio:	vaci-ando
Participio:	vaci-ado
Infinitivo Comp.:	haber vaciado
Gerundio Comp.:	habiendo vaciado

158. valer

Presente	Pret. Perfecto		Presente	Pret. Perfecto	
valg-o	he	valido	valg-a	haya	valido
val-es	has	valido	valg-as	hayas	valido
val-e	ha	valido	valg-a	haya	valido
val-emos	hemos	valido	valg-amos	hayamos	valido
val-éis	habéis	valido	valg-áis	hayáis	valido
val-en	han	valido	valg-an	hayan	valido

Pret. Imperfecto	Pret. Pluscuamp.		Pret. Imperfecto	Pret. Pluscuamp.	
val-ía	había	valido	val-iera	hubiera	valido
val-ías	habías	valido	val-ieras	hubieras	valido
val-ía	había	valido	val-iera	hubiera	valido
val-íamos	habíamos	valido	val-iéramos	hubiéramos	valido
val-íais	habíais	valido	val-ierais	hubierais	valido
val-ían	habían	valido	val-ieran	hubieran	valido

Pret. Indefinido	Pret. Anterior				
			val-iese	hubiese	valido
			val-ieses	hubieses	valido
val-í	hube	valido	val-iese	hubiese	valido
val-iste	hubiste	valido	val-iésemos	hubiésemos	valido
val-ió	hubo	valido	val-ieseis	hubieseis	valido
val-imos	hubimos	valido	val-iesen	hubiesen	valido
val-isteis	hubisteis	valido			
val-ieron	hubieron	valido	Futuro Simple	Futuro Compuesto	

Futuro Simple	Futuro Compuesto				
			val-iere	hubiere	valido
			val-ieres	hubieres	valido
valdr-é	habré	valido	val-iere	hubiere	valido
valdr-ás	habrás	valido	val-iéremos	hubiéremos	valido
valdr-á	habrá	valido	val-iereis	hubiereis	valido
valdr-emos	habremos	valido	val-ieren	hubieren	valido
valdr-éis	habréis	valido			
valdr-án	habrán	valido			

──────── IMPERATIVO ────────

val-e/(tú)	val-ed(vosotros)
valg-a(usted)	valg-an(ustedes)

Cond. Simple	Cond. Compuesto	
valdr-ía	habría	valido
valdr-ías	habrías	valido
valdr-ía	habría	valido
valdr-íamos	habríamos	valido
valdr-íais	habríais	valido
valdr-ían	habrían	valido

──────── FORMAS NO PERSONALES ────────

Infinitivo: valer
Gerundio: val-iendo
Participio: val-ido
Infinitivo Comp.: haber valido
Gerundio Comp.: habiendo valido

159. vencer

INDICATIVO			SUBJUNTIVO		
Presente	**Pret. Perfecto**		**Presente**	**Pret. Perfecto**	
venz-o	he	vencido	venz-a	haya	vencido
venc-es	has	vencido	venz-as	hayas	vencido
venc-e	ha	vencido	venz-a	haya	vencido
venc-emos	hemos	vencido	venz-amos	hayamos	vencido
venc-éis	habéis	vencido	venz-áis	hayáis	vencido
venc-en	han	vencido	venz-an	hayan	vencido
Pret. Imperfecto	**Pret. Pluscuamp.**		**Pret. Imperfecto**	**Pret. Pluscuamp.**	
venc-ía	había	vencido	venc-iera	hubiera	vencido
venc-ías	habías	vencido	venc-ieras	hubieras	vencido
venc-ía	había	vencido	venc-iera	hubiera	vencido
venc-íamos	habíamos	vencido	venc-iéramos	hubiéramos	vencido
venc-íais	habíais	vencido	venc-ierais	hubierais	vencido
venc-ían	habían	vencido	venc-ieran	hubieran	vencido
Pret. Indefinido	**Pret. Anterior**		venc-iese	hubiese	vencido
			venc-ieses	hubieses	vencido
venc-í	hube	vencido	venc-iese	hubiese	vencido
venc-iste	hubiste	vencido	venc-iésemos	hubiésemos	vencido
venc-ió	hubo	vencido	venc-ieseis	hubieseis	vencido
venc-imos	hubimos	vencido	venc-iesen	hubiesen	vencido
venc-isteis	hubisteis	vencido			
venc-ieron	hubieron	vencido	**Futuro Simple**	**Futuro Compuesto**	
Futuro Simple	**Futuro Compuesto**		venc-iere	hubiere	vencido
			venc-ieres	hubieres	vencido
vencer-é	habré	vencido	venc-iere	hubiere	vencido
vencer-ás	habrás	vencido	venc-iéremos	hubiéremos	vencido
vencer-á	habrá	vencido	venc-iereis	hubiereis	vencido
vencer-emos	habremos	vencido	venc-ieren	hubieren	vencido
vencer-éis	habréis	vencido			
vencer-án	habrán	vencido			

	INDICATIVO		IMPERATIVO	
Cond. Simple	**Cond. Compuesto**		venc-e(tú)	venc-ed(vosotros)
			venz-a(usted)	venz-an(ustedes)
vencer-ía	habría	vencido		

IMPERATIVO

venc-e(tú) venc-ed(vosotros)
venz-a(usted) venz-an(ustedes)

Cond. Simple	**Cond. Compuesto**	
vencer-ía	habría	vencido
vencer-ías	habrías	vencido
vencer-ía	habría	vencido
vencer-íamos	habríamos	vencido
vencer-íais	habríais	vencido
vencer-ían	habrían	vencido

FORMAS NO PERSONALES

Infinitivo:	vencer
Gerundio:	venc-iendo
Participio:	venc-ido
Infinitivo Comp.:	haber vencido
Gerundio Comp.:	habiendo vencido

160. venir *to come*

| INDICATIVO | | SUBJUNTIVO | |

INDICATIVO

Presente	Pret. Perfecto	Presente	Pret. Perfecto
ven g-o	he venido	ven g-a	haya venido
v ien-es	has venido	ven g-as	hayas venido
v ien-e	ha venido	ven g-a	haya venido
ven-imos	hemos venido	ven g-amos	hayamos venido
ven-ís	habéis venido	ven g-áis	hayáis venido
v ien-en	han venido	ven g-an	hayan venido

Pret. Imperfecto	Pret. Pluscuamp.	Pret. Imperfecto	Pret. Pluscuamp.
ven-ía	había venido	v in-iera	hubiera venido
ven-ías	habías venido	v in-ieras	hubieras venido
ven-ía	había venido	v in-iera	hubiera venido
ven-íamos	habíamos venido	v in-iéramos	hubiéramos venido
ven-íais	habíais venido	v in-ierais	hubierais venido
ven-ían	habían venido	v in-ieran	hubieran venido

Pret. Indefinido	Pret. Anterior		
		v in-iese	hubiese venido
		v in-ieses	hubieses venido
v in-e	hube venido	v in-iese	hubiese venido
v in-iste	hubiste venido	v in-iésemos	hubiésemos venido
v in-o	hubo venido	v in-ieseis	hubieseis venido
v in-imos	hubimos venido	v in-iesen	hubiesen venido
v in-isteis	hubisteis venido		
v in-ieron	hubieron venido		

		Futuro Simple	Futuro Compuesto
		v in-iere	hubiere venido
		v in-ieres	hubieres venido

Futuro Simple	Futuro Compuesto		
		v in-iere	hubiere venido
ven dr-é	habré venido	v in-iéremos	hubiéremos venido
ven dr-ás	habrás venido	v in-iereis	hubiereis venido
ven dr-á	habrá venido	v in-ieren	hubieren venido
ven dr-emos	habremos venido		
ven dr-éis	habréis venido		
ven dr-án	habrán venido		

IMPERATIVO

ven(tú) ven-id(vosotros)
ven g-a(usted) ven g-an(ustedes)

Cond. Simple	Cond. Compuesto
ven dr-ía	habría venido
ven dr-ías	habrías venido
ven dr-ía	habría venido
ven dr-íamos	habríamos venido
ven dr-íais	habríais venido
ven dr-ían	habrían venido

FORMAS NO PERSONALES

Infinitivo: venir
Gerundio: v in-iendo
Participio: ven-ido
Infinitivo Comp.: haber venido
Gerundio Comp.: habiendo venido

161. ver

Presente	Pret. Perfecto		Presente	Pret. Perfecto	
ve-o	he	visto	ve-a	haya	visto
ves	has	visto	ve-as	hayas	visto
ve	ha	visto	ve-a	haya	visto
vemos	hemos	visto	ve-amos	hayamos	visto
véis	habéis	visto	ve-áis	hayáis	visto
ven	han	visto	ve-an	hayan	visto

Pret. Imperfecto	Pret. Pluscuamp.		Pret. Imperfecto	Pret. Pluscuamp.	
ve-ía	había	visto	viera	hubiera	visto
ve-ías	habías	visto	vieras	hubieras	visto
ve-ía	había	visto	viera	hubiera	visto
ve-íamos	habíamos	visto	viéramos	hubiéramos	visto
ve-íais	habíais	visto	vierais	hubierais	visto
ve-ían	habían	visto	vieran	hubieran	visto

Pret. Indefinido	Pret. Anterior				
ví	hube	visto	viese	hubiese	visto
viste	hubiste	visto	vieses	hubieses	visto
vio	hubo	visto	viese	hubiese	visto
vimos	hubimos	visto	viésemos	hubiésemos	visto
visteis	hubisteis	visto	vieseis	hubieseis	visto
vieron	hubieron	visto	viesen	hubiesen	visto

Futuro Simple	Futuro Compuesto		Futuro Simple	Futuro Compuesto	
ver-é	habré	visto	viere	hubiere	visto
ver-ás	habrás	visto	vieres	hubieres	visto
ver-á	habrá	visto	viere	hubiere	visto
ver-emos	habremos	visto	viéremos	hubiéremos	visto
ver-éis	habréis	visto	viereis	hubiereis	visto
ver-án	habrán	visto	vieren	hubieren	visto

Cond. Simple	Cond. Compuesto	
ver-ía	habría	visto
ver-ías	habrías	visto
ver-ía	habría	visto
ver-íamos	habríamos	visto
ver-íais	habríais	visto
ver-ían	habrían	visto

IMPERATIVO

ve(tú)	ved(vosotros)
ve-a(usted)	ve-an(ustedes)

FORMAS NO PERSONALES

Infinitivo: ver
Gerundio: viendo
Participio: visto
Infinitivo Comp.: haber visto
Gerundio Comp.: habiendo visto

162. verter

<table>
<tr><td colspan="4" align="center">INDICATIVO</td><td colspan="4" align="center">SUBJUNTIVO</td></tr>
<tr><td colspan="2">Presente</td><td colspan="2">Pret. Perfecto</td><td colspan="2">Presente</td><td colspan="2">Pret. Perfecto</td></tr>
<tr><td>viert-o</td><td>he</td><td>vertido</td><td></td><td>viert-a</td><td>haya</td><td>vertido</td><td></td></tr>
<tr><td>viert-es</td><td>has</td><td>vertido</td><td></td><td>viert-as</td><td>hayas</td><td>vertido</td><td></td></tr>
<tr><td>viert-e</td><td>ha</td><td>vertido</td><td></td><td>viert-a</td><td>haya</td><td>vertido</td><td></td></tr>
<tr><td>vert-emos</td><td>hemos</td><td>vertido</td><td></td><td>vert-amos</td><td>hayamos</td><td>vertido</td><td></td></tr>
<tr><td>vert-éis</td><td>habéis</td><td>vertido</td><td></td><td>vert-áis</td><td>hayáis</td><td>vertido</td><td></td></tr>
<tr><td>viert-en</td><td>han</td><td>vertido</td><td></td><td>viert-an</td><td>hayan</td><td>vertido</td><td></td></tr>
</table>

Pret. Imperfecto	**Pret. Pluscuamp.**		**Pret. Imperfecto**	**Pret. Pluscuamp.**	
vert-ía	había	vertido	vert-iera	hubiera	vertido
vert-ías	habías	vertido	vert-ieras	hubieras	vertido
vert-ía	había	vertido	vert-iera	hubiera	vertido
vert-íamos	habíamos	vertido	vert-iéramos	hubiéramos	vertido
vert-íais	habíais	vertido	vert-ierais	hubierais	vertido
vert-ían	habían	vertido	vert-ieran	hubieran	vertido

Pret. Indefinido	**Pret. Anterior**				
			vert-iese	hubiese	vertido
			vert-ieses	hubieses	vertido
vert-í	hube	vertido	vert-iese	hubiese	vertido
vert-iste	hubiste	vertido	vert-iésemos	hubiésemos	vertido
vert-ió	hubo	vertido	vert-ieseis	hubieseis	vertido
vert-imos	hubimos	vertido	vert-iesen	hubiesen	vertido
vert-isteis	hubisteis	vertido			
vert-ieron	hubieron	vertido	**Futuro Simple**	**Futuro Compuesto**	

Futuro Simple	**Futuro Compuesto**				
			vert-iere	hubiere	vertido
			vert-ieres	hubieres	vertido
verter-é	habré	vertido	vert-iere	hubiere	vertido
verter-ás	habrás	vertido	vert-iéremos	hubiéremos	vertido
verter-á	habrá	vertido	vert-iereis	hubiereis	vertido
verter-emos	habremos	vertido	vert-ieren	hubieren	vertido
verter-éis	habréis	vertido			
verter-án	habrán	vertido			

IMPERATIVO

Cond. Simple	**Cond. Compuesto**		
			viert-e(tú)
			viert-a(usted)

viert-e(tú)   vert-ed(vosotros)
viert-a(usted)   viert-an(ustedes)

--- FORMAS NO PERSONALES ---

Cond. Simple	**Cond. Compuesto**	
verter-ía	habría	vertido
verter-ías	habrías	vertido
verter-ía	habría	vertido
verter-íamos	habríamos	vertido
verter-íais	habríais	vertido
verter-ían	habrían	vertido

Infinitivo: verter
Gerundio: vert-iendo
Participio: vert-ido
Infinitivo Comp.: haber vertido
Gerundio Comp.: habiendo vertido

163. vestir

| INDICATIVO | | | SUBJUNTIVO | | |

INDICATIVO

Presente	**Pret. Perfecto**

Presente		Pret. Perfecto	
vist-o	he	vestido	
vist-es	has	vestido	
vist-e	ha	vestido	
vest-imos	hemos	vestido	
vest-ís	habéis	vestido	
vist-en	han	vestido	

Pret. Imperfecto | **Pret. Pluscuamp.**

vest-ía	había	vestido
vest-ías	habías	vestido
vest-ía	había	vestido
vest-íamos	habíamos	vestido
vest-íais	habíais	vestido
vest-ían	habían	vestido

Pret. Indefinido | **Pret. Anterior**

vest-í	hube	vestido
vest-iste	hubiste	vestido
vist-ió	hubo	vestido
vest-imos	hubimos	vestido
vest-isteis	hubisteis	vestido
vist-ieron	hubieron	vestido

Futuro Simple | **Futuro Compuesto**

vestir-é	habré	vestido
vestir-ás	habrás	vestido
vestir-á	habrá	vestido
vestir-emos	habremos	vestido
vestir-éis	habréis	vestido
vestir-án	habrán	vestido

Cond. Simple | **Cond. Compuesto**

vestir-ía	habría	vestido
vestir-ías	habrías	vestido
vestir-ía	habría	vestido
vestir-íamos	habríamos	vestido
vestir-íais	habríais	vestido
vestir-ían	habrían	vestido

SUBJUNTIVO

Presente | **Pret. Perfecto**

vist-a	haya	vestido
vist-as	hayas	vestido
vist-a	haya	vestido
vist-amos	hayamos	vestido
vist-áis	hayáis	vestido
vist-an	hayan	vestido

Pret. Imperfecto | **Pret. Pluscuamp.**

vist-iera	hubiera	vestido
vist-ieras	hubieras	vestido
vist-iera	hubiera	vestido
vist-iéramos	hubiéramos	vestido
vist-ierais	hubierais	vestido
vist-ieran	hubieran	vestido
vist-iese	hubiese	vestido
vist-ieses	hubieses	vestido
vist-iese	hubiese	vestido
vist-iésemos	hubiésemos	vestido
vist-ieseis	hubieseis	vestido
vist-iesen	hubiesen	vestido

Futuro Simple | **Futuro Compuesto**

vist-iere	hubiere	vestido
vist-ieres	hubieres	vestido
vist-iere	hubiere	vestido
vist-iéremos	hubiéremos	vestido
vist-iereis	hubiereis	vestido
vist-ieren	hubieren	vestido

IMPERATIVO

| vist-e(tú) | vest-id(vosotros) |
| vist-a(usted) | vist-an(ustedes) |

FORMAS NO PERSONALES

Infinitivo:	vestir
Gerundio:	vist-iendo
Participio:	vest-ido
Infinitivo Comp.:	haber vestido
Gerundio Comp.:	habiendo vestido

164. volar

<table>
<tr><td colspan="4" align="center">INDICATIVO</td><td colspan="4" align="center">SUBJUNTIVO</td></tr>
<tr><td>Presente</td><td colspan="2">Pret. Perfecto</td><td></td><td>Presente</td><td colspan="2">Pret. Perfecto</td><td></td></tr>
<tr><td>vuel-o</td><td>he</td><td>volado</td><td></td><td>vuel-e</td><td>haya</td><td>volado</td><td></td></tr>
<tr><td>vuel-as</td><td>has</td><td>volado</td><td></td><td>vuel-es</td><td>hayas</td><td>volado</td><td></td></tr>
<tr><td>vuel-a</td><td>ha</td><td>volado</td><td></td><td>vuel-e</td><td>haya</td><td>volado</td><td></td></tr>
<tr><td>vol-amos</td><td>hemos</td><td>volado</td><td></td><td>vol-emos</td><td>hayamos</td><td>volado</td><td></td></tr>
<tr><td>vol-áis</td><td>habéis</td><td>volado</td><td></td><td>vol-éis</td><td>hayáis</td><td>volado</td><td></td></tr>
<tr><td>vuel-an</td><td>han</td><td>volado</td><td></td><td>vuel-en</td><td>hayan</td><td>volado</td><td></td></tr>
<tr><td>Pret. Imperfecto</td><td colspan="2">Pret. Pluscuamp.</td><td></td><td>Pret. Imperfecto</td><td colspan="2">Pret. Pluscuamp.</td><td></td></tr>
<tr><td>vol-aba</td><td>había</td><td>volado</td><td></td><td>vol-ara</td><td>hubiera</td><td>volado</td><td></td></tr>
<tr><td>vol-abas</td><td>habías</td><td>volado</td><td></td><td>vol-aras</td><td>hubieras</td><td>volado</td><td></td></tr>
<tr><td>vol-aba</td><td>había</td><td>volado</td><td></td><td>vol-ara</td><td>hubiera</td><td>volado</td><td></td></tr>
<tr><td>vol-ábamos</td><td>habíamos</td><td>volado</td><td></td><td>vol-áramos</td><td>hubiéramos</td><td>volado</td><td></td></tr>
<tr><td>vol-abais</td><td>habíais</td><td>volado</td><td></td><td>vol-arais</td><td>hubierais</td><td>volado</td><td></td></tr>
<tr><td>vol-aban</td><td>habían</td><td>volado</td><td></td><td>vol-aran</td><td>hubieran</td><td>volado</td><td></td></tr>
<tr><td>Pret. Indefinido</td><td colspan="2">Pret. Anterior</td><td></td><td>vol-ase</td><td>hubiese</td><td>volado</td><td></td></tr>
<tr><td></td><td></td><td></td><td></td><td>vol-ases</td><td>hubieses</td><td>volado</td><td></td></tr>
<tr><td>vol-é</td><td>hube</td><td>volado</td><td></td><td>vol-ase</td><td>hubiese</td><td>volado</td><td></td></tr>
<tr><td>vol-aste</td><td>hubiste</td><td>volado</td><td></td><td>vol-ásemos</td><td>hubiésemos</td><td>volado</td><td></td></tr>
<tr><td>vol-ó</td><td>hubo</td><td>volado</td><td></td><td>vol-aseis</td><td>hubieseis</td><td>volado</td><td></td></tr>
<tr><td>vol-amos</td><td>hubimos</td><td>volado</td><td></td><td>vol-asen</td><td>hubiesen</td><td>volado</td><td></td></tr>
<tr><td>vol-asteis</td><td>hubisteis</td><td>volado</td><td></td><td></td><td></td><td></td><td></td></tr>
<tr><td>vol-aron</td><td>hubieron</td><td>volado</td><td></td><td>Futuro Simple</td><td colspan="2">Futuro Compuesto</td><td></td></tr>
<tr><td>Futuro Simple</td><td colspan="2">Futuro Compuesto</td><td></td><td>vol-are</td><td>hubiere</td><td>volado</td><td></td></tr>
<tr><td></td><td></td><td></td><td></td><td>vol-ares</td><td>hubieres</td><td>volado</td><td></td></tr>
<tr><td>volar-é</td><td>habré</td><td>volado</td><td></td><td>vol-are</td><td>hubiere</td><td>volado</td><td></td></tr>
<tr><td>volar-ás</td><td>habrás</td><td>volado</td><td></td><td>vol-áremos</td><td>hubiéremos</td><td>volado</td><td></td></tr>
<tr><td>volar-á</td><td>habrá</td><td>volado</td><td></td><td>vol-areis</td><td>hubiereis</td><td>volado</td><td></td></tr>
<tr><td>volar-emos</td><td>habremos</td><td>volado</td><td></td><td>vol-aren</td><td>hubieren</td><td>volado</td><td></td></tr>
<tr><td>volar-éis</td><td>habréis</td><td>volado</td><td></td><td></td><td></td><td></td><td></td></tr>
<tr><td>volar-án</td><td>habrán</td><td>volado</td><td></td><td></td><td></td><td></td><td></td></tr>
</table>

Cond. Simple **Cond. Compuesto**

volar-ía	habría	volado
volar-ías	habrías	volado
volar-ía	habría	volado
volar-íamos	habríamos	volado
volar-íais	habríais	volado
volar-ían	habrían	volado

IMPERATIVO

vuel-a(tú)   vol-ad(vosotros)
vuel-e(usted)   vuel-en(ustedes)

FORMAS NO PERSONALES

Infinitivo: volar
Gerundio: vol-ando
Participio: vol-ado
Infinitivo Comp.: haber volado
Gerundio Comp.: habiendo volado

165. volcar

INDICATIVO		SUBJUNTIVO	

INDICATIVO

Presente | **Pret. Perfecto**

Presente	Pret. Perfecto	
vuelc-o	he	volcado
vuelc-as	has	volcado
vuelc-a	ha	volcado
volc-amos	hemos	volcado
volc-áis	habéis	volcado
vuelc-an	han	volcado

Pret. Imperfecto | **Pret. Pluscuamp.**

Pret. Imperfecto	Pret. Pluscuamp.	
volc-aba	había	volcado
volc-abas	habías	volcado
volc-aba	había	volcado
volc-ábamos	habíamos	volcado
volc-abais	habíais	volcado
volc-aban	habían	volcado

Pret. Indefinido | **Pret. Anterior**

Pret. Indefinido	Pret. Anterior	
volqu-é	hube	volcado
volc-aste	hubiste	volcado
volc-ó	hubo	volcado
volc-amos	hubimos	volcado
volc-asteis	hubisteis	volcado
volc-aron	hubieron	volcado

Futuro Simple | **Futuro Compuesto**

Futuro Simple	Futuro Compuesto	
volcar-é	habré	volcado
volcar-ás	habrás	volcado
volcar-á	habrá	volcado
volcar-emos	habremos	volcado
volcar-éis	habréis	volcado
volcar-án	habrán	volcado

Cond. Simple | **Cond. Compuesto**

Cond. Simple	Cond. Compuesto	
volcar-ía	habría	volcado
volcar-ías	habrías	volcado
volcar-ía	habría	volcado
volcar-íamos	habríamos	volcado
volcar-íais	habríais	volcado
volcar-ían	habrían	volcado

SUBJUNTIVO

Presente | **Pret. Perfecto**

Presente	Pret. Perfecto	
vuelqu-e	haya	volcado
vuelqu-es	hayas	volcado
vuelqu-e	haya	volcado
volqu-emos	hayamos	volcado
volqu-éis	hayáis	volcado
vuelqu-en	hayan	volcado

Pret. Imperfecto | **Pret. Pluscuamp.**

Pret. Imperfecto	Pret. Pluscuamp.	
volc-ara	hubiera	volcado
volc-aras	hubieras	volcado
volc-ara	hubiera	volcado
volc-áramos	hubiéramos	volcado
volc-arais	hubierais	volcado
volc-aran	hubieran	volcado
volc-ase	hubiese	volcado
volc-ases	hubieses	volcado
volc-ase	hubiese	volcado
volc-ásemos	hubiésemos	volcado
volc-aseis	hubieseis	volcado
volc-asen	hubiesen	volcado

Futuro Simple | **Futuro Compuesto**

Futuro Simple	Futuro Compuesto	
volc-are	hubiere	volcado
volc-ares	hubieres	volcado
volc-are	hubiere	volcado
volc-áremos	hubiéremos	volcado
volc-areis	hubiereis	volcado
volc-aren	hubieren	volcado

IMPERATIVO

vuelc-a(tú)	volc-ad(vosotros)
vuelqu-e(usted)	vuelqu-en(ustedes)

FORMAS NO PERSONALES

Infinitivo:	volcar
Gerundio:	volc-ando
Participio:	volc-ado
Infinitivo Comp.:	haber volcado
Gerundio Comp.:	habiendo volcado

166. volver

INDICATIVO

Presente	Pret. Perfecto	
vuelv-o	he	vuelto
vuelv-es	has	vuelto
vuelv-e	ha	vuelto
volv-emos	hemos	vuelto
volv-éis	habéis	vuelto
vuelv-en	han	vuelto

Pret. Imperfecto	Pret. Pluscuamp.	
volv-ía	había	vuelto
volv-ías	habías	vuelto
volv-ía	había	vuelto
volv-íamos	habíamos	vuelto
volv-íais	habíais	vuelto
volv-ían	habían	vuelto

Pret. Indefinido	Pret. Anterior	
volv-í	hube	vuelto
volv-iste	hubiste	vuelto
volv-ió	hubo	vuelto
volv-imos	hubimos	vuelto
volv-isteis	hubisteis	vuelto
volv-ieron	hubieron	vuelto

Futuro Simple	Futuro Compuesto	
volver-é	habré	vuelto
volver-ás	habrás	vuelto
volver-á	habrá	vuelto
volver-emos	habremos	vuelto
volver-éis	habréis	vuelto
volver-án	habrán	vuelto

Cond. Simple	Cond. Compuesto	
volver-ía	habría	vuelto
volver-ías	habrías	vuelto
volver-ía	habría	vuelto
volver-íamos	habríamos	vuelto
volver-íais	habríais	vuelto
volver-ían	habrían	vuelto

SUBJUNTIVO

Presente	Pret. Perfecto	
vuelv-a	haya	vuelto
vuelv-as	hayas	vuelto
vuelv-a	haya	vuelto
volv-amos	hayamos	vuelto
volv-áis	hayáis	vuelto
vuelv-an	hayan	vuelto

Pret. Imperfecto	Pret. Pluscuamp.	
volv-iera	hubiera	vuelto
volv-ieras	hubieras	vuelto
volv-iera	hubiera	vuelto
volv-iéramos	hubiéramos	vuelto
volv-ierais	hubierais	vuelto
volv-ieran	hubieran	vuelto
volv-iese	hubiese	vuelto
volv-ieses	hubieses	vuelto
volv-iese	hubiese	vuelto
volv-iésemos	hubiésemos	vuelto
volv-ieseis	hubieseis	vuelto
volv-iesen	hubiesen	vuelto

Futuro Simple	Futuro Compuesto	
volv-iere	hubiere	vuelto
volv-ieres	hubieres	vuelto
volv-iere	hubiere	vuelto
volv-iéremos	hubiéremos	vuelto
volv-iereis	hubiereis	vuelto
volv-ieren	hubieren	vuelto

IMPERATIVO

vuelv-e(tú)	volv-ed(vosotros)
vuelv-a(usted)	vuelv-an(ustedes)

FORMAS NO PERSONALES

Infinitivo: volver
Gerundio: volv-iendo
Participio: vuelto
Infinitivo Comp.: haber vuelto
Gerundio Comp.: habiendo vuelto

167. yacer

<table>
<tr><td colspan="3" align="center">INDICATIVO</td><td colspan="3" align="center">SUBJUNTIVO</td></tr>
<tr><td>Presente*</td><td colspan="2">Pret. Perfecto</td><td>Presente**</td><td colspan="2">Pret. Perfecto</td></tr>
<tr><td>yazc-o/yazgo</td><td>he</td><td>yacido</td><td>yazc-a/yazg-a</td><td>haya</td><td>yacido</td></tr>
<tr><td>yac-es</td><td>has</td><td>yacido</td><td>yazc-as/yazg-as</td><td>hayas</td><td>yacido</td></tr>
<tr><td>yac-e</td><td>ha</td><td>yacido</td><td>yazc-a/yazg-a</td><td>haya</td><td>yacido</td></tr>
<tr><td>yac-emos</td><td>hemos</td><td>yacido</td><td>yazc-amos/yazg</td><td>hayamos</td><td>yacido</td></tr>
<tr><td>yac-éis</td><td>habéis</td><td>yacido</td><td>yazc-áis/yazg-áis</td><td>hayáis</td><td>yacido</td></tr>
<tr><td>yac-en</td><td>han</td><td>yacido</td><td>yazc-an/yazg-an</td><td>hayan</td><td>yacido</td></tr>
<tr><td>Pret. Imperfecto</td><td colspan="2">Pret. Pluscuamp.</td><td>Pret. Imperfecto</td><td colspan="2">Pret. Pluscuamp.</td></tr>
<tr><td>yac-ía</td><td>había</td><td>yacido</td><td>yac-iera</td><td>hubiera</td><td>yacido</td></tr>
<tr><td>yac-ías</td><td>habías</td><td>yacido</td><td>yac-ieras</td><td>hubieras</td><td>yacido</td></tr>
<tr><td>yac-ía</td><td>había</td><td>yacido</td><td>yac-iera</td><td>hubiera</td><td>yacido</td></tr>
<tr><td>yac-íamos</td><td>habíamos</td><td>yacido</td><td>yac-iéramos</td><td>hubiéramos</td><td>yacido</td></tr>
<tr><td>yac-íais</td><td>habíais</td><td>yacido</td><td>yac-ierais</td><td>hubierais</td><td>yacido</td></tr>
<tr><td>yac-ían</td><td>habían</td><td>yacido</td><td>yac-ieran</td><td>hubieran</td><td>yacido</td></tr>
<tr><td>Pret. Indefinido</td><td colspan="2">Pret. Anterior</td><td>yac-iese</td><td>hubiese</td><td>yacido</td></tr>
<tr><td></td><td></td><td></td><td>yac-ieses</td><td>hubieses</td><td>yacido</td></tr>
<tr><td>yac-í</td><td>hube</td><td>yacido</td><td>yac-iese</td><td>hubiese</td><td>yacido</td></tr>
<tr><td>yac-iste</td><td>hubiste</td><td>yacido</td><td>yac-iésemos</td><td>hubiésemos</td><td>yacido</td></tr>
<tr><td>yac-ió</td><td>hubo</td><td>yacido</td><td>yac-ieseis</td><td>hubieseis</td><td>yacido</td></tr>
<tr><td>yac-imos</td><td>hubimos</td><td>yacido</td><td>yac-iesen</td><td>hubiesen</td><td>yacido</td></tr>
<tr><td>yac-isteis</td><td>hubisteis</td><td>yacido</td><td colspan="3"></td></tr>
<tr><td>yac-ieron</td><td>hubieron</td><td>yacido</td><td>Futuro Simple</td><td colspan="2">Futuro Compuesto</td></tr>
<tr><td>Futuro Simple</td><td colspan="2">Futuro Compuesto</td><td>yac-iere</td><td>hubiere</td><td>yacido</td></tr>
<tr><td></td><td></td><td></td><td>yac-ieres</td><td>hubieres</td><td>yacido</td></tr>
<tr><td>yacer-é</td><td>habré</td><td>yacido</td><td>yac-iere</td><td>hubiere</td><td>yacido</td></tr>
<tr><td>yacer-ás</td><td>habrás</td><td>yacido</td><td>yac-iéremos</td><td>hubiéremos</td><td>yacido</td></tr>
<tr><td>yacer-á</td><td>habrá</td><td>yacido</td><td>yac-iereis</td><td>hubiereis</td><td>yacido</td></tr>
<tr><td>yacer-emos</td><td>habremos</td><td>yacido</td><td>yac-ieren</td><td>hubieren</td><td>yacido</td></tr>
<tr><td>yacer-éis</td><td>habréis</td><td>yacido</td><td colspan="3"></td></tr>
<tr><td>yacer-án</td><td>habrán</td><td>yacido</td><td colspan="3" align="center">IMPERATIVO***</td></tr>
<tr><td>Cond. Simple</td><td colspan="2">Cond. Compuesto</td><td colspan="3">yac-e/yaz(tú)   yac-ed(vosotros)</td></tr>
<tr><td></td><td></td><td></td><td colspan="3">yazc-a/yazga(usted) yazc-an/yazgan(ustedes)</td></tr>
<tr><td>yacer-ía</td><td>habría</td><td>yacido</td><td colspan="3" align="center">FORMAS NO PERSONALES</td></tr>
<tr><td>yacer-ías</td><td>habrías</td><td>yacido</td><td colspan="3"></td></tr>
<tr><td>yacer-ía</td><td>habría</td><td>yacido</td><td>Infinitivo:</td><td colspan="2">yacer</td></tr>
<tr><td>yacer-íamos</td><td>habríamos</td><td>yacido</td><td>Gerundio:</td><td colspan="2">yac-iendo</td></tr>
<tr><td>yacer-íais</td><td>habríais</td><td>yacido</td><td>Participio:</td><td colspan="2">yac-ido</td></tr>
<tr><td>yacer-ían</td><td>habrían</td><td>yacido</td><td>Infinitivo Comp.:</td><td colspan="2">haber yacido</td></tr>
<tr><td></td><td></td><td></td><td>Gerundio Comp.:</td><td colspan="2">habiendo yacido</td></tr>
</table>

* **También: yag**-o...
** **También: yag**-a...
*** **También: yaga**(usted), va**gan**(ustedes)

168. zurcir

<table>
<tr><td colspan="3">INDICATIVO</td><td colspan="3">SUBJUNTIVO</td></tr>
<tr><td>Presente</td><td colspan="2">Pret. Perfecto</td><td>Presente</td><td colspan="2">Pret. Perfecto</td></tr>
<tr><td>zurz-o</td><td>he</td><td>zurcido</td><td>zurz-a</td><td>haya</td><td>zurcido</td></tr>
<tr><td>zurc-es</td><td>has</td><td>zurcido</td><td>zurz-as</td><td>hayas</td><td>zurcido</td></tr>
<tr><td>zurc-e</td><td>ha</td><td>zurcido</td><td>zurz-a</td><td>haya</td><td>zurcido</td></tr>
<tr><td>zurc-imos</td><td>hemos</td><td>zurcido</td><td>zurz-amos</td><td>hayamos</td><td>zurcido</td></tr>
<tr><td>zurc-ís</td><td>habéis</td><td>zurcido</td><td>zurz-áis</td><td>hayáis</td><td>zurcido</td></tr>
<tr><td>zurc-en</td><td>han</td><td>zurcido</td><td>zurz-an</td><td>hayan</td><td>zurcido</td></tr>
<tr><td>Pret. Imperfecto</td><td colspan="2">Pret. Pluscuamp.</td><td>Pret. Imperfecto</td><td colspan="2">Pret. Pluscuamp.</td></tr>
<tr><td>zurc-ía</td><td>había</td><td>zurcido</td><td>zurc-iera</td><td>hubiera</td><td>zurcido</td></tr>
<tr><td>zurc-ías</td><td>habías</td><td>zurcido</td><td>zurc-ieras</td><td>hubieras</td><td>zurcido</td></tr>
<tr><td>zurc-ía</td><td>había</td><td>zurcido</td><td>zurc-iera</td><td>hubiera</td><td>zurcido</td></tr>
<tr><td>zurc-íamos</td><td>habíamos</td><td>zurcido</td><td>zurc-iéramos</td><td>hubiéramos</td><td>zurcido</td></tr>
<tr><td>zurc-íais</td><td>habíais</td><td>zurcido</td><td>zurc-ierais</td><td>hubierais</td><td>zurcido</td></tr>
<tr><td>zurc-ían</td><td>habían</td><td>zurcido</td><td>zurc-ieran</td><td>hubieran</td><td>zurcido</td></tr>
<tr><td>Pret. Indefinido</td><td colspan="2">Pret. Anterior</td><td>zurc-iese</td><td>hubiese</td><td>zurcido</td></tr>
<tr><td></td><td></td><td></td><td>zurc-ieses</td><td>hubieses</td><td>zurcido</td></tr>
<tr><td>zurc-í</td><td>hube</td><td>zurcido</td><td>zurc-iese</td><td>hubiese</td><td>zurcido</td></tr>
<tr><td>zurc-iste</td><td>hubiste</td><td>zurcido</td><td>zurc-iésemos</td><td>hubiésemos</td><td>zurcido</td></tr>
<tr><td>zurc-ió</td><td>hubo</td><td>zurcido</td><td>zurc-ieseis</td><td>hubieseis</td><td>zurcido</td></tr>
<tr><td>zurc-imos</td><td>hubimos</td><td>zurcido</td><td>zurc-iesen</td><td>hubiesen</td><td>zurcido</td></tr>
<tr><td>zurc-isteis</td><td>hubisteis</td><td>zurcido</td><td></td><td></td><td></td></tr>
<tr><td>zurc-ieron</td><td>hubieron</td><td>zurcido</td><td>Futuro Simple</td><td colspan="2">Futuro Compuesto</td></tr>
<tr><td>Futuro Simple</td><td colspan="2">Futuro Compuesto</td><td>zurc-iere</td><td>hubiere</td><td>zurcido</td></tr>
<tr><td></td><td></td><td></td><td>zurc-ieres</td><td>hubieres</td><td>zurcido</td></tr>
<tr><td>zurcir-é</td><td>habré</td><td>zurcido</td><td>zurc-iere</td><td>hubiere</td><td>zurcido</td></tr>
<tr><td>zurcir-ás</td><td>habrás</td><td>zurcido</td><td>zurc-iéremos</td><td>hubiéremos</td><td>zurcido</td></tr>
<tr><td>zurcir-á</td><td>habrá</td><td>zurcido</td><td>zurc-iereis</td><td>hubiereis</td><td>zurcido</td></tr>
<tr><td>zurcir-emos</td><td>habremos</td><td>zurcido</td><td>zurc-ieren</td><td>hubieren</td><td>zurcido</td></tr>
<tr><td>zurcir-éis</td><td>habréis</td><td>zurcido</td><td colspan="3"></td></tr>
<tr><td>zurcir-án</td><td>habrán</td><td>zurcido</td><td colspan="3">IMPERATIVO</td></tr>
<tr><td>Cond. Simple</td><td colspan="2">Cond. Compuesto</td><td>zurc-e(tú)</td><td colspan="2">zurc-id(vosotros)</td></tr>
<tr><td></td><td></td><td></td><td>zurz-a(usted)</td><td colspan="2">zurz-an(ustedes)</td></tr>
<tr><td>zurcir-ía</td><td>habría</td><td>zurcido</td><td colspan="3">FORMAS NO PERSONALES</td></tr>
<tr><td>zurcir-ías</td><td>habrías</td><td>zurcido</td><td colspan="3"></td></tr>
<tr><td>zurcir-ía</td><td>habría</td><td>zurcido</td><td>Infinitivo:</td><td colspan="2">zurcir</td></tr>
<tr><td>zurcir-íamos</td><td>habríamos</td><td>zurcido</td><td>Gerundio:</td><td colspan="2">zurc-iendo</td></tr>
<tr><td>zurcir-íais</td><td>habríais</td><td>zurcido</td><td>Participio:</td><td colspan="2">zurc-ido</td></tr>
<tr><td>zurcir-ían</td><td>habrían</td><td>zurcido</td><td>Infinitivo Comp.:</td><td colspan="2">haber zurcido</td></tr>
<tr><td></td><td></td><td></td><td>Gerundio Comp.:</td><td colspan="2">habiendo zurcido</td></tr>
</table>

4. LISTA DE VERBOS IMPERSONALES, DEFECTIVOS, Y PARTICIPIOS IRREGULARES

1. Verbos impersonales

alborear	granizar
amanecer	helar
anochecer	llover
atardecer	lloviznar
atronar	nevar
centellear	oscurecer
clarear	rociar
deshelar	tronar
diluviar	ventar
gotear	ventiscar

2. Verbos defectivos

abolir: sólo se usa en las formas cuya desinencia empieza por **i**.

acaecer: sólo se usa en las terceras personas del singular y del plurar de todos los tiempos y en las formas no personales.

acontecer: sólo se usa en las terceras personas del singular y del plural de todos los tiempos y en las formas no personales.

agredir: se usa en los mismos casos que **abolir**.

atañer: se usa en los mismos casos que **acaecer**.

balbucir: se usa en los mismos casos que **abolir**.

concernir: en indicativo sólo se usa en las terceras personas del singular y del plurar del presente y del pretérito imperfecto. En subjuntivo sólo se usa en las terceras personas del singular y del plural del presente.

incumbir: se usa en los mismos casos que **acaecer**.

soler: en indicativo sólo se usa en presente, pretérito imperfecto y pretérito indefinido. En subjuntivo sólo se usa en presente y pretérito imperfecto.

trasgredir: se usa en los mismos casos que **abolir**.

3. Participios irregulares

abrir	abierto (derivados)	**pudrir**	podrido
absolver	absuelto	**romper**	roto (derivados)
cubrir	cubierto (derivados)	**satisfacer**	satisfecho
decir	dicho (derivados)	**suscribir**	suscrito
descubrir	descubierto	**transcribir**	transcrito
disolver	disuelto	**ver**	visto (derivados)
hacer	hecho (derivados)	**volver**	vuelto (derivados)
inscribir	inscrito		
morir	muerto		
poner	puesto (derivados)		

5. VERBOS CON EXTENSIÓN PREPOSICIONAL

acordarse **de**
acostumbrarse **a**
abstenerse **de**
abusar **de**
acusar **de**
adolecer **de**
aferrarse **a**
aficionarse **a**
afiliarse **a**
ahondar **en**
alardear **de**
alentar **a**
alertar **de**
alternar **con**
alucinar **con**
aludir **a**
anclarse **en**
animar **a**
apechugar **con**
apelar **a**
apoderarse **de**
apoyarse **en**
apropiarse **de**
aprovecharse **de**
armarse **de**
arreglarse **con**
arremeter **contra**
arrepentirse **de**
arribar **a**
asociarse **con**
asombrarse **de**
aspirar **a**
atenerse **a**
atentar **contra**
atiborrarse **de**
atragantarse **con**
atreverse **a**
ausentarse **de**
avenirse **a**
avergonzarse **de**
atender **a**
bagar **por**
basarse **en**
batirse **en**
brindar **por**

burlarse **de**
cachondearse **de**
cagarse **en**
canjear **por**
cansarse **de**
carcajearse **de**
carecer **de**
cartearse **con**
casarse **con**
cebarse **en**
centrarse **en**
ceñirse **a**
cesar **de, en**
cifrar **en**
codearse **con**
coexistir **con**
coincidir **en**
colarse **en**
colindar **con**
colmar **de**
comedirse **en**
compadecerse **de**
compaginar **con**
comparar **con**
comparecer **ante**
compartir **con**
comprometerse **a**
conectar **con**
conformarse **con**
confraternizar **con**
congratularse **con**
congeniar **con**
conminar **a**
consagrarse **a**
consistir **en**
constar **de**
convencer **de**
coquetear **con**
cotejar **con**
culpar **de**
deambular **por**
decidirse **a ,por**
dedicarse **a**
defenderse **de**
dejar **de**

deleitarse **con**
demorarse **en**
depender **de**
desafiar **a**
desalojar **de**
desentenderse **de**
desconfiar **de**
desdecirse **de**
desembocar **en**
desengañarse **de**
desentenderse **de**
desertar **de**
deshacerse **de**
desistir **de**
desmarcarse **de**
despedirse **de**
despojar **de**
desprenderse **de**
despreocuparse **de**
destacar **en**
destituir **de**
diferenciarse **de**
dignarse **a**
disfrazarse **de**
disfrutar **de**
disponerse **a**
distanciarse **de**
distar **de**
divorciarse **de**
dudar **de**
ejercitarse **en**
emanciparse **de**
embarcarse **en**
emigrar **a**
empezar **a**
empeñarse **en**
emparentar **con**
enamorarse **de**
encapricharse **con**
encargarse **de**
encariñarse **con**
encarnarse **en**
encontrarse **con**
enfrentarse **a, con**
engañarse **con**

enriquecerse **con**
entenderse **con**
enterarse **de**
entregarse **a**
entretenerse **con, en**
entrometerse **en**
entusiasmarse **con**
enzarzarse **en**
equiparar **con**
equivaler **a**
escudarse **en**
esmerarse **en**
especializarse **en**
especular **con**
evadirse **de**
excederse **en**
excluir **de**
exculpar **de**
eximir **de**
expulsar **de**
exponerse **a**
extrañarse **de**
familiarizarse **con**
fardar **de**
fiarse **de**
fijarse **en**
fichar **por**
forzar **a**
fugarse **de**
fundarse **en**
galardonar **con**
gozar **de, con**
gravitar **sobre**
guardarse **de**
hacerse **a, con**
hartarse **a, de**
hincharse **a, de**
hundirse **en**
hurgar **en**
identificarse **con**
incidir **en**
incurrir **en**
incorporarse **a**

inducir **a**
informar **de**
inmiscuirse **en**
inscribir **en**
inspirarse **en**
instar **a**
instigar **a**
integrarse **en**
interceder **por**
intimar **con**
inundar **de**
invertir **en**
invitar **a**
involucrar **en**
irritarse **con**
irrumpir **en**
jactarse **de**
jubilarse **de**
lamentarse **de**
liar **con**
liarse **a, con**
licenciarse **de, en**
ligar **con**
limitarse **a**
lindar **con**
luchar **contra**
merodear **por**
mofarse **de**
molestarse **por, en**
mudarse **de**
multiplicar **por**
negarse **a**
negociar **con**
obligar **a**
obsequiar **con**
obstinarse **en**
oler **a**
olvidarse **de**
operarse **de**
oponerse **a**
opositar **a**
parecerse **a**
pasear **por**

pavonearse **de**
pegarse **con**
pelear **con**
percatarse **de**
persistir **en**
pitorrearse **de**
presumir **de**
prorrogar **por**
quejarse **de**
radicar **en**
recobrarse **de**
recurrir **a**
redundar **en**
reencarnarse **en**
referirse **a**
reirse **de**
relacionarse **con**
relegar **a**
renunciar **a**
resolverse **a**
resurgir **de**
reunirse **con**
renunciar **a**
secundar **en**
simpatizar **con**
simultanear **con**
solidarizarse **con**
someterse **a**
sumarse **a**
tardar **en**
tenerse **por**
quedar **en**
tiritar **de**
toparse **con**
traficar **con**
tropezar **con**
vagar **por**
valerse **de**
vanagloriarse **de**
vengarse **de**
volcarse **en**

6. LISTADO ALFABÉTICO DE LOS VERBOS

A

abalanzar 28
abanderar 5
abandonar 5
abanicar 24
abaratar 5
abarcar 137
abarrotar 5
abastecer 47
abdicar 24
abetunar 5
abjurar 5
ablandar 5
abnegar 106
abobar 5
abocar 34
abochornar 5
abofetear 5
abogar 111
abolir, def. 8
abollar 5
abombar 5
abominar 5
abonar 5
abordar 5
aborrecer 47
aborregarse 111
abortar 5
abotargarse 111
abotonar 5
abovedar 5
aboyar 5
abrasar 5
abrazar 28
abreviar 5

abrigar 111
abrillantar 5
abrir 7
abrochar 5
abroncar 34
abrumar 5
absolver 166
absorber 6
absortar 5
abstenerse 4
abstraer 9
abuchear 5
abultar 5
abundar 5
abuñolar 164
aburguesarse 5
aburrir 7
abusar 5
acabar 5
acaecer, def. 112
acalorar 5
acallar 5
acampar 5
acantilar 5
acantonar 5
acaparar 5
acaramelar 5
acariciar 5
acarrear 5
acartonarse 5
acatar 5
acatarrar 5
acaudalar 5
acceder 6
accionar 5
acechar 5

aceitar 5
acelerar 5
acentuar 13
aceptar 5
acercar 24
acertar 10
acicalar 5
aclamar 5
aclarar 5
aclimatar 5
acobardar 5
acobijar 5
acodar 5
acoger(se) 32
acogotar 5
acolchar 5
acometer 6
acomodar(se) 5
acompañar 5
acompasar 5
acomplejar 5
acondicionar 5
acongojar 5
aconsejar 5
acontecer, def. 112
acopiar 5
acoplar 5
acoquinar 5
acordar(se) 11
acordonar 5
acorralar 5
acortar 5
acosar 5
acostar 12
acostumbrar 5
acotar 5

acrecentar 27
acreditar 5
acribillar 5
acristalar 5
activar 5
actualizar 28
actuar 13
acuartelar 5
acuciar 5
acuclillarse 5
acuchillar 5
acudir 7
acumular 5
acunar 5
acuñar 5
acurrucarse 24
acusar 5
achacar 5
achatar 5
achicar(se) 24
achicharrar 5
achuchar 5
adaptar 5
adecentar 5
adelantar 5
adelgazar 14
adentrar 5
aderezar 28
adestrar 10
adeudar 5
adherir 83
adicionar 5
adiestrar 5
adinerar 5
adivinar 5
adjetivar 5
adjudicar 24
adjuntar 5
administrar 5
admirar 5
admitir 7
adoctrinar 5
adolecer 99
adoptar 5
adoquinar 5
adorar 5

adormecer 99
adormilarse 5
adornar 5
adosar 5
adquirir 15
adscribir 7
aducir 52
adueñarse 5
adular 5
adulterar 5
advertir 16
afanar(se) 5
afectar 5
afeitar 5
afeminar 5
aferrarse 30
afianzar 28
aficionar 5
afilar 5
afiliar 5
afinar 5
afincar(se) 24
afirmar 5
afligir 59
aflojar 5
afluir 87
afortunar 5
afrancesar 5
afrentar 5
afrontar 5
agachar 5
agarrar 5
agarrotar 5
agasajar 5
agazapar 5
agenciar(se) 5
agigantar 5
agilizar 28
agitanar 5
agitar 5
aglutinar 5
agobiar 5
agolpar 5
agonizar 28
agorar 135
agostar 5

agraciar 5
agradar 5
agradecer 112
agrandar 5
agravar 5
agraviar 5
agredir, def. 7
agregar 111
agriar 5
agrietar 5
agrupar 5
aguantar 5
aguar 23
aguardar 5
agudizar 28
agujerear 5
ahogar 111
ahondar 5
ahorcar 34
ahorrar 5
ahuecar 24
ahumar 5
ahuyentar 5
airear 5
ajar 5
ajardinar 5
ajetrear 5
ajustar 5
ajusticiar 5
alabar 5
alardear 5
alargar 111
alarmar 5
albergar 111
alborear, imp. 5
alborotar 5
alborozar 28
alcanzar 28
alcoholizar 28
alegar 111
alegorizar 28
alegrar 5
alejar 5
alelar 5
alentar 27
alertar 5

aletargar 111
alfabetizar 28
alfombrar 5
aliar 71
alicatar 5
alienar 5
aligerar 5
alimentar 5
alinear 5
alisar 5
alistar 5
aliviar 5
almacenar 5
almorzar 17
alocar 34
alojar 5
alquilar 5
alterar(se) 5
alternar 5
alucinar 5
aludir 7
alumbrar 5
alzar(se) 28
allanar 5
allegar 111
amadrinar 5
amaestrar 5
amagar 111
amamantar 5
amanecer, imp. 112
amansar 5
amañar 5
amar 5
amargar 111
amarillear 5
amarillecer 99
amarrar 5
amasar 5
ambicionar 5
ambientar 5
amedrentar 5
amenazar 28
amenizar 28
ametrallar 5
amigar 111
aminorar 5

amnistiar 71
amodorrarse 5
amoldar 5
amonarse 5
amonestar 5
amontonar 5
amoratar 5
amortajar 5
amortiguar 23
amortizar 28
amotinar 5
amparar 5
ampliar 18
amputar 5
amueblar 5
amurallar 5
amusgar 111
analizar 28
anclar(se) 5
andar(se) **19**
anegar 111
anestesiar 5
anexionar 5
angustiar 5
anhelar 5
anidar 5
anillar 5
animalizar 28
animar 5
aniquilar 5
anochecer, imp. 112
anonadar 5
anotar 5
anquilosar 5
ansiar 71
anteceder 6
anteponer 118
anticipar 5
anticuar 5
antojarse 5
anudar 5
anular 5
anunciar 5
añadir 7
añorar 5
apabullar 5

apacentar 27
apaciguar 23
apadrinar 5
apagar 111
apalabrar 5
apalancar 137
apalear 5
apandillar 5
apañar(se) 5
aparcar 137
aparear 5
aparecer 112
aparejar 5
aparentar 5
apartar 5
apasionar 5
apear 5
apechugar 111
apedrear 5
apelar 5
apelmazar 28
apelotonar 5
apenar 5
apencar 24
apercibir 7
apesadumbrar 5
apestar 5
apetecer 112
apiadar 5
apilar 5
apiñar 5
apisonar 5
aplacar 137
aplanar(se) 5
aplastar 5
aplatanar 5
aplaudir 7
aplazar 28
aplicar(se) 24
aplomar 5
apocar 34
apocopar 5
apodar 5
apoderar(se) 5
apogear 5
apolillar 5

apoltronarse 5
apoquinar 5
aporrear 5
aportar 5
apostar 12
apostillar 5
apoyar 5
apreciar(se) 5
aprehender 6
apremiar 5
aprender 6
apresar 5
aprestar 5
apresurar 5
apretar 10
apretujar 5
aprisionar 5
aprobar(se) 121
apropiar(se) 5
aprovechar(se) 5
aprovisionar 5
aproximar 5
apuntalar 5
apuntar 5
apuntillar 5
apuñalar 5
apurar(se) 5
aquietar 5
arañar 5
arar 5
arbitrar 5
arbolar 5
archivar 5
arder 6
argüir 20
argumentar 5
armar(se) 5
armonizar 28
aromatizar 28
arquear 5
arraigar 111
arramplar 5
arrancar 137
arrasar 5
arrastrar 5
arrear 5

arrebatar 5
arrebujar 5
arreciar 5
arreglar(se) 5
arremangar 111
arremeter 5
arrendar 100
arrepentirse 62
arrestar 5
arriar 71
arribar 5
arriesgar 111
arrimar 5
arrinconar 5
arrodillar 5
arrogar 111
arrojar 5
arropar 5
arrugar 111
arruinar 5
arrullar 5
articular 5
asalariar 5
asaltar 5
ascender 67
asear 5
asediar 5
asegurar 5
asemejar 5
asentar 142
asentir 143
asesinar 5
asesorar 5
asestar 5
aseverar 5
asfixiar 5
asignar 5
asilar 5
asimilar 5
asir 21
asistir 7
asociar 5
asolar 164
asomar 5
asombrar 5
aspirar 5

asquear 5
astillar 5
asumir 7
asustar 5
atacar 137
atajar 5
atañer, def. 151
atardecer, imp. 112
atar 5
atarear 5
atarugar 111
atascar 137
ataviar 71
atemorizar 28
atenazar 28
atender 70
atenerse 4
atentar 27
aterrizar 28
aterrorizar 28
atesorar 5
atestar 5
atestiguar 23
atiborrar 5
atinar 5
atisbar 5
atizar 28
atolondrar 5
atontar 5
atontolinar 5
atormentar 5
atornillar 5
atosigar 111
atracar 137
atraer 155
atragantarse 5
atrapar 5
atrasar 5
atravesar 114
atribuir 43
atrincherar 5
atrofiar 5
atronar, imp. 147
atropellar 5
atufar 5
aturdir 7

aturullar 5
atusar 5
augurar 5
aumentar 5
ausentarse 5
auspiciar 5
autentificar 24
automatizar 28
autorizar 28
autosugestionarse 5
auxiliar 5
avalar 5
avanzar 28
avasallar 5
avejentar 5
avenir 160
aventajar 5
aventar 27
aventurar 5
avergonzar 22
averiguar 23
aviar 5
avinagrar 5
avisar 5
avispar 5
avistar 5
avocar 34
ayudar 5
ayunar 5
azorar 5
azotar 5
azucarar 5
azular 5
azuzar 49

B

babear 5
babosear 5
bagar 111
bailar 5
bailotear 5
bajar 5
balancear 5
balar 5
balbucear 5

balbucir, def. 8
bambolear 5
bañar 5
barajar 5
barbechar 5
barnizar 28
barrenar 5
barrer 6
barruntar 5
basar 5
bascular 5
bastar 5
batallar 5
batear 5
batir(se) 7
bautizar 28
beber 6
becar 24
bendecir 51
beneficiar 5
berrear 5
besar 5
besuquear 5
birlar 5
bisbisear 5
bizquear 5
blasfemar 5
blindar 5
bloquear 5
bogar 111
boicotear 5
bombardear 5
bordar 5
bordear 5
borrar(se) 5
bostezar 28
botar 5
boxear 5
bramar 5
brear 5
bregar 111
brillar 5
brincar 24
brindar(se) 5
bromear 5
broncear 5

brotar 5
bucear 5
bufar 5
buitrear 5
burbujear 5
burlar(se) 5
buscar 24

C

cabalgar 111
cabecear 5
caber 25
cablear 5
cabrear 5
cacarear 5
caciquear 5
cachear 5
cachetear 5
cachondearse 5
caducar 24
caer(se) 26
cagar 111
calar(se) 5
calcar 137
calcinar 5
calcular 5
caldear 5
calentar 27
calibrar 5
calificar 24
calmar 5
calumniar 5
calzar 28
callar 5
callejear 5
cambiar 5
camelar 5
caminar 5
campar 5
campear 5
camuflar 5
canalizar 28
cancelar 5
candar 5
candonguear 5

cangrenarse 5
canjear 5
canonizar 28
cansar 5
cantar 5
canturrear 5
capacitar 5
capar 5
capear 5
capitalizar 28
capitanear 5
capitular 5
captar 5
capturar 5
caracterizar 28
carbonizar 28
carburar 5
carcajearse 5
carcomer 6
cardar 5
carear 5
carecer 99
cargar(se) 111
cariar 5
caricaturizar 28
carraspear 5
cartearse 5
casar(se) 5
cascar 137
castrar 5
catalizar 28
catalogar 111
catapultar 5
catar 5
catear 5
catequizar 28
causar 5
cautivar 5
cavar 5
cavilar 5
cazar 28
cebar(se) 5
cecear 5
ceder 6
cegar 77
cejar 5

celar(se) 5
celebrar(se) 5
cenar 5
censar 5
censurar 5
centellear, imp. 5
centralizar 28
centrar(se) 5
centrifugar 111
ceñir(se) 130
cepillar 5
cercar 24
cercenar 5
cerciorar 5
cerner 29
cerrar 30
certificar 24
cesar 5
cicatrizar 28
cifrar 5
cimentar 27
cincelar 5
circular 5
circuncidar 5
circundar 5
circunvalar 5
citar 5
civilizar 28
clamar 5
clarear, imp. 5
clarificar 24
clasificar(se) 24
claudicar 24
clausurar 5
clavar 5
climatizar 28
coaccionar 5
coagular 5
coaligar 111
coartar 5
cobijar 5
cobrar 5
cocear 5
cocer(se) 31
cocinar 5
codear(se) 5

codiciar 5
codificar 24
coexistir 7
coger 32
cohabitar 5
cohibir 123
coincidir 7
cojear 5
colaborar 5
colar(se) 164
colear 5
coleccionar 5
colectar 5
colegiarse 5
colegir 65
colgar 33
colindar 5
colisionar 5
colmar 5
colocar 34
colonizar 28
colorear 5
columpiar 5
comadrear 5
comandar 5
combar 5
combatir 7
combinar 5
comediar 5
comedir 113
comentar 5
comenzar 66
comer(se) 6
comercializar 28
comerciar 5
cometer 6
comisionar 5
comisquear 5
compadecer 112
compaginar 5
comparar 5
comparecer 112
compartir 7
compatibilizar 28
compendiar 5
compenetrarse 5

compensar 5
competer 6
competir 131
compilar 5
complacer 35
complementar 5
completar 5
complicar 24
componer 118
comportar(se) 5
comprar 5
comprender 6
comprimir 7
comprobar 121
comprometer(se) 6
compulsar 5
computar 5
comulgar 111
comunicar 24
concatenar 5
concebir 36
conceder 6
concentrar 5
conceptuar 5
concernir, def. 29
concertar 10
concienciar 5
conciliar 5
concluir 37
concordar 128
concretar 5
conculcar 24
concurrir 7
concursar 5
condecorar 5
condenar 5
condensar 5
condescender 67
condicionar 5
condimentar 5
condolerse 63
conducir(se) **38**
conectar 5
confabular 5
confeccionar 5
confederar 5

conferir 119
confesar 114
confiar(se) 71
configurar 5
confinar 5
confirmar 5
confiscar 24
conflagrar 5
confluir 87
conformar(se) 5
confortar 5
confraternizar 28
confrontar 5
confundir 7
congelar 5
congeniar 5
congestionar 5
congraciar 5
congratular 5
conjeturar 5
conjugar 111
conjurar 5
conllevar 5
conmemorar 5
conminar 5
conmocionar 5
conmover 104
conmutar 5
connotar 5
conocer(se) **39**
conquistar 5
consagrar 5
conseguir 140
consentir 143
conservar 5
considerar 5
consignar 5
consistir 7
consolar 164
consolidar 5
conspirar 5
constar 5
constatar 5
constipar 5
constitucionalizar 28
constituir 40

constreñir 130
construir 41
consultar 5
consumar 5
consumir(se) 7
contabilizar 28
contactar 5
contagiar 5
contaminar 5
contar 42
contemplar 5
contender 70
contener(se) 4
contentar 5
contestar 5
continuar 13
contonearse 5
contorsionarse 5
contraatacar 137
contradecir 51
contraer 155
contraindicar 24
contraponer 118
contrariar 71
contrarrestar 5
contrastar 5
contratar 5
contravenir 160
contribuir 43
controlar(se) 5
controvertir 45
contusionar 5
convalecer 99
convalidar 5
convencer 159
convenir 44
conversar 5
convertir 45
convivir 7
convocar 34
convulsionar 5
cooperar 5
coordinar 5
copar 5
copiar 5
coquetear 5

corear 5
cornear 5
coronar 5
corporizarse 28
corregir 65
correr 6
corresponder 6
corretear 5
corroborar 5
corromper 6
cortar(se) 5
cortejar 5
coscarse 34
cosechar 5
coser 6
costar 46
costear 5
cotejar 5
cotillear 5
cotizar 28
cotorrear 5
crear 5
crecer(se) **47**
creer 48
criar 71
crispar 5
cristalizar 28
cristianizar 28
criticar 24
cromar 5
cronometrar 5
crucificar 24
crujir 7
cruzar 49
cuadrar 5
cuadricular 5
cuadruplicar 24
cuajar 5
cualificar 24
cubrir 7
cuchichear 5
cuestionar 5
cuidar 5
culear 5
culminar 5
culpabilizar 28

culpar 5
cultivar(se) 5
cumplir 7
cundir 7
curar 5
curiosear 5
currar 5
currelar 5
cursar 5
curtir 7
curvar 5
custodiar 5

CH

chafar 5
chamuscar 24
chantajear 5
chapar 5
chapotear 5
chapucear 5
chapurrear 5
chaquetear 5
charlar 5
charlotear 5
chatear 5
chavacanear 5
chiflar 5
chillar 5
chinchar 5
chingar 111
chirriar 71
chismorrear 5
chispear, imp. 5
chistar 5
chivar 5
chocar 34
chorrear 5
chulear 5
chupar(se) 5
chupetear 5
chutar(se) 5
chuzar, imp. 28

D

damnificar 24

danzar 28
dañar 5
dar(se) **50**
datar 5
deambular 5
debatir(se) 7
deber(se) 6
debilitar 5
debutar 5
decaer 26
decantar 5
decapitar 5
decepcionar 5
decidir(se) 7
decir 51
declarar(se) 5
declinar 5
decolorar 5
decomisar 5
decorar 5
decretar 5
dedicar 24
deducir 52
defecar 24
defender 67
definir(se) 7
deformar 5
defraudar 5
degenerar 5
degollar 164
degradar 5
degustar 5
deificar 24
dejar 5
delatar 5
delegar 111
deleitar 5
deletrear 5
deliberar 5
delimitar 5
delinquir 53
delirar 5
demandar 5
demarcar 137
democratizar 28
demoler 104

demorar 5
demostrar 103
denegar 106
denigrar 5
denominar 5
denostar 46
denotar 5
denunciar 5
deparar 5
departir 7
depender 6
depilar 5
deplorar 5
deponer 118
deportar 5
depositar 5
depreciar 5
deprimir 7
depurar 5
derivar 5
derogar 111
derramar 5
derrapar 5
derrengar 106
derretir 163
derribar 5
derrocar 34
derrochar 5
derrotar 5
derruir 56
derrumbar 5
desabastecer 47
desabotonar 5
desabrochar 5
desaconsejar 5
desacreditar 5
desactivar 5
desafianzar 28
desafiar 157
desafinar 5
desagradar 5
desagradecer 112
desagraviar 5
desaguar 23
desahogar 111
desahuciar 5

desajustar 5
desalentar 27
desalojar 5
desamortizar 28
desandar 19
desanimar 5
desanudar 5
desaparecer 112
desapretar 10
desaprobar 121
desaprovechar 5
desarmar 5
desarmonizar 28
desarraigar 111
desarreglar 5
desarticular 5
desarrollar(se) 5
desarrugar 111
desasosegar 106
desatar 5
desatascar 137
desatender 70
desautorizar 28
desavenir 160
desayunar 5
desbancar 137
desbarajustar 5
desbaratar 5
desbarnizar 28
desbarrar 5
desbloquear 5
desbordar 5
descabalgar 111
descabellar 5
descalabrar 5
descalificar 24
descalzar 28
descambiar 5
descamisar 5
descansar 5
descargar 111
descarrilar 5
descartar 5
descender 67
descentralizar 28
descentrar 5

descifrar 5
descocar 34
descolgar(se) 33
descolocar 34
descolonizar 28
descolorar 5
descomponer 118
descomulgar 111
desconcertar 10
desconchar 5
desconectar 5
desconfiar 71
descongelar 5
desconocer 39
desconsentir 143
desconsolar 164
descontar 42
desconvenir 160
descorchar 5
descornar 147
descoser 6
describir 7
descuajeringar 111
descuartizar 28
descubrir 7
descuidar 5
desdecir 51
desdeñar 5
desdoblar 5
desear 5
desechar 5
desembarcar 24
desembargar 111
desembocar 34
desembolsar 5
desembuchar 5
desempedrar 141
desempeñar 5
desempolvar 5
desencadenar 5
desencajar 5
desencantar 5
desencargar 111
desencoger 32
desenchufar 5
desenfocar 34

desenfrenar 5
desenganchar 5
desengañar 5
desengrasar 5
desengrosar 46
desenlazar 28
desenroscar 34
desentenderse 70
desenterrar 30
desentrañar 5
desentumecerse 99
desenvolver(se) 166
desequilibrar 5
desertar 5
desesperar 5
desestimar 5
desfallecer 47
desfasar 5
desfavorecer 47
desfigurar 5
desfilar 5
desfogar 111
desfondar 5
desgañitarse 5
desgarrar 5
desgastar 5
desglosar 5
desgobernar 80
desgraciar 5
desgravar 5
desguazar 28
deshabitar 5
deshacer(se) 81
deshelar, imp. 106
desheredar 5
desherrar 30
deshidratar 5
deshilachar 5
deshilvanar 5
deshipotecar 24
deshojar 5
deshollinar 5
deshonrar 5
deshumanizar 28
deshumedecer 112
designar 5

desilusionar 5
desincrustar 5
desinfectar 5
desintegrar 5
desinteresarse 5
desintoxicar 24
desistir 7
desligar 111
deslindar 5
deslizar 28
deslucir 94
deslumbrar 5
desmadrar 5
desmantelar 5
desmaquillar 5
desmarcar 137
desmayarse 5
desmedirse 113
desmejorar 5
desmelenar 5
desmembrar 141
desmentir 98
desmenuzar 28
desmerecer 99
desmesurar 5
desmilitarizar 28
desmitificar 24
desmontar 5
desmoralizar 28
desmoronar 5
desnaturalizar 28
desnivelar 5
desnucar 24
desnudar 5
desnutrirse 7
desobedecer 112
desocupar 5
desoír 109
desollar 164
desorbitar 5
desordenar 5
desorientar 5
desovar 5
despachar 5
desparramar 5
despechar 5

despechugar 111
despedazar 28
despedir 113
despegar 111
despeinar 5
despejar 5
despellejar 5
desperdiciar 5
desperdigar 111
desperezar 28
despersonalizar 28
despertar 54
despiezar 28
despilfarrar 5
despintarse 5
despistar 5
desplazar 28
desplegar 77
desplomar 5
desplumar 5
despoblar 164
despojar 5
despolitizar 28
desposar 5
despotricar 24
despreciar 5
desprender(se) 5
despreocuparse 5
desprestigiar 5
desproporcionar 5
despuntar 5
desquiciar 5
desquitar 5
destacar 137
destapar 5
destellar 5
destemplar 5
destentar 27
desterrar 30
destetar 5
destilar 5
destinar 5
destituir 55
destrancar 137
destripar 5
destronar 5

eliminar 5
elucubrar 5
eludir 7
emanar 5
emancipar 5
embadurnar 5
embalsamar 5
embalsar 5
embarazar 28
embarcar(se) 137
embargar 111
embarrancar 137
embarrar 5
embarullar 5
embaucar 24
embeber 6
embelesar 5
embellecer 99
embestir 163
embobar 5
embobecer 99
embocar 34
embolsar 5
emboquillar 5
emborrachar 5
emborrascar 137
emborronar 5
emboscar 34
embotar 5
embotellar 5
embovedar 5
embozar 28
embriagar 111
embrollar 5
embrujar 5
embrutecer 99
embuchar 5
embutir 7
emerger 32
emigrar 5
emitir 7
emocionar 5
empachar 5
empadronar 5
empalagar 111
empalar 5

empalizar 28
empalmar 5
empanar 5
empantanar 5
empañar 5
empapar 5
empapelar 5
empaquetar 5
emparedar 5
emparejar 5
emparentar 27
empastar 5
empatar 5
empecinar 5
empedrar 141
empeñar(se) 5
empeorar 5
empequeñecer 99
emperifollar 5
emperrarse 5
empezar 66
empinar 5
emplazar 28
emplear(se) 5
emplumar 5
empobrecer 99
empolvar 5
empollar 5
emporcar 165
empotrar 5
emprender 6
empujar 5
empuñar 5
emular 5
enajenar 5
enaltecer 112
enamorar 5
enamoriscarse 24
enarbolar 5
encabezar 28
encadenar 5
encajar 5
encajonar 5
encallar 5
encaminar 5
encandelar 5

encandilar 5
encantar 5
encañonar 5
encapricharse 5
encapuchar 5
encaramar 5
encarar 5
encarcelar 5
encargar(se) 111
encariñar 5
encarnar(se) 5
encarrilar 5
encartar 5
encasillar 5
encasquetar 5
encausar 5
encauzar 28
encebollar 5
encelar 5
encender 67
encerrar 30
encestar 5
encintar 5
encizañar 5
enclaustrar 5
encoger 32
encolar 5
encolerizar 28
encomendar 100
enconar 5
encontrar(se) **68**
encorvar 5
encrespar 5
encuadernar 5
encuadrar 5
encubrir 7
encuestar 5
encharcar 137
enchufar 5
endemoniar 5
enderezar 28
endeudarse 5
endiosar 5
endosar 5
endulzar 28
endurecer 99

enemistar 5
enervar 5
enfadar 5
enfangar 111
enfatizar 28
enfermar 5
enfervorizar 28
enfilar 5
enflaquecer 99
enfocar 34
enfrascar 137
enfrentar 5
enfriar 69
enfundar 5
enfurecerse 99
enfurruñarse 5
engalanar 5
enganchar 5
engañar 5
engarzar 28
engatusar 5
engendrar 5
englobar 5
engominar 5
engordar 5
engrandecer 99
engrasar 5
engrosar 46
enjabonar 5
enjaular 5
enjoyar 5
enjuagar 111
enjuiciar 5
enjuncar 24
enlatar 5
enlazar 28
enloquecer 99
enlutar 5
enmadrarse 5
enmarañar 5
enmarcar 137
enmascarar 5
enmendar 100
enmudecer 99
enmugrecer 99
ennegrecer 99

ennoblecer 99
enojar 5
enorgullecer 112
enquistarse 5
enredar 5
enriquecer 112
enrojecer 112
enrollar 5
enronquecer 112
enroscar 34
enrrabietarse 5
ensalzar 28
ensamblar 5
ensanchar 5
ensangrentar 27
ensañarse 5
ensayar 5
enseñar 5
ensillar 5
ensombrecer 112
ensoñar 147
ensuciar 5
entablar 5
entalegar 111
entallar 5
entender(se) **70**
enterar(se) 5
enternecer 112
enterrar 30
entonar 5
entontecer 112
entornar 5
entorpecer 112
entrampar 5
entrañar 5
entrar 5
entreabrir 7
entrecomillar 5
entrecruzar 49
entrechocar 34
entregar 77
entrelazar 28
entrenar 5
entresacar 137
entretejer 6
entretener(se) 4

entrevistar 5
entristecer 47
entrometer 6
entroncar 34
entronizar 28
entumecerse 99
enturbiar 5
entusiasmar 5
enumerar 5
enunciar 5
envainar 5
envasar 5
envejecer 47
envenenar 5
enviar 71
enviciar 5
envidiar 5
enviudar 5
envolver 166
enzarzar 28
equidistar 5
equilibrar 5
equipar 5
equiparar 5
equivaler 158
equivocar 34
erguir 72
erizar 28
erosionar 5
erradicar 24
errar 73
eructar 5
esbozar 28
escalar 5
escalonar 5
escamar 5
escamotear 5
escanciar 5
escandalizar 28
escapar 5
escarbar 5
escariar 5
escarmentar 27
escasear 5
escatimar 5
escayolar 5

extender 70
exteriorizar 28
exterminar 5
extinguir 61
extirpar 5
extorsionar 5
extraer 155
extralimitar 5
extranjerizar 28
extrañar(se) 5
extrapolar 5
extraviar 71
eyacular 5

F

fabricar 24
facilitar 5
facturar 5
facultar 5
faenar 5
falsear 5
falsificar 24
faltar 5
fallar 5
fallecer 47
fallir 7
familiarizar 28
fanatizar 28
fanfarronear 5
fantasear 5
fardar 5
fascinar 5
fastidiar 5
fatigar 111
favorecer 47
fecundar 5
fechar 5
federar 5
felicitar 5
fenecer 47
fertilizar 28
fervorizar 28
festejar 5
fiar(se) 71
fichar 5

figurar(se) 5
fijar(se) 5
filmar 5
filosofar 5
finalizar 28
financiar 5
fingir 59
firmar 5
fiscalizar 28
fisgar 111
fisgonear 5
flanquear 5
fletar 5
flojear 5
florecer 47
flotar 5
fluir 87
follar 5
fomentar 5
fondear 5
forcejear 5
formalizar 28
formar 5
formular 5
fornicar 24
forrar 5
fortalecer 47
fortificar 24
forzar 17
fosforecer 47
fotocopiar 5
fotografiar 71
fracasar 5
fraccionar 5
fracturar 5
fragmentar 5
franquear 5
frecuentar 5
fregar 77
freír 78
frenar 5
frotar 5
fructificar 24
frustrar 5
fugarse 111
fulgir 59

fumar 5
funcionar 5
fundar 5
fundir 7
fusilar 5
fusionar 5
fustigar 111

G

gafar 5
galantear 5
galardonar 5
galopar 5
ganar 5
gandulear 5
garabatear 5
garantizar 28
gasear 5
gasificar 24
gastar 5
gemir 79
generalizar 28
generar 5
germinar 5
gestar 5
gesticular 5
gestionar 5
gimotear 5
girar(se) 5
gitanear 5
glorificar 24
glosar 5
glotonear 5
gobernar 80
golear 5
golfear 5
golpear 5
gorronear 5
gotear 5
gozar 28
grabar 5
graduar(se) 13
granizar, imp. 28
granjear 5
grapar 5

industrializar 28
infartar 5
infectar 5
inferir 119
infernar 80
infiltrar 5
inflamar 5
inflar 5
infligir 59
influir 87
informar 5
infravalorar 5
infundir 7
ingeniar 5
ingerir 45
ingresar 5
inhabilitar 5
inhalar 5
inhibir 7
inhumar 5
iniciar 5
injuriar 5
inmigrar 5
inmiscuir 75
inmolar 5
inmortalizar 28
inmovilizar 28
inmunizar 28
inmutar 5
innovar 5
inquietar 5
inquirir 15
inscribir 7
insensibilizar 28
insertar 5
insidiar 5
insinuar(se) 13
insistir 7
insolentar 5
insonorizar 28
inspeccionar 5
inspirar 5
instalar 5
instar 5
instaurar 5
instigar 111
institucionalizar 28

instituir 55
instruir 41
insubordinar 5
insultar 5
insumir 7
integrar 5
intensar 5
intensificar 24
intentar 5
intercalar 5
intercambiar 5
interceder 6
interceptar 5
interesar 5
interferir 119
interiorizar 28
intermediar 5
intermitir 7
internacionalizar 28
internar 5
interpelar 5
interponer 118
interpretar 5
interrumpir 7
intervenir 160
intimar 5
intimidar 5
intoxicar 24
intranquilizar 28
intrigar 111
introducir 88
intuir 89
inundar 5
inutilizar 28
invadir 7
invalidar 5
inventar 5
invernar 80
invertir 62
investigar 111
investir 163
invitar 5
invocar 34
involucrar 5
inyectar 5
ir(se) **90**
ironizar 28

irradiar 5
irritar 5
irrumpir 7
iterar 5
izar 28

J

jabonar 5
jactarse 5
jadear 5
jalar 5
jalear 5
jalonar 5
jamar 5
jaspear 5
jerarquizar 28
jeringar 111
joder(se) 6
jorobar 5
jubilar 5
jugar(se) **91**
juguetear 5
juntar 5
jurar 5
justiciar 5
justificar 24
juzgar 92

K

kilometrar 5

L

laborar 5
labrar 5
lacrar 5
ladear 5
ladrar 5
lamentar 5
lamer 6
laminar 5
languidecer 112
lanzar 28
lapidar 5

meter 6
mezclar 5
militar 5
militarizar 28
mimar 5
minar 5
minimizar 28
mirar 5
mistificar 24
mitificar 24
mitigar 111
modelar 5
moderar 5
modernizar 28
modificar 24
mofarse 5
mojar 5
moldear 5
moler 104
molestar(se) 5
momificar 24
mondar(se) 5
monopolizar 28
montar 5
moquear 5
morar 5
morder 101
mordisquear 5
morir 102
mortificar 24
mosquear 5
mostrar 103
motivar 5
motorizar 28
mover 104
movilizar 28
mudar 5
mugir 59
multar 5
multiplicar 24
murmurar 5
musitar 5
mutilar 5

N

nacer 105

nadar 5
narcotizar 28
narrar 5
nasalizar 28
naufragar 111
navegar 111
necesitar 5
negar(se) 106
negociar 5
negrear 5
neutralizar 28
nevar, imp. 114
niñear 5
niquelar 5
nivelar 5
nombrar 5
nominar 5
noquear 5
normalizar 28
notar 5
noticiar 5
notificar 24
novelar 5
numerar 5
nutrir 7

Ñ

ñoñear 5

O

obcecar 24
obedecer 112
objetar 5
objetivar 5
obligar 111
obnubilar 5
obrar 5
obsequiar 5
observar 5
obsesionar 5
obstaculizar 28
obstinarse 5
obstruir 41
obtener 107

obviar 5
ocasionar 5
occidentalizar 28
ocultar 5
ocupar(se) 5
ocurrir(se) 7
odiar 5
ofender 6
ofertar 5
oficializar 28
oficiar 5
ofrecer 108
ofrendar 5
ofuscar 24
oír 109
ojear 5
oler(se) 110
olfatear 5
olisquear 5
olvidar 5
omitir 7
ondear 5
ondular 5
operar 5
opinar 5
oponer(se) 118
opositar 5
oprimir 7
optar 5
orar 5
ordenar 5
ordeñar 5
orear 5
organizar 28
orientar 5
originar 5
orillar 5
orinar(se) 5
ornamentar 5
orquestar 5
osar 5
oscilar 5
oscurecer, imp. 99
ostentar 5
otear 5
otoñar 5

otorgar 111
ovacionar 5
ovalar 5
oxidar 5
oxigenar 5

P

pacificar 24
pactar 5
padecer 112
paganizar 28
pagar 111
paladear 5
palatalizar 28
paliar 5
palidecer 112
palmar 5
palmear 5
palpar 5
palpitar 5
papear 5
paralizar 28
parar 5
parcelar 5
parcializar 28
parear 5
parecer(se) **112**
parir 7
parlamentar 5
parlar 5
parlotear 5
parodiar 5
parpadear 5
participar 5
particularizar 28
partir 7
pasar(se) 5
pasear 5
pasmar 5
pastar 5
patalear 5
patear 5
patentar 5
patinar 5
patrocinar 5

patrullar 5
pavimentar 5
pavonear(se) 5
pecar 24
pedalear 5
pedir 113
pedorrear 5
pegar 111
peinar 5
pelar 5
pelear 5
peligrar 5
pellizcar 24
penalizar 28
penar 5
pender 6
penetrar 5
pensar 114
percatarse 5
percibir 7
perder(se) **115**
perdonar 5
perdurar 5
perecer 112
peregrinar 5
perfeccionar 5
perfilar 5
perforar 5
perfumar 5
perjudicar 24
perjurar 5
permanecer 112
permitir 7
pernoctar 5
perpetrar 5
perseguir 140
perseverar 5
persistir 7
personalizar 28
personarse 5
personificar 24
persuadir 7
pertenecer 47
pertrechar 5
perturbar 5
pervertir 62

pervivir 7
pesar 5
pescar 24
pestañear 5
petrificar 24
piar 71
picar 24
picotear 5
pigmentar 5
pilotar 5
pillar 5
pincelar 5
pinchar 5
pingar 111
pintar 5
pirarse 5
piratear 5
piropear 5
pisar 5
pisotear 5
pitar 5
pitorrearse 5
placer 116
plagar 111
plagiar 5
planchar 5
planear 5
planificar 24
plantar(se) 5
plantear 5
plantificar 24
plasmar 5
plastificar 24
plegar 77
pleitear 5
plisar 5
pluralizar 28
poblar 164
podar 5
poder 117
polarizar 28
polemizar 28
politiquear 5
politizar 28
polvorizar 28
ponderar 5

racionalizar 28
racionar 5
radiar 5
radicalizar 28
radicar 24
raer 127
rajar(se) 5
rallar 5
ramificar 24
raptar 5
rascar 137
rasgar 111
rasguñar 5
raspar 5
rastrear 5
rasurar 5
ratear 5
ratificar 24
razonar 5
reabrir 7
reabsorver 6
reaccionar 5
reactivar 5
readmitir 7
reafirmar 5
realizar(se) 28
realzar 28
reanimar 5
reanudar 5
reaparecer 112
reavivar 5
rebajar 5
rebañar 5
rebasar 5
rebatir 7
rebelarse 5
reblandecer 47
rebosar 5
rebotar 5
rebozar 28
rebuscar 24
recaer 26
recalar 5
recalcar 137
recalentar 27
recapacitar 5

recapitular 5
recargar 111
recelar 5
recetar 5
recibir 7
reciclar 5
recitar 5
reclamar 5
recluir 75
reclutar 5
recobrar 5
recocer 31
recochinearse 5
recoger(se) 32
recolectar 5
recompensar 5
recomendar 100
recomponer 118
reconciliar 5
reconfortar 5
reconocer 39
reconquistar 5
reconstruir 41
recontar 42
reconvenir 160
reconvertir 45
recopilar 5
recordar 128
recorrer 6
recortar 5
recostar 12
recrear(se) 5
recriminar 5
recrudecer 112
rectificar 24
recubrir 7
recuperar(se) 5
recurrir 7
recusar 5
rechazar 28
rechinar 5
rechistar 5
redactar 5
redimir 7
redondear 5
reducir 38

redundar 5
reembolsar 5
reemplazar 28
reemprender 6
reencarnar 5
reencontrar 68
reestructurar 5
reexpedir 113
referir 119
refinar 5
reflejar 5
reflexionar 5
refluir 87
reformar 5
reforzar 17
refreír 78
refrenar 5
refrendar 5
refrescar 24
refrigerar 5
refugiar 5
refulgir 59
refundir 7
refunfuñar 5
regalar 5
regañar 5
regar 106
regatear 5
regenerar 5
regentar 5
regimentar 142
regir(se) 65
registrar 5
reglamentar 5
regresar 5
regular 5
rehabilitar 5
rehacer 81
rehogar 111
rehuir 85
reimprimir 7
reinar 5
reincidir 7
reír 129
reiterar 5
reivindicar 24

rejonear 5
relacionar(se) 5
relajar 5
relatar 5
relegar 111
relumbrar 5
rellenar 5
remangar 111
remar 5
remarcar 137
rematar 5
rememorar 5
remendar 100
remitir(se) 7
remolcar 34
remontar 5
remorder 101
remover 104
remozar 28
remunerar 5
renacer 105
rendir(se) 113
renegar 106
renovar 164
rentabilizar 28
rentar 5
renunciar 5
reñir 130
reordenar 5
reorganizar 28
reparar 5
repartir 7
repasar 5
repeler 6
repercutir 7
repetir 131
replantear 5
replegar 77
replicar 24
reponer(se) 118
reposar 5
reprender 6
representar 5
reprimir 7
reprobar 121
reprochar 5

reproducir 122
reptar 5
repudiar 5
repulsar 5
requerir 58
requisar 5
resaltar 5
resbalar 5
rescatar 5
rescindir 7
resentir(se) 143
reseñar 5
reservar 5
resfriarse 71
resguardar 5
residir 7
resistir 7
resolver(se) 132
resonar 147
resoplar 5
respaldar 5
respetar 5
respingar 111
respirar 5
resplandecer 112
responder 6
responsabilizar 28
resquebrar 141
restablecer(se) 112
restar 5
restaurar 5
restituir 55
restregar 77
restringir 59
resucitar 5
resultar 5
resumir 7
resurgir 59
retar 5
retener 4
reteñir 130
retirar 5
retocar 34
retorcer 154
retornar 5
retostar 46

retozar 28
retraer 155
retransmitir 7
retrasar 5
retratar 5
retribuir 43
retroceder 6
retrotraer 155
retumbar 5
reunificar 24
reunir 133
revalidar 5
revalorizar 28
revelar 5
revender 6
revenirse 160
reventar 142
reverenciar 5
revertir 62
revestir 163
revisar 5
revitalizar 28
revivir 7
revocar 34
revolcar 165
revolotear 5
revolucionar 5
revolver 166
rezar 28
ridiculizar 28
rifar 5
rimar 5
rivalizar 28
rizar 28
robar 5
rociar 71
rodar 128
rodear 5
roer 134
rogar 135
romanizar 28
romper 6
roncar 34
rondar 5
rotar 5
rotular 5

suavizar 28
subarrendar 100
subastar 5
subdelegar 111
subentender 70
subestimar 5
subir 7
subordinar 5
subrayar 5
subscribir 7
subsistir 7
subtitular 5
subvencionar 5
suceder, imp. 6
sucumbir 7
sudar 5
sufragar 111
sufrir 7
sugerir 149
sugestionar 5
suicidarse 5
sujetar 5
sulfatar 5
sulfurar 5
sumar 5
sumergir 59
suministrar 5
supeditar 5
superar 5
supervisar 5
suplantar 5
suplicar 24
suplir 7
suponer 150
suprimir 7
supurar 5
surcar 24
surgir 59
surtir 7
suscitar 5
suscribir 7
suspender 6
suspirar 5
sustantivar 5
sustentar 5
sustituir 40

sustraer 155
susurrar 5

T

tacañear 5
taconear 5
tachar 5
tajar 5
taladrar 5
talar 5
tallar 5
tambalear 5
tamizar 28
tantear 5
tañer 151
tapar 5
tapiar 5
tapizar 28
taponar 5
tarar 5
tararear 5
tatuar 13
teatralizar 28
teclear 5
techar 5
tejer 6
telefonear 5
telegrafiar 71
televisar 5
temblar 152
temblequear 5
temer(se) 6
templar 5
tender(se) 70
tener(se) **4**
tensar 5
tentar 27
teñir 130
teorizar 28
terciar 5
tergiversar 5
terminar 5
testificar 24
testimoniar 5
tildar 5

timar 5
timbrar 5
tintar 5
tipificar 24
tiranizar 28
tirar 5
tiritar 5
tirotear 5
titubear 5
titular 5
tiznar 5
tocar 153
tolerar 5
tomar 5
tonificar 24
tontear 5
topar 5
toquetear 5
torcer 154
torear 5
torpedear 5
torrar 5
torturar 5
toser 6
tostar 46
totalizar 28
trabajar(se) 5
trabar 5
traducir 38
traer 155
traficar 24
tragar 111
traicionar 5
trajinar 5
tramar 5
tramitar 5
trampear 5
trancar 24
tranquilizar 28
transbordar 5
transcender 67
transcribir 7
transcurrir 7
transfigurar 5
transformar 5
transigir 59

ÍNDICE GENERAL

EDICIONES DEL COLEGIO DE ESPAÑA

COLECCION ESPAÑOL PARA EXTRANJEROS

Títulos aparecidos

1. RICARDO NAVAS RUIZ, Universidad de Massachusetts
   y JOSÉ MARÍA ALEGRE, Universidad de Copenhague
   ESPAÑOL AVANZADO. ESTRUCTURAS GRAMATICALES,
   CAMPOS LEXICOS
   284 páginas. 2.ª edición: año 1993
2. RICARDO NAVAS RUIZ y JOSÉ MARÍA ALEGRE
   CONVERSACIONES HISPANICAS
   84 páginas. Año de publicación 1988
3. BLANCA MARCOS y COVADONGA LLORENTE
   LOS VERBOS ESPAÑOLES
   244 páginas. Año de publicación: 1992.

COLECCION PROBLEMAS FUNDAMENTALES DEL ESPAÑOL

Directora: CARMEN HERNÁNDEZ, Universidad de Valladolid

1. RICARDO NAVAS RUIZ
   EL SUBJUNTIVO CASTELLANO
   208 páginas. Años de publicación: 1986
2. RICARDO NAVAS RUIZ y VICTORIA JAÉN
   SER Y ESTAR, LA VOZ PASIVA
   96 páginas. Año de publación: 1989
3. TEÓFILO SANZ y ALICIA H. PULEO
   LOS PRONOMBRES PERSONALES
   92 páginas. Año de publicación: 1989
4. SIGIFREDO REPISO
   LOS POSESIVOS
   109 páginas. Año de publicación: 1990
5. MARÍA ROSA ASENJO ORIVE
   LOS DEMOSTRATIVOS
   116 páginas. Año de publicación: 1990
6. JOSÉ ALBERTO MIRANDA, Universidad de Castilla-La Mancha
   USOS COLOQUIALES DEL ESPAÑOL
   140 páginas. Año de publicación: 1992

OTRAS COLECCIONES

CLASICOS HISPANICOS

Ultimos libros aparecidos

23. LOPE DE VEGA
    FUENTEOVEJUNA
    Edición de FRANCISCO RUIZ RAMÓN, Vanderbilt University

24. NARRACIONES CORTAS DE LA AMERICA COLONIAL
    Edición de FRANCISCO JAVIER CEVALLOS
    Universidad de Massachusetts
    Año de publicación: 1991

25. GUSTAVO ADOLFO BÉCQUER
    LEYENDAS
    Edición de EDUARDO ALONSO, Universidad de Valencia
    Año de publicación: 1992

ARTE ESPAÑOL. ARTISTAS Y ESTILOS

Ultimo libro aparecido

3. BLANCA PIQUERO, Universidad Complutense de Madrid
   LAS CATEDRALES GOTICAS CASTELLANAS
   180 páginas. Año de publicación 1992